CURAR

DAVID
SERVAN-SCHREIBER

Curar...

o stress, a ansiedade e a depressão sem medicamento nem psicanálise

Tradução
Luis Manuel Louceiro

Consultoria científica
Dr. Sílvio Laganá de Andrade

Sá editora

Título do original em francês: *Guérir – Le stress, l'anxiété et la dépression sans médicaments ni pyschanalyse*, publicado originalmente por Editions Robert Laffont S. A., Paris, 2003. Título do original em inglês: *The instinct to heal*, publicado por Rodale Inc., EUA

Nota: Este livro é apenas uma obra de referência e não um manual médico. As informações aqui contidas se destinam a ajudar o leitor na tomada de decisões sobre sua saúde. Não é sua intenção tornar-se um substituto para qualquer tratamento prescrito pelo seu médico. Procure sempre assistência médica competente. Menções de empresas, organizações ou pessoas específicas não significam endosso a elas pelos editores, nem que os mencionados endossem esta obra.

Capa: João Baptista da Costa Aguiar
Assistente: Lilian Queiroz

Fotos de capa:
Cérebros: © Tom Dee & Ann McCarthy/CORBIS
Tênis: © João Baptista da Costa Aguiar

Preparação de texto: Beatriz de Freitas Moreira
Revisão: Cláudia Cantarin

Diagramação: Eveline Teixeira

Fotolitos: FTW
Impressão: Bartira Gráfica e Editora S/A

Dados Internacionais de Catalogação na Publicação

Servan-Schreiber, David
Curar – o stress, a ansiedade e a depressão sem medicamento nem psicanálise / David Servan-Schreiber. – São Paulo: Sá Editora, 2004.

ISBN - 85-88193-19-1

1. Servan-Schreiber, David. 2. Psicoterapia. 3. doenças do sistema nervoso autônomo. 4. Doenças do sistema simpático e parassimpático.

CDU - 615.851

SÁ EDITORA
Rua Palacete das Águias, 310 – São Paulo/SP
Tel./Fax: (11) 5051-9085 / 5052-9112
atendimento@saeditora.com.br
www.saeditora.com.br

Aos residentes do Hospital Presbiteriano-Shadyside da Universidade de Pittsburgh.

Para merecer ser seu professor, tive de reaprender tudo o que pensava que sabia. Por intermédio deles quero dedicar este livro aos médicos e terapeutas em todo o mundo que ardem de curiosidade pelos seres humanos e de paixão pela cura.

Sumário

Advertências

"Cura" é uma palavra com muito poder. Não seria presunçoso demais um médico usar tal palavra no título de um livro sobre stress, ansiedade e depressão?

Pensei muito sobre a questão.

Para mim, "cura" significa que os pacientes não estão mais sofrendo daqueles sintomas de que se queixavam quando me consultaram pela primeira vez, e que tais sintomas não voltarão depois que o tratamento terminar. É precisamente o que observei quando comecei a usar os métodos descritos neste livro e isso é sustentado por algumas pesquisas. Por fim decidi que não havia problema em usar "cura" no título do livro, uma vez que não utilizá-la teria sido desonesto.

As idéias aqui apresentadas são inspiradas pelas obras de António Damásio, Daniel Goleman, Tom Lewis, Dean Ornish, Andrew Weil, Judith Hermann, Bessel van der Kolk, Joe LeDoux, Mihaly Csikszentmihalyi, Scott Shannon e muitos outros médicos e pesquisadores. Durante anos participamos das mesmas conferências, falamos aos mesmos colegas e lemos a mesma literatura. Decerto que há muitas áreas que sobrepõem, referências comuns e idéias semelhantes em seus livros e neste. Porém, como este veio após o deles, tive a liberdade de expor idéias científicas em termos simples e compreensíveis. Desejo agradecer-lhes aqui por tudo o que tomei emprestado em suas obras e pelas boas idéias que este livro contém. É claro que as idéias com as quais eles não concordam necessariamente permanecem de minha inteira responsabilidade.

Todos os casos de pacientes apresentados nas páginas seguintes são retirados de minha própria experiência clínica, exceto alguns que foram descritos na literatura científica cuja fonte é citada. Naturalmente, nomes e toda e qualquer informação que os identifique foram mudadas visando preservar sua privacidade. Por motivos literários decidi, em alguns poucos casos, aliar características clínicas de dois pacientes em uma só história.

1

A nova medicina das emoções

Duvidar de tudo e crer em tudo são duas soluções
igualmente convenientes que nos livram de ter que pensar.
HENRI POINCARÉ, *Sobre a Ciência e Hipóteses*

Cada vida é única... e cada vida traz consigo suas dificuldades. Nós freqüentemente nos surpreendemos com o fato de que invejamos os outros.

"Ah, se eu fosse tão linda quanto a Marilyn Monroe."

"Ah, se eu fosse uma estrela de rock."

"Ah, se eu vivesse as aventuras de Ernest Hemingway."

Se nos tornássemos outra pessoa, nos livraríamos de nossos problemas costumeiros – isso é verdade – mas teríamos outros, os deles!

Marilyn Monroe foi provavelmente a mulher sexualmente mais atraente, mais famosa e mais desejada de sua geração. Entretanto, ela sempre se sentiu só e afogava sua dor no álcool.

Finalmente morreu de uma overdose de barbitúricos. Kurt Cobain, o vocalista da banda de rock Nirvana, tornou-se uma estrela em poucos anos. Ele se matou antes dos trinta. Hemingway, cujo prêmio Nobel e vida extraordinária não o salvaram de um sentimento de vazio existencial profundo, também cometeu suicídio. Nem talento nem glória nem dinheiro nem a admiração de mulheres e homens podem tornar a essência da vida fundamentalmente mais fácil.

Há, contudo, pessoas que parecem viver em harmonia. A maior parte do tempo elas têm o sentimento de que a vida é generosa. São capazes de apreciar aqueles à sua volta e os pequenos prazeres do dia-a-dia: refeições, sono, projetos, relacionamentos. Elas não pertencem a nenhum culto ou religião. Não vivem em um país específico. Algumas são ricas, outras não. Algumas são casadas, outras vivem sozinhas. Algumas têm um talento especial, outras são comuns. Todas já passaram por fracassos, decepções, momentos tenebrosos. Ninguém está livre de dificuldades, mas, em geral, essas pessoas parecem mais bem equipadas para superar obstáculos. Elas parecem ter uma certa habilidade em se livrar de problemas, de dar significado a suas vidas, como se tivessem uma relação mais íntima consigo mesmas, com os outros e com o que elas escolheram fazer com suas vidas.

Como é que alguém é capaz de se recuperar tão rapidamente? Como cultivar essa capacidade de ser feliz? Passei vinte anos estudando e exercendo medicina nas principais universidades dos Estados Unidos, do Canadá e da França, mas também com médicos tibetanos e xamãs nativos norte-americanos.

Nesse período descobri certas chaves que se tornaram úteis para meus pacientes e para mim. Para minha surpresa, elas não têm nada a ver com os métodos que eu tinha aprendido na universidade. Não envolviam nem medicação nem terapias verbais convencionais.

O ponto de mutação

Não cheguei facilmente a essa conclusão – e a este novo tipo de medicina. Comecei minha carreira na área médica como cientista puro. Após me formar na faculdade de medicina, deixei-a durante cinco anos para estudar como os neurônios se organizam em redes para produzir pensamentos e emoções. Fiz doutorado em neurociências cognitivas na Universidade Carnegie Mellon sob a supervisão de Herbert Simon, Ph.D., um dos poucos psicólogos que receberam o Nobel, e de James McClelland, Ph.D., um dos fundadores da moderna teoria da rede neural. O resultado principal da minha tese foi publicada na revista *Science*, uma publicação de prestígio na qual todo cientista espera ver seu trabalho publicado um dia.

Após passar por esse treinamento nas ciências ditas "duras", foi difícil voltar ao mundo clínico para completar minha residência em psiquiatria. Trabalhar com pacientes parecia vago demais, quase diria... fácil demais. Trabalho clínico tinha muito pouco em comum com os dados "duros" e a precisão matemática a que tinha me acostumado. Porém, pus na cabeça que estava aprendendo a tratar pacientes psiquiátricos em um dos departamentos de psiquiatria mais exigentes e voltados para a pesquisa do país. Na Universidade de Pittsburgh, dizia-se que a psiquiatria recebia mais dinheiro do fundo federal para pesquisa do que qualquer outro departamento em faculdades de medicina, incluindo o prestigioso departamento de cirurgia de transplantes. Com certa arrogância, nós nos achávamos "cientistas clínicos".

Pouco depois, consegui subsídios suficientes dos Institutos de Saúde Nacionais e de outras fundações particulares para começar o meu próprio laboratório. As coisas não podiam parecer mais promissoras e minha curiosidade – por novos conhecimentos e fatos sólidos – prometia ser saciada. Entretanto, a curto prazo, algumas experiências haveriam de mudar meu ponto de vista a respeito da medicina de modo radical, assim como o curso de minha carreira.

Uma delas foi uma viagem à Índia, para participar do projeto Médicos Sem Fronteiras, para o qual trabalhei como membro do conselho de diretores dos Estados Unidos de 1991 a 2000. Eu estava indo para cuidar de refugiados em Dharamsala, onde está o Dalai-Lama. Lá tive a oportunidade de conhecer a medicina tradicional tibetana, pela qual se diagnosticavam doenças e "desequilíbrios" por meio de prolongadas contagens de pulsações nos dois pulsos e da inspeção da língua e da urina. Esses profissionais tratavam seus pacientes apenas com acupuntura, ervas tradicionais e ensinamentos de meditação.

Eles pareciam ter tanto sucesso com uma variedade de pacientes que sofriam de doenças crônicas quanto nós no Ocidente, mas seus tratamentos produziam muito menos efeitos colaterais e eram muito mais baratos.

Como psiquiatra, a maioria de meus pacientes sofria de doenças crônicas. (Depressão, ansiedade, desordem bipolar e stress são considerados crônicos.) Comecei a me perguntar se o desprezo pelas abordagens tradicionais que me foram ensinadas na faculdade era baseado em fatos objetivos ou em ignorância pura. De fato, se a história da medicina ocidental registra sucessos fora de série para casos graves como pneumonia, apendicite ou fraturas ósseas, está longe de se revelar brilhante para a maior parte dos casos crônicos, incluindo ansiedade e depressão.

O outro desafio à minha própria arrogância médica foi uma experiência de ordem mais pessoal. Durante uma visita à França, uma amiga de infância contou-me a respeito de sua recuperação de uma depressão séria. Ela tinha recusado a medicação que seu médico lhe prescrevera e buscado ajuda com um tipo de terapia. Foi tratada pela "sofrologia", uma técnica que envolve relaxamento profundo e revivência de velhas emoções soterradas. Ela saiu desse tratamento "melhor do que podia imaginar". Não estava mais deprimida; estava, isso sim, livre de um peso de trinta anos, de uma dor psicológica contida pela perda de seu pai, que morrera quando ela tinha seis anos.

Minha amiga tinha descoberto uma nova energia, uma nova luz e claridade, um propósito que jamais lhe ocorrera antes do tratamento. Eu estava feliz por ela mas chocado e decepcionado interiormente. Em todos os meus anos de estudo da mente e do cérebro, em todo o treinamento que recebi em psicologia científica e depois em psiquiatria, eu jamais testemunhara resultados tão profundos, nem vira tais métodos de tratamento. Na verdade, fui abertamente desencorajado a buscá-los – como se fossem o campo de ação de charlatões, algo que não era sequer merecedor da curiosidade médica.

No entanto, minha amiga conseguiu muito mais do que eu aprendi a esperar das técnicas que me foram ensinadas: medicação psiquiátrica e terapia verbal convencional.

Se ela tivesse vindo a mim como psiquiatra, provavelmente eu teria limitado suas chances de encontrar o crescimento que ela experimentou por meio do tratamento incomum que escolhera. Se, após todos aqueles anos de treinamento, eu não pudesse ajudar alguém que me era tão querido, de que valia todo o meu conhecimento? Nos meses e anos que se seguiram, aprendi a abrir a cabeça – e o coração – para modos diferentes, e freqüentemente mais eficazes, de curar os outros.

As sete abordagens de tratamento natural que descrevo neste livro estão centradas na mente e nos mecanismos de cura do próprio cérebro para se recuperar de depressão, ansiedade e stress. Os sete métodos foram pesquisados e estudos documentando seus benefícios já foram publicados em revistas científicas de prestígio. Uma vez que os mecanismos por meio dos quais eles operam ainda são pouco conhecidos, esses métodos têm permanecido à margem da corrente principal da medicina e da psiquiatria. A medicina convencional deveria, legitimamente, buscar a compreensão de como os tratamentos na verdade operam. Não é legítimo excluir tratamentos que já provaram dar certo e resistir a eles apenas para nos sentirmos seguros simplesmente porque não compreendemos como funcionam.

Hoje a demanda é tão grande para tais abordagens que não será mais possível ignorá-las. E há boas razões para uma abordagem mais aberta.

O estado triste das coisas

Doenças ligadas a stress – incluindo a depressão e a ansiedade – são comuns em nossa sociedade. Os números são alarmantes: estudos clínicos sugerem que 50% a 75% de todas as idas ao médico se devem, principalmente, ao stress, e que, em termos de mortalidade, ele traz um fator de risco muito mais sério do que o fumo.[1, 2] De fato, oito em cada dez medicamentos mais comumente usados nos Estados Unidos servem para tratar de problemas diretamente relacionados ao stress: antidepressivos, ansiolíticos e pílulas para dormir; antiácidos para a azia e úlceras; e outros para a pressão alta.[3] Em 1999, três dos remédios mais vendidos nos Estados Unidos foram antidepressivos (Prozac, Paxil e Zoloft).[4] Na verdade, estima-se que um em cada oito norte-americanos já tomou antidepressivo, quase metade deles durante mais de um ano.[5]

Embora o stress, a ansiedade e a depressão estejam aumentando, quem sofre desses problemas está sujeito aos dois tradicionais pilares do tratamento emocional: psicanálise e medicação. Já em 1977, um estudo de Harvard demonstrou que a grande maioria dos norte-americanos que sofria desse tipo de problema preferia métodos "alternativos e complementares" às psicoterapias tradicionais ou à medicação.[6]

A psicanálise está perdendo terreno. Após dominar a psiquiatria durante trinta anos, sua credibilidade está diminuindo porque sua eficácia não vem se comprovando.[7] Se moramos em Nova York, um dos últimos bastiões da psicanálise no mundo de língua inglesa, talvez conheçamos alguém que tenha se beneficiado de tratamento analítico, mas também conheceremos muitas outras pessoas que rodam pelos divãs de analistas há anos.

Hoje em dia, a forma mais comum de psicoterapia é a terapia cognitivo-comportamental. Ela tem um histórico notável, com uma riqueza de estudos que mostram sua eficácia em casos tão variados como depressão e doenças obsessivo-compulsivas. Pacientes que já aprenderam a controlar seus pensamentos e a examinar sistematicamente seus pressupostos e crenças realmente se saem melhor do que aqueles que ainda não o fizeram. No entanto, muitos pacientes sentem que o fato de focalizar exclusivamente os pensamentos e os comportamentos presentes faz com que deixem de abranger todas as dimensões de suas vidas – incluindo, sobretudo, seus corpos.

Além da psicoterapia, há a "psiquiatria biológica". Essa é a forma moderna de psiquiatria que trata, antes de tudo, de pacientes com medicação psicotrópica como Prozac, Zoloft, Paxil, Xanax, lítio, Zyprexa, etc. Nas trincheiras da prática médica diária, a medicação psicotrópica domina o campo quase completamente. A psicanálise – embora comprovadamente eficaz – é cada vez menos recomendada. A prescrição reflexa já se tornou tão comum que, se um paciente chorar na frente do médico, ele tem grandes chances de receber um antidepressivo ao final do atendimento.

A medicação psicotrópica pode ser incrivelmente útil. Ela é, às vezes, tão eficaz que alguns psiquiatras – tais como Peter Kramer em seu livro bastante conhecido, *Listening to Prozac* ["Escutando o Prozac"] – descreveram pacientes cujas personalidades foram totalmente transformadas.[8] Como todos os profissionais da minha geração, eu mesmo prescrevo medicação psicotrópica com freqüência, em especial para problemas psiquiátricos críticos. Acredito que a descoberta dessas drogas psicotrópicas foi um dos maiores acontecimentos da medicina do século XX. Mas os benefícios da medicação psiquiátrica geralmente param depois que o tratamento é interrompido, e grande número de pacientes sofre recaídas.[9] Por exemplo, um sólido estudo que Harvard fez de um grupo que se especializou no tratamento de drogas mostra que cerca da metade dos pacientes que deixou de tomar antidepressivos teve recaída no espaço de um ano.[10] Claramente, medicação antidepressão e antiansiedade não "cura" no sentido em que antibióticos curam infecções. Assim, remédios, mesmo os mais úteis, estão longe de ser uma solução ideal para a saúde emocional. No fundo do coração os pacientes sabem disso e com freqüência se recusam a tomar a medicação para enfrentar os problemas da vida, quer se trate de um luto difícil ou simplesmente de muito stress no trabalho.

Uma abordagem diferente

Hoje, novos tratamentos emocionais estão sendo divulgados em todo o mundo, tratamentos que não a psicanálise convencional ou o Prozac. Durante cinco anos no Hospital Shadyside da Universidade de Pittsburgh, estudamos como aliviar a depressão, a ansiedade e o stress com um leque de métodos naturais que se baseiam mais nos mecanismos de cura natural do corpo do que na linguagem ou nas drogas.

Os principais pressupostos por trás do trabalho que fazemos podem ser resumidos assim:

- Dentro do cérebro há um cérebro emocional, um verdadeiro "cérebro dentro do cérebro". Este segundo cérebro tem uma estrutura diferente, uma organização celular diferente e, inclusive, propriedades bioquímicas que são diferentes do resto do neocórtex, a parte mais "evoluída" do cérebro, que é o centro da linguagem e do pensamento.
- O cérebro emocional controla tudo o que governa o nosso bem-estar psicológico, assim como grande parte da fisiologia física: o bom funcionamento do coração, a pressão sangüínea, os hormônios, o sistema digestivo e até o sistema imunológico.
- Problemas emocionais resultam de disfunções no cérebro emocional. Para muitas pessoas, essas disfunções originamse de experiências dolorosas do passado – que não têm nenhu-

ma relação com o presente – e que, no entanto, continuam a controlar seu comportamento.

• A principal meta do tratamento é "reprogramar" o cérebro emocional para que ele se adapte ao presente em vez de continuar a reagir às experiências passadas.

Para atingir tal resultado, em geral é mais eficaz usar métodos que agem via *corpo* e que influenciam diretamente o cérebro emocional do que usar abordagens que dependam totalmente da linguagem e do raciocínio, aos quais o cérebro emocional não é tão receptivo.

• O cérebro emocional contém mecanismos naturais para se autocurar: um "instinto para curar". Esse instinto para curar abrange a habilidade inata do cérebro emocional em descobrir equilíbrio e bem-estar, comparáveis a outros mecanismos de autocura no corpo, como a cicatrização de uma ferida ou a eliminação de uma infecção. Métodos que agem via *corpo* se encaixam nesses mecanismos.

Os métodos naturais de tratamento que apresentarei nas páginas seguintes têm impacto direto no cérebro emocional, quase evitando a linguagem. Embora muitos métodos estejam sendo propostos hoje, em minha prática clínica, e neste livro, selecionei apenas aqueles que receberam atenção científica suficiente para me deixar confortável para usá-los com pacientes e recomendá-los a colegas. Cada um dos capítulos contém uma dessas abordagens, ilustrada por histórias de pacientes cujas vidas foram transformadas por suas experiências.

Procuro também mostrar o grau em que cada método foi avaliado cientificamente. Alguns dos métodos mais recentes incluem a Dessensibilização e Reprocessamento pelo Movimento Ocular, conhecido como EMDR (Eye Movement Desensitization and Reprocessing), ou treinamento para coerência do batimento cardíaco, ou mesmo a sincronização dos ritmos cronobiológicos com aurora artificial (que deve substituir o despertador). Outras abordagens, como acupuntura, nutrição, exercícios, comunicação emocional e o cultivo de sua conexão com algo mais vasto do que você mesmo, derivam de tradições multimilenares, embora novos dados científicos estejam lhes dando importância renovada.

Qualquer que seja sua origem, tudo começa com a emoção. Começaremos revendo como o cérebro emocional funciona e como ele depende do corpo para sua cura.

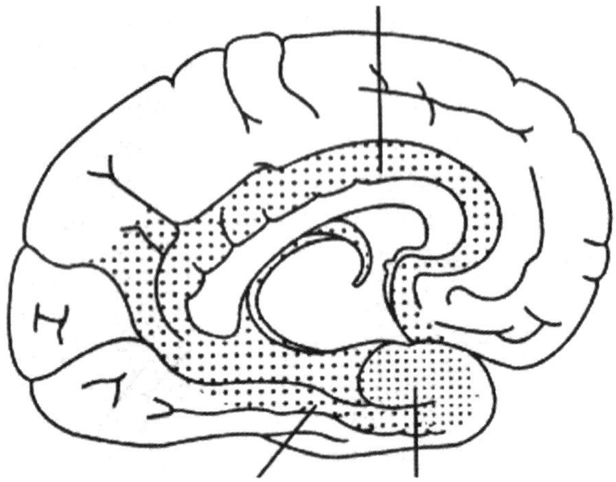

Figura 1: *O cérebro límbico* – No coração do cérebro humano está o cérebro emocional. Essas estruturas chamadas "límbicas" são as mesmas em todos os mamíferos e feitas de um tecido neural diferente daquele do cérebro cortical "cognitivo", responsável pela linguagem e pelo pensamento abstrato. Estruturas límbicas são responsáveis pelas emoções e pelo controle instintivo do comportamento. Lá no fundo do cérebro está a amígdala – um grupo de neurônios responsável pelas reações do medo.

2

Mal-estar na neurobiologia: o difícil casamento de dois cérebros

> Devemos tomar cuidado para não fazer de nosso intelecto um deus. Ele tem, é claro, músculos poderosos, mas nenhuma personalidade. Ele não sabe governar, só servir.
>
> ALBERT EINSTEIN

Sem emoções, a vida não teria nenhum sentido. Sem amor, beleza, justiça, verdade, dignidade, honra e a satisfação que cada uma delas proporciona, o que tornaria a vida digna de ser vivida?

Essas experiências e as emoções que as acompanham são como bússolas: passo a passo elas nos apontam a direção correta. Estamos continuamente gravitando na direção de mais amor, mais beleza, mais justiça e buscando nos distanciar de seus opostos. Sem emoções, perdemos nossas referências fundamentais. Não podemos fazer escolhas que reflitam o que realmente importa para a maioria de nós.

Algumas pessoas mentalmente doentes perdem essa habilidade. Elas entram num tipo de "terra de ninguém" emocional. Como Peter, por exemplo, um jovem canadense que procurou o pronto-socorro do hospital onde trabalho quando eu ainda era residente.

Durante algum tempo, Peter vinha escutando vozes. Elas lhe diziam que ele era ridículo e incapaz, e que seria melhor que morresse. Pouco a pouco, as vozes tomaram conta dele e o comportamento de Peter tornou-se cada vez mais estranho. Ele deixou de tomar banho, de comer e ficava fechado em seu quarto dias a fio. Sua mãe, que vivia sozinha com ele, estava extremamente preocupada. Seu único filho, o brilhante estudante de filosofia nas primeiras colocações de sua classe de calouros, sempre fora um tanto excêntrico, mas agora a coisa parecia exagerada.

Um dia, em desespero, Peter insultou e bateu em sua mãe. Ela teve que telefonar para a polícia. E foi assim que ele chegou ao pronto-socorro. Com a medicação, Peter se acalmou bastante. As vozes desapareceram em alguns dias. Ele disse que então era capaz de"controlá-las". Mas isso não significa que havia ficado bom.

Depois de várias semanas de tratamento – medicação antipsicótica deve ser tomada durante um longo período –, sua mãe ficou quase tão preocupada quanto ficara no primeiro dia. "Ele não sente mais nada", disse-me com voz suplicante. "Olhe só para ele. Não tem mais interesse em coisa alguma. Não faz mais nada. Passa os dias fumando e só."

Observei Peter enquanto ele falava. Dava pena de ver. Ligeiramente arqueado, com as feições congeladas e o olhar petrificado, ele caminhava para cima e para baixo nos corredores do hospital como um zumbi. O aluno brilhante quase deixara de reagir aos outros ou às notícias do mundo exterior. Esse estado de apatia emocional é o que dá mais pena e preocupa a família de pacientes como Peter. E, no entanto, suas alucinações e seus delírios – que a medicação tinha dispersado – eram muito mais perigosos para ele e sua mãe do que esses efeitos colaterais. Mas esta é a dificuldade: sem emoção não há vida.*

Por outro lado, deixadas à rédea solta, as emoções não tornam a vida perfeita. Elas devem estar moderadas pela análise racional que o cérebro cognitivo fornece. Senão, decisões impetuosas tomadas no calor da ação podem pôr em perigo o complexo equilíbrio de nossas relações com os outros. Privados de concentração, consciência, planejamento, somos arremessados de cá para lá pelos prazeres e frustrações que vão surgindo ao acaso pelo caminho. Se formos incapazes de controlar nossa existência, a vida perde seu significado também.

Inteligência emocional

"Inteligência emocional" é o termo que melhor define esse equilíbrio entre emoção e razão. O termo foi cunhado por pesquisadores das universidades de Yale e New Hampshire.[1] Inteligência emocional, uma idéia tão simples quanto importante, ganhou fama com um livro escrito por Daniel Goleman, um repórter de ciências do *The New York Times*.[2] O impacto mundial do livro de Goleman reacendeu o debate sobre a velha questão: "O que é inteligência?".

A definição original e mais geral de inteligência foi a que inspirou os psicólogos no início do século XX, que inventaram o conceito de "quociente de inteligência". Inteligência, desse ponto de vista, é uma série de capacidades mentais por meio das quais podemos prever o sucesso de um indivíduo. Generalizando, portanto, os indivíduos mais "inteligentes" – ou seja, com os mais elevados Q.I. – são aqueles que têm mais chance

---

* Hoje em dia há medicações antipsicóticas cujos efeitos colaterais são menos perturbadores. Elas conseguem controlar alucinações e delírios sem insensibilizar a vida emocional do paciente.

de ser "bem-sucedidos" na vida. Para verificar essa previsão, pesquisadores da área de psicologia criaram um teste destinado a se tornar famoso com o nome de "teste de Q.I.". Ele avalia, acima de tudo, a capacidade de um indivíduo para a abstração e a flexibilidade no tratamento de informação lógica. Entretanto, a relação entre o Q.I. de uma pessoa e seu "sucesso" em um sentido razoavelmente amplo (posição social, renda, casamento, número de filhos) provou-se fraca, para dizer o mínimo. De acordo com vários estudos, menos de 20% desse sucesso pode ser atribuído ao Q.I. de um indivíduo.

A conclusão parece inquestionável: outros fatores correspondem aos 80% restantes. Portanto, estes são claramente mais importantes do que a inteligência abstrata e a lógica na determinação do sucesso.

Carl Gustav Jung e Jean Piaget – pioneiros suíços em psiquiatria e psicologia infantil, respectivamente – já tinham sugerido nos idos de 1950 que há vários tipos de inteligência. Inegavelmente, alguns indivíduos – como Mozart – possuem extraordinária "inteligência para a música". Outros têm incomum "inteligência para a forma" – Rodin, por exemplo –, e outros ainda, para o movimento no espaço. O jogador de basquete Michael Jordan e o dançarino Rudolf Nureyev me vêm à mente.

Os pesquisadores de Yale e New Hampshire revelaram outra forma de inteligência, qual seja, aquela envolvida no entendimento e no controle das emoções. Essa forma de inteligência – "inteligência emocional" – é precisamente aquela que, mais do que qualquer outra, explica o sucesso na vida. E ela tem pouco a ver com o Q.I.

Os pesquisadores das universidades de Yale e New Hampshire decidiram definir um "quociente emocional" ou "Q.E." que servisse para medir esse conceito de inteligência emocional. Eles basearam sua definição em quatro habilidades essenciais:

1. A capacidade de identificar nosso estado emocional e o dos outros.

2. A habilidade de captar o curso natural das emoções (exatamente do mesmo modo que os movimentos de um Bispo e de um Cavalo seguem regras diferentes em um tabuleiro de xadrez, temor e raiva, por exemplo, desenvolvem-se diferentemente e têm conseqüências diferentes em nosso comportamento).

3. A habilidade de pensar sobre nossas próprias emoções e as dos outros.

4. A habilidade de controlar nossas emoções e as dos outros.[3]

Essas quatro aptidões fornecem a base para o autodomínio e para o sucesso social. Juntas, formam as bases do autoconhecimento, do autodomínio, da compaixão, da cooperação e da capacidade de resolver conflitos. Embora essas habilidades pareçam elementares e a maioria de nós esteja convencida de que as possui, este certamente não é o caso.

Eu me lembro, por exemplo, de uma jovem e brilhante pesquisadora da Faculdade de Medicina de Pittsburgh. Ela concordou em participar de um experimento em meu laboratório visando localizar emoções no cérebro. Nesse estudo, os participantes deveriam ver trechos de filmes com imagens fortes, muitas delas violentas, enquanto seus cérebros eram monitorados por um scanner MRI (imagem de ressonância magnética).*

O experimento ainda está vívido na minha mente porque adquiri forte aversão a esse tipo de filme de tanto vê-los. Assim que o experimento começou, com a jovem já deitada dentro do scanner, seu pulso e sua pressão subiram rapidamente a níveis anormais. Fiquei preocupado ante tal nível de stress a ponto de sugerir que o experimento fosse cancelado. Com ar surpreso, ela me respondeu que estava tudo bem. Disse que

* As imagens de ressonância magnética nuclear conseguem detectar mudanças na atividade de neurônios em diferentes regiões do cérebro, determinadas pelo conteúdo dos pensamentos e das emoções.

não estava sentindo nada, que as imagens não tinham nenhum efeito sobre ela, e que não conseguia entender por que eu estava sugerindo que parássemos tudo!

Mais tarde descobri que a jovem tinha pouquíssimos amigos e que vivia apenas para o seu trabalho. Sem compreender realmente por quê, os membros da minha equipe não a apreciavam. Seria porque ela falava demais sobre si mesma e não parecia se preocupar com as pessoas à sua volta? Ela própria não fazia idéia do porquê de os outros não a apreciarem mais.

Para mim, essa pesquisadora é um exemplo típico de pessoa com elevado Q.I. e baixíssimo Q.E. Sua principal deficiência parecia ser a falta de consciência a respeito das próprias emoções e, como resultado, sua "cegueira" em relação às emoções dos outros. Suas perspectivas em termos de carreira pareciam pobres para mim. Mesmo nas ciências ditas "duras", as pessoas têm de trabalhar em equipe, formar elos, exercer liderança, cooperar com colegas. Não importa nossa vocação, as circunstâncias sempre nos chamam a interagir. Essa realidade é inescapável e nossa capacidade para nos relacionar com os outros determina nosso sucesso a longo prazo.

O comportamento de crianças pequenas ilustra como é difícil, às vezes, identificar estados emocionais. Bebês que choram em geral não sabem exatamente por que estão chorando. Talvez seja porque estão com fome, com calor, tristes, ou simplesmente cansados após um longo dia de brincadeiras. Eles choram sem saber o que está errado; eles não sabem o que fazer para se sentir melhor.

Em situações desse tipo, pais com inteligência emocional pouco desenvolvida facilmente se sentirão impotentes; eles não saberão como identificar a emoção da criança e, assim, responder à sua necessidade. Outros, com inteligência emocional mais desenvolvida, descobrirão facilmente como acalmá-la. Há inúmeros relatos sobre o modo como T. Berry Brazelton, o excepcional pediatra de sua geração, conseguia, com uma só palavra ou gesto, acalmar um bebê que vinha chorando há dias. Ele é um virtuoso da inteligência emocional.

Em crianças, a inabilidade em distinguir com clareza entre diferentes estados emocionais é muito comum. Geralmente vejo isso acontecer com residentes em meu hospital. Sob stress, após plantões intermináveis, e exaustos pelos chamados noturnos várias vezes por semana, eles compensam comendo demais. Seus corpos estavam lhes dizendo: "Eu preciso de um descanso; eu preciso dormir". Mas eles só ouviam "Eu preciso...". E reagiam a esse pedido com a única gratificação física imediatamente disponível em qualquer hospital – o "fast-food" ao seu dispor 24 horas por dia. Em uma situação como essa, usar a inteligência emocional significaria chamar as quatro aptidões descritas pelo estudo de Yale:

- Primeiro, identificar o estado original pelo que ele realmente é (fadiga, não fome).
- Segundo, saber como ele se desenvolve (como é um estado passageiro, ocorre ciclicamente durante o dia, quando o corpo é exigido demais).
- Em seguida, pensar sobre o problema (comer mais um sorvete seria um ônus extra sobre o corpo; além disso, isso me faria sentir culpado).
- Finalmente, assumir a situação de modo apropriado (aprender a deixar a onda de fadiga passar, ou dar um tempo para "meditar", ou mesmo tirar uma soneca de vinte minutos; sempre encontraremos tempo para essas alternativas, que são muito mais revigorantes do que mais um café ou uma barra de chocolate).

O caso dos residentes cansados pode parecer trivial, mas a situação é interessante por si só. Comer demais é muito comum e, no entanto, difícil de controlar. A maioria dos especialistas em nutrição e obesidade concorda neste ponto: a incapacidade de controlar as emoções é um dos fatores que mais causam obesidade em uma sociedade na qual o stress é comum e a comida é usada de forma abundante para lidar com isso. As pessoas que já aprenderam a lidar com o stress geralmente não têm problema de peso. Já aprenderam a escutar seus corpos, identificar seus sentimentos e a responder a eles com inteligência.

De acordo com a tese de Goleman, a capacidade de controlar a inteligência emocional é melhor indicador do sucesso na vida do que o Q.I. Em um dos mais notáveis estudos a respeito dos fatores que prevêem sucesso, psicólogos estudaram quase cem estudantes de Harvard, começando na década de 1940.[4] Sua performance intelectual aos vinte anos era pouco promissora quanto à futura renda, produtividade ou reconhecimento por seus pares. Nem aqueles com notas mais altas na universidade, na época, tiveram uma vida familiar mais feliz ou mais amigos mais tarde na vida. Em contrapartida, um estudo feito com crianças de um subúrbio pobre de Boston sugere que o "quociente emocional" tem um papel significativo. O mais poderoso indicador de seu sucesso como adultos não foi o Q.I. Foi sua habilidade, durante uma infância difícil, em governar suas emoções, lidar com suas frustrações e cooperar com os outros.[5]

A terceira revolução: além de Darwin e Freud

Dois grandes pensadores, Darwin e Freud, dominaram as ciências sociais no século XX. Passaram-se quase cem anos para que suas duas contribuições se juntassem em uma perspectiva totalmente nova sobre a vida emocional dos seres humanos.

De acordo com Darwin, as espécies evoluem mediante o acúmulo sucessivo de novas estruturas e funções. Cada organismo, portanto, tem as características físicas de seus ancestrais, bem como novas. Uma vez que humanos e símios se separaram dos ancestrais comuns mais tarde no curso da evolução, os humanos são, em certo sentido, "supersímios".* Quanto aos nossos ancestrais símios, eles também têm uma série de traços iguais aos de outros mamíferos com os quais compartilham um mesmo ancestral. E assim é ao longo de toda a cadeia evolutiva.

Como nas escavações arqueológicas, a anatomia e a fisiologia do cérebro humano revelam as camadas sucessivas depositadas pelo nosso passado evolucionário. As camadas mais profundas do cérebro são idênticas às dos símios. Algumas das mais profundas são mesmo iguais às dos répteis. Por outro lado, estruturas adicionadas em tempos mais recentes pela evolução, tais como o córtex pré-frontal (atrás da testa), só são altamente desenvolvidas em humanos. Essa é a razão pela qual a testa arredondada do *Homo sapiens* nos distingue com tanta nitidez das faces dos nossos ancestrais que estavam mais perto dos símios. O que Darwin propôs era tão revolucionário e perturbador que suas implicações só foram totalmente aceitas em meados do século XX: dentro do cérebro humano há cérebros de animais que vieram antes de nós na cadeia evolutiva.

Freud, por sua vez, definiu a existência de uma parte misteriosa da vida da mente. Ele chamou-a de "inconsciente" – o que escapa não apenas à nossa atenção consciente, como, também, ao nosso raciocínio. Treinado como neurologista, Freud jamais poderia admitir que suas teorias não pudessem ser explicadas pelas estruturas e funções do cérebro. Mas não tendo o conhecimento que temos hoje da anatomia do cérebro (sua arquitetura) e, acima de tudo, de sua fisiologia (o jeito que opera), ele não conseguiu progredir nessa direção. Sua tentativa de unificar os dois campos – seu famoso "Projeto para uma psicologia científica" – acabou fracassando. Freud ficou tão insatisfeito com isso que se recusou a publicá-lo durante sua vida.

* Naturalmente, certas características tornaram-se menos pronunciadas, tais como abundância de pêlos e mandíbulas protuberantes.

Mas isso não fez com que ele parasse de pensar constantemente a respeito do assunto.

Lembro-me de ter conhecido o dr. Joseph Wortis, um renomado psiquiatra, quando ele tinha 85 anos. Ele fora a Viena no início dos anos 30 para aprender psicanálise e ser analisado por Freud. O dr. Wortis mais tarde fundou a *Biological Psychiatry*, que se tornou uma revista científica pioneira. Ele me contou quanto Freud o surpreendera em sua juventude ao insistir: "Não aprenda apenas psicanálise como existe hoje. Já está ultrapassada. Sua geração chegará à síntese entre psicologia e biologia. Você deve se dedicar a isso". Enquanto o mundo todo começava a descobrir suas teorias e sua "cura verbal", Freud – sempre um pioneiro – já estava pesquisando em outra esfera.

Só no final do século XX é que António Damásio, M.D., Ph.D., o grande neurologista e neurocientista norte-americano, chefe do departamento de neurologia da Universidade de Iowa, forneceu uma explicação para a tensão constante entre os cérebros emocional e racional – entre paixões e razão – de um modo que provavelmente teria deixado Freud satisfeito. O dr. Damásio já foi além, e também nos mostrou como as emoções são indispensáveis para a razão.

Dois cérebros: cognitivo e emocional

De acordo com o dr. Damásio, nossa vida mental surge de uma luta constante para equilibrar esses dois cérebros. Por um lado, há o cérebro cognitivo – consciente, racional e voltado para o mundo exterior. Por outro, o cérebro emocional – inconsciente, antes de tudo preocupado com a sobrevivência e, acima de tudo, unido ao corpo. Embora os dois "cérebros" estejam altamente conectados e dependam constantemente um do outro, visando a um funcionamento integrado, cada qual contribui de modo diverso para a nossa experiência de vida e para o nosso comportamento.

Como Darwin tinha previsto, o cérebro humano compreende duas partes principais. No fundo do cérebro, em seu centro, está o velho cérebro primitivo, que temos em comum com todos os outros mamíferos, e, em seu núcleo, o que temos em comum com os répteis. Esse cérebro foi a primeira camada depositada pela evolução. Paul Broca, o renomado neurologista francês do século XIX, quem primeiro o descreveu, chamou-o de cérebro "límbico".[6] Ao redor do cérebro límbico, no curso de milhões de anos de evolução, uma camada muito mais recente se formou. É o "novo" cérebro, o "neocórtex", o que significa "nova casca" ou "novo invólucro".

O cérebro límbico controla as emoções e a fisiologia do corpo

O cérebro límbico é constituído pelas camadas mais profundas do cérebro humano. De fato, de certo modo, ele é "um cérebro dentro do cérebro". Uma imagem feita em um laboratório de neurociências cognitivas na Universidade de Pittsburgh que dirigi com Jonathan Cohen, M.D., Ph.D. (agora na Universidade de Princeton), ilustra claramente essa idéia. Quando voluntários receberam uma injeção de uma substância que estimulava diretamente a área do cérebro responsável pelo medo (uma região conhecida como "amígdala"), vimos o cérebro emocional ativar-se. O efeito foi semelhante ao de uma lâmpada acendendo. Enquanto isso, o neocórtex ao redor da cérebro límbico não demonstrou nenhuma atividade.

Durante esse experimento, fui o primeiro participante injetado com a substância que ativava diretamente o cérebro emocional. Lembro-me com clareza do sentimento estranho que me provocou. Estava apavorado, sem saber por quê. A experiência foi de "puro" terror – pavor que não estava relacionado a nenhum objeto em particular. Depois, um grupo de outros participantes descreveu a mesma sensação estranha de temor, ao mesmo tempo intensa e "flutuante". Felizmente, ela só durou alguns minutos.[7]

O cérebro emocional tem uma organização muito mais simples do que o neocórtex. Ao contrário deste, a maioria das áreas do cérebro límbico não está organizada em camadas regulares de neurônios que o capacitariam a processar informação. Ao contrário, em algumas de suas áreas centrais – como a amígdala – os neurônios parecem ter se juntado ao acaso. Devido a essa estrutura mais rudimentar, o cérebro emocional processa informações de modo muito mais primitivo do que o cérebro cognitivo, mas ele é muito mais rápido e mais ágil para garantir nossa sobrevivência. É por isso que, por exemplo, em uma floresta escura, um pedaço de pau parecendo uma cobra aciona uma reação de medo.

Antes mesmo que o resto do cérebro possa determinar que o objeto é inofensivo, o mecanismo de sobrevivência do cérebro emocional acionará a resposta que julgar melhor, freqüentemente baseado em informações parciais, incompletas e, às vezes, errôneas.[8] Até o tecido celular do cérebro emocional é diferente daquele do neocórtex.[9] Quando o vírus do herpes ou o da raiva atacam o cérebro, eles só infeccionam o cérebro límbico, não o neocórtex. É por esse motivo que o primeiro sinal de que alguém tem raiva é um comportamento emocional altamente anormal.

O cérebro límbico é um posto de comando que recebe continuamente informações de diferentes partes do corpo. Ele responde regulando o equilíbrio fisiológico do corpo. Respiração, batimento cardíaco, pressão sangüínea, apetite, sono, impulso sexual, secreção hormonal e até mesmo o sistema imunológico seguem suas ordens. O papel do cérebro límbico parece ser o de manter essas diferentes funções em equilíbrio. "Homeostase" é o nome que o pai da moderna fisiologia, o cientista do final do século XIX Claude Bernard, deu a esse estado de harmonia entre todas as funções fisiológicas. É o equilíbrio dinâmico que nos mantém vivos.

Desse ponto de vista, como intuíra o filósofo do século XVII Spinoza – e o dr. Damásio descreveu com grande clareza –, nossas emoções talvez não sejam mais do que a experiência consciente de um vasto conjunto de reações fisiológicas supervisionando *e continuamente ajustando* a atividade dos sistemas biológicos do corpo às exigências do nosso ambiente interno e externo.[10] O cérebro emocional está, portanto, quase mais intimamente relacionado ao corpo do que ao cérebro cognitivo. E é por isso que é muito mais fácil acessar emoções pelo corpo do que pela linguagem verbal.

Mary-Anne, por exemplo, vinha fazendo a tradicional análise freudiana havia dois anos. Ela se deitara no divã e dera o melhor de si para fazer "associação livre" sobre os temas de seu sofrimento, em especial sobre sua dependência emocional em relação aos homens. Ela só se sentia verdadeiramente viva quando um homem lhe dizia o tempo todo que a amava. Achava as separações, mesmo as de mais curta duração, difíceis de suportar; quando ficava sozinha, sentia imediatamente uma ansiedade infantil difusa. Após dois anos de análise, Mary-Anne compreendeu seu problema muito bem. Era capaz de descrever em detalhe seu relacionamento complicado com a mãe, que a tinha entregado a um número infinito de babás. E admitiu que a explicação para seus sentimentos arraigados de insegurança residiam ali. Com sua mente acadêmica bem treinada, ela tornou-se apaixonadamente apegada à análise de seus sintomas e à descrição deles a sua analista, de quem se tornou, naturalmente... muito dependente.

Enquanto isso, Mary-Anne fazia inegáveis progressos. Sentia-se mais livre após dois anos de análise. No entanto, também estava consciente do fato de que nunca resolvera a dor e a tristeza de sua infância. À medida que ela continuava a focar seus pensamentos e as palavras para expressá-la, chegava à conclusão de que jamais havia chorado no divã. Muito mais surpresa ficou quando, durante uma semana em um spa, uma massagem de repente lhe trouxe de volta as emoções da infância.

Ela estava deitada de costas enquanto a massagista gentilmente massageava seu abdome. Quando a terapeuta chegou a um determinado local abaixo do umbigo, Mary-Anne sentiu uma protuberância em sua garganta. A massoterapeuta notou isso e lhe pediu que apenas observasse o que estava sentindo. Então calmamente insistiu com movimentos circulares naquele local. Alguns segundos mais tarde, Mary-Anne estava chorando de modo convulso. Ela se viu com sete anos, em uma sala de recuperação de um hospital. Estava sozinha após ter feito uma apendicectomia. Sua mãe não voltara das férias para cuidar dela. Essa emoção, que havia muito tentara localizar em sua cabeça, estivera escondida em seu corpo o tempo todo.

Devido à relação íntima do cérebro emocional com o corpo, é invariavelmente mais fácil agir sobre a emoção por intermédio do corpo do que pela linguagem verbal. Medicamentos, claro, interferem diretamente no funcionamento dos neurônios, mas nós podemos também mobilizar ritmos fisiológicos intrínsecos, tais como movimentos oculares associados a sonhos, a variação natural do batimento cardíaco, o ciclo de sono e sua dependência dos ritmos do dia e da noite. Nós podemos usar exercícios físicos ou acupuntura. Ou podemos aprender mais sobre nutrição. Como veremos, relacionamentos emocionais – mesmo nossa relação com os outros em nossa comunidade – têm um enorme componente físico, um impacto direto em nosso bem-estar físico. Esses portais físicos para o cérebro emocional são mais diretos e, com freqüência, muito mais poderosos do que o pensamento ou a linguagem verbal.

O cérebro cortical controla a cognição, a linguagem e o raciocínio

O neocórtex, a "nova casca", é a superfície dobrada que dá ao cérebro sua aparência característica. Ele é também o invólucro que cobre o cérebro emocional. Está na superfície do cérebro porque, do ponto de vista evolucionário, é sua camada mais recente.

O neocórtex inclui seis camadas distintas de neurônios que são perfeitamente regulares e, como um microprocessador, estão organizadas para o processamento mais favorável de informações.

Mesmo com todos os avanços tecnológicos mais recentes, ainda hoje achamos difícil programar computadores para reconhecer rostos humanos vistos de ângulos e sob luminosidades diferentes. Mas o neocórtex dá um jeito de fazer isso facilmente em poucos milésimos de segundo. Ele também tem meios extraordinários de processar sons. Por exemplo, o cérebro do feto humano distingue entre sua língua materna e as outras línguas dentro do útero.[11]

Em humanos, a área do neocórtex localizada atrás da testa, logo acima dos olhos, é chamada "córtex pré-frontal". Ele é especialmente bem desenvolvido. O tamanho do cérebro emocional em geral varia pouco de uma espécie para outra (proporcionalmente ao tamanho do corpo de cada espécie, claro). O córtex pré-frontal, porém, no cérebro humano, representa uma proporção muito maior do que em todos os outros animais.

O córtex pré-frontal é a parte do neocórtex responsável pela atenção, pela concentração, pela inibição dos impulsos e dos instintos, pelo regulamento das relações sociais e – como o dr. Damásio mostrou – pelo comportamento moral. Acima de tudo, o neocórtex faz planos para o futuro baseado em "símbolos" meramente mentais, portanto invisíveis aos olhos. Por controlar a atenção, a concentração, a elaboração de planos futuros, o comportamento moral, o neocórtex – nosso cérebro cognitivo – é um componente essencial de nossa humanidade.

Quando os dois cérebros não se dão bem

Os dois cérebros – o emocional e o cognitivo – recebem informações do mundo exterior mais ou menos simultaneamente. Desse momento em diante, eles podem cooperar ou competir entre si sobre o controle do pensamento, das emoções ou do comportamento. O resultado dessa interação – cooperação ou competição – determina o que sentimos, nossas relações com o mundo e nossos relacionamentos com os outros. A competição entre os dois, pouco importa a forma que tome, nos torna infelizes.

Quando os cérebros emocional e cognitivo trabalham em conjunto, sentimos o oposto – uma harmonia interna. O cérebro emocional nos dirige rumo às experiências que buscamos. O cérebro cognitivo tenta fazer com que cheguemos lá do modo mais inteligente possível. Da harmonia resultante vem o sentimento "Estou onde quero estar em minha vida", o qual subjaz a todas as experiências duradouras de bem-estar.

O curto-circuito emocional

A evolução tem suas próprias prioridades. E a evolução é, acima de tudo, uma questão de sobrevivência e transmissão de nossos genes de uma geração à seguinte. Foi ótimo o cérebro ter sido capaz de desenvolver capacidades prodigiosas de concentração, abstração e reflexão nos últimos milhões de anos, mas se essas capacidades tivessem nos impedido de detectar a presença de um tigre ou de um inimigo, ou nos feito perder a chance de encontrar um parceiro sexual adequado e, assim, de nos reproduzirmos, nossa espécie teria, há muito, se extinguido.

Felizmente, o cérebro emocional permanece constantemente em guarda. Seu papel é ficar alerta, na retaguarda, em seu meio. Quando ele percebe algum perigo ou uma oportunidade excepcional – um parceiro em potencial, ou um território, ou um bem valioso –, aciona um alarme. Em milésimos de segundo ele cancela todas as operações e interrompe todas as atividades no cérebro cognitivo. Essa reação capacita todo o cérebro a, instantaneamente, concentrar os seus recursos no que é essencial para a sobrevivência. Quando estamos dirigindo, por exemplo, esse mecanismo nos ajuda a, inconscientemente, detectar um caminhão que possa estar vindo em nossa direção, mesmo enquanto travamos uma conversa com alguém no carro. O cérebro emocional identifica o perigo, depois foca nossa atenção para além da conversa e no caminhão até que o perigo tenha passado. É também o cérebro emocional que interrompe um papo entre dois homens em uma lanchonete quando uma sedutora minissaia aparece. Suspende a conversa entre pais sentados em um playground quando, pelo rabo do olho, detectam um cachorro que não é familiar se aproximando de seu filho.

Na Universidade de Yale, o laboratório de Patrícia Goldman-Rakic já sugeriu que o cérebro emocional é capaz de tirar o córtex pré-frontal "do ar". Sob stress, o córtex pré-frontal não mais responde e perde sua capacidade de controlar o comportamento. De repente, reflexos e respostas instintivas assumem o comando.[12] Essas respostas são mais rápidas e estão mais perto de nossa herança genética. A evolução deu-lhes prioridade em emergências. É como se elas fossem melhores do que a reflexão abstrata para nos guiar quando nossa sobrevivência está em jogo.

Quando a vida humana surgiu, mais perto da dos animais, esse sistema de alarme era essencial. Cem mil anos depois do surgimento do *Homo sapiens* tal reação ainda é tremendamente útil na vida diária. Entretanto, quando nossas emoções são fortes demais, o predomínio do cérebro emocional sobre o cognitivo começa a assumir nossa atividade mental. Então perdemos o controle sobre nosso fluxo de pensamentos e não agimos em nosso melhor interesse a longo prazo. De fato, nós nos descobrimos "emotivos demais" ou mesmo "irracionais".

Na prática médica, vemos dois exemplos muito comuns desse curto-circuito. O que chamamos de "desordem por stress pós-traumático" (PTSD ou Post-traumatic Stress Disorder) é o primeiro. Após um sério trauma – por exemplo, um estupro ou um terremoto –, o cérebro emocional age como um sentinela leal e consciencioso que foi apanhado desprevenido. A PTSD dá o alarme muitas vezes como se o cérebro emocional não pudesse ter certeza de que tudo está seguro. Vimos isso acontecer com uma sobrevivente do 11 de setembro que veio para nosso Centro em Pittsburgh para tratamento. Meses após o ataque, seu corpo ficava paralisado assim que adentrava um arranha-céu.

O segundo exemplo típico é o de ataques de ansiedade, que os psiquiatras também chamam de síndrome de pânico. Em países industrializados, quase uma em cada vinte pessoas já teve ataques de ansiedade.[13] Freqüentemente os sintomas são tão arrebatadores que as vítimas acreditam que vão ter um ataque cardíaco. O cérebro límbico, de repente, assume todas as funções do corpo. O coração bate rápido demais; o estômago se contrai; pernas e mãos tremem; o corpo todo começa a suar. Ao mesmo tempo, uma inundação de adrenalina nocauteia as funções cognitivas. O cérebro cognitivo pode muito bem perceber que não há razão para tanto alarme, mas enquanto permanecer "fora do ar" não será capaz de organizar uma resposta coerente para tal situação. As pessoas que já passaram por esse tipo de experiência a descrevem claramente: "Meu cérebro ficou vazio; eu não conseguia pensar. As únicas palavras que conseguia me ouvir dizendo eram: 'Você está morrendo – chame uma ambulância – imediatamente!'".

Asfixia cognitiva

Por outro lado, o cérebro cognitivo controla a atenção consciente e, assim, tem a habilidade de controlar as reações emocionais antes que elas fiquem fora de controle. Esse controle das emoções pelo cérebro cognitivo pode nos livrar da tirania potencial da emoção e de uma vida totalmente controlada pelos instintos e pelos reflexos. Um estudo da Universidade de Stanford, que utilizou imagens do cérebro, revela claramente esse papel do cérebro cortical. Quando os alunos olham fotos desoladoras – corpos mutilados ou rostos desfigurados, por exemplo –, seu cérebro emocional reage de imediato. Entretanto, se fizerem um esforço consciente para controlar as emoções, as imagens de seu cérebro em ação mostram que as regiões neocorticais as dominam. Essas áreas bloqueiam a atividade do cérebro emocional.[14]

O controle cognitivo é, todavia, uma faca de dois gumes. Se usado demais, pode perder contato com os gritos de socorro do cérebro emocional. Freqüentemente vemos os efeitos desse excessivo sufocamento de sentimentos em indivíduos que aprenderam, quando crianças, que seus sentimentos não eram aceitáveis. Um exemplo típico que a maioria dos homens ouviu quando criança é "Meninos não choram!".

O controle excessivo das emoções pode encorajar um temperamento que não seja assim tão "sensível". Um cérebro que não leve em consideração as informações sobre as emoções estará sujeito a outros problemas. Por um lado, é muito mais difícil tomar decisões quando não temos preferências "viscerais", que dão ressonância profunda às emoções. É por isso que às vezes vemos aqueles "tipos mais racionais" que se perdem em detalhes infinitesimais quando a questão é escolher entre dois carros, por exemplo, ou mesmo dois filmes. Não estando em contato com sua "reação visceral", seu raciocínio sozinho é incapaz de distinguir entre duas opções que são muito parecidas.

Em casos extremos, uma lesão neurológica impede que o cérebro cognitivo seja capaz de ter consciência de quaisquer reações emocionais. O melhor exemplo disso nos vem do século XIX, quando Phineas Gage, um funcionário de estradas de ferro, teve seu córtex pré-frontal danificado por uma barra de ferro, deixando-o milagrosamente vivo.[15] Paul Eslinger, Ph.D., e o dr. Damásio descreveram uma versão moderna de Phineas Gage, com um tipo similar de dano no cérebro.[16] E. V. R. era um contabilista com Qi 130, o que o colocava em um patamar de "inteligência superior". Membro respeitado em sua comunidade, fora casado durante muitos anos, tivera vários filhos, ia à missa regularmente e levava uma vida estável. Um dia teve de fazer uma operação no cérebro que "desconectou" seu cérebro cognitivo de seu cérebro emocional. De um dia para o outro ele se tornou incapaz de tomar as mínimas decisões. Nenhuma delas fazia sentido para ele. Era apenas capaz de pensar de maneira abstrata sobre decisões. Estranhamente, testes de Q.I. – que, de fato, apenas medem o raciocínio abstrato – demonstravam que sua "inteligência" ainda era mais alta do que a média. Apesar disso, E. V. R. não sabia mais como viver. Privado de preferências genuínas ou viscerais para fazer esta ou aquela opção, todas as escolhas se confundiam e ele se perdia em detalhes sem fim. Primeiro, perdeu o emprego. Depois, seu casamento foi por água abaixo, e ele se envolveu em uma série de negócios duvidosos. No fim, perdeu todo o seu capital. Sem as emoções para guiá-lo em suas escolhas, seu comportamento estava totalmente descontrolado, embora sua inteligência cognitiva tivesse permanecido intacta.[17]

Mesmo as pessoas sem problemas cerebrais desse tipo podem ter problemas sérios de saúde se filtrarem demais suas emoções. Separar os cérebros cognitivo e emocional significa permanecer inconsciente para os pequenos sinais de alarme que tocam em nosso cérebro límbico. Por exemplo, podemos encontrar inúmeras boas razões para permanecer dia após dia presos a um casamento ou a uma profissão que violentam nossos valores mais profundos e nos tornam infelizes. Não obstante, nossa surdez quanto a uma angústia subjacente não a faz desaparecer. Uma vez que o nosso cérebro emocional interage principalmente com o nosso corpo, esse impasse pode se expressar na forma de problemas físicos. Seus sintomas são as desordens de stress clássicas, como fadiga inexplicável, pressão alta, resfriados crônicos e outras infecções, doenças cardíacas, problemas intestinais e de pele. Pesquisadores da Universidade da Califórnia em Berkeley até sugeriram, recentemente, que é a *repressão* de emoções negativas pelo cérebro cognitivo, e não as emoções negativas em si, que causa maior mal ao coração e às artérias.[18]

O estado de "fluxo" e o sorriso de Buda

Para viver em harmonia na sociedade humana, precisamos encontrar e manter um equilíbrio. Um equilíbrio entre nossas reações imediatas, instintivas, emocionais e as respostas racionais que preservam nossos elos sociais a longo prazo. A inteligência emocional é mais bem expressa quando os dois sistemas – os cérebros cortical e límbico – cooperam constantemente. Nesse estado, nossos pensamentos, decisões e movimentos se fundem e fluem naturalmente, sem que precisemos prestar atenção neles. A cada momento sabemos que escolha fazer. Perseguimos nossos objetivos sem esforço, com concentração natural, uma vez que nossas ações estão em harmonia com nossos valores. Esse estado de bem-estar é aquilo a que aspiramos continuamente. É o sinal de harmonia perfeita entre o cérebro emocional, suprindo energia e diretrizes, e o cérebro cognitivo, levando-o à fruição. O psicólogo Mihaly Csikszentmihalyi cresceu no caos do pós-guerra na Hungria e dedicou sua vida a compreender a essência do bem-estar. Ele chamou de "fluxo" a essa condição de estado.[19]

Há um pequeno indício fisiológico para essa harmonia cerebral – o sorriso. Darwin examinou sua função biológica há mais de um século. Um sorriso forçado – um sorriso produzido para satisfazer convenções sociais – apenas mobiliza os músculos zigomáticos ao redor da boca, mostrando os dentes. Um "verdadeiro" sorriso, por outro lado, também mobiliza os músculos ao redor dos olhos. Esse segundo conjunto de músculos não se contrai por vontade própria – não obedece ao cérebro cognitivo.

A ordem deve vir da região límbica, primitiva, profunda. Isso explica por que os olhos nunca mentem. Suas rugas nos dizem se o sorriso é genuíno. Um sorriso caloroso, um sorriso real, nos permite saber intuitivamente que a pessoa com quem conversamos está, naquele exato momento, em estado de harmonia com o que está pensando e sentindo, entre a cognição e a emoção. O cérebro tem a habilidade inata para atingir o estado de fluxo. Seu símbolo universal é o sorriso no rosto de Buda.

O propósito dos métodos naturais que vou expor nos próximos capítulos visa promover essa harmonia ou a redescobri-la, caso tenha sido perdida. Em contraste com o Q.I., que muda muito pouco no curso da vida, a inteligência emocional pode ser cultivada em qualquer idade. Nunca é tarde para aprender a governar nossas emoções e relações com os outros. A primeira abordagem que descrevo aqui é provavelmente a mais fundamental. Ela consiste em otimizar nosso ritmo cardíaco a fim de resistir ao stress, controlar a ansiedade e maximizar nossa energia vital. E essa técnica-chave pode nos dar informações a respeito dos elos subjacentes que existem entre muitos métodos de cura emocional.

3

O coração e suas razões

"Adeus", disse a raposa. "Eis meu segredo.
É simples: só se vê com clareza com o coração."
ANTOINE DE SAINT-EXUPÉRY, *O Pequeno Príncipe*

O regente Herbert von Karajan uma vez disse que só vivia para a música. Ele talvez não soubesse quanto de verdade havia em sua declaração: Von Karajan faleceu no mesmo ano em que se aposentou, depois de trinta anos dirigindo a Orquestra Filarmônica de Berlim. Mas o que é ainda mais surpreendente é que dois psicólogos austríacos puderam prever isso. Doze anos antes, eles examinaram como o coração do maestro reagia enquanto ele realizava várias atividades.[1] As maiores variações no batimento cardíaco de Von Karajan foram registradas enquanto regia uma passagem especialmente sentimental da *Abertura Lenore* de Beethoven. De fato, era só escutar essa passagem específica e ele voltava a experimentar praticamente a mesma aceleração de seu batimento cardíaco.

Nessa composição, outras passagens exigiam mais dele fisicamente, porém provocavam apenas um ligeiro aumento no batimento cardíaco. Quanto às outras atividades, era como se mexessem menos com o seu coração, por assim dizer. Quer estivesse aterrissando seu jato particular ou simulando uma retomada de levantamento de vôo de emergência, o coração de Von Karajan mal parecia notá-lo. Seu coração era todo devotado à música. E quando o maestro deixou a música, o coração parou de bater.

Quem nunca ouviu falar de um vizinho idoso que faleceu alguns meses após a esposa? Ou de uma tia-avó que morreu logo após a perda do filho? Era comum ouvir que alguém "morreu de coração partido". A ciência médica costumava tratar tais casos com desdém, atribuindo-os a mera coincidência. Só recentemente, nos últimos vinte anos, várias equipes de cardiologistas e psiquiatras começaram a prestar atenção neles. Descobriram que o stress é possivelmente um fator de risco muito maior para as doenças cardíacas do que o fumo.[2] Também descobriram que um episódio de depressão seis meses antes de um infarto do miocárdio é um indicador mais acurado de risco de morte do que a maioria de outros exames cardiológicos.[3]

Quando o cérebro emocional não está funcionando bem, o coração sofre e se desgasta. Mas a mais espantosa descoberta de todas é que essa relação funciona em mão dupla. O funcionamento correto do nosso coração acaba por influenciar nosso cérebro também. Alguns cardiologistas e neurologistas chegam ao ponto de se referir a um "sistema cardíaco-cerebral", que não pode ser dissociado.[4]

Se houvesse um medicamento capaz de harmonizar a inter-relação íntima entre o coração e o cérebro, ele teria efeitos benéficos sobre todo o corpo. Essa droga miraculosa desaceleraria o processo de envelhecimento, reduziria o stress e a fadiga, superaria a ansiedade e nos protegeria da depressão. À noite, nos ajudaria a dormir melhor e, durante o dia, a ser mais eficazes, favorecendo nosso poder de concentração e performance. Acima de tudo, ao ajustar o equilíbrio entre o cérebro e o resto do corpo, nos ajudaria a alimentar o senso de "fluxo", que é sinônimo de bem-estar. Seria um anti-hipertensivo, um ansiolítico (droga antiansiedade) e um antidepressivo conjugados. Se tal medicamento existisse, não haveria um único médico que não o receitasse. Como no caso do flúor para os dentes, os governos talvez até acabassem por diluí-lo na água.

Que pena, esse medicamento ainda não existe. Ou existe? Um método simples e eficaz disponível para todos nós parece criar as condições essenciais para que haja harmonia entre o coração e o cérebro. Embora esse método só tenha sido descrito recentemente, vários estudos já mostraram seus efeitos benéficos. É um método bom para o corpo assim como para as emoções daqueles que já o aprenderam, e seus efeitos incluem, até, um retardo parcial do envelhecimento. Para compreender como ele funciona, primeiro precisamos examinar, com brevidade, como o sistema cérebro-coração funciona.

O coração das emoções

Experimentamos emoções em nosso corpo, não em nossa mente. Já em 1890, William James, professor de Harvard e pai da psicologia norte-americana, escreveu que uma emoção era, antes de tudo, um estado físico, e só acessoriamente uma percepção no cérebro. Ele baseou suas conclusões nas experiências emocionais mais comuns. Não falamos do medo de "ficar com o coração na boca", ou da alegria de "sentir o coração leve", ou de estar de mau humor como "bile"? Seria um erro considerar essas expressões meras figuras de retórica. Elas são representações razoavelmente exatas daquilo que experimentamos quando nos encontramos em estados emocionais diferentes.*

Na verdade, só recentemente se descobriu que o sistema digestivo e o coração têm sua própria rede, com dezenas de milhares de neurônios que agem como "minicérebros" no corpo. Como regiões individuais no próprio cérebro (chamados "nuclei"), os cérebros locais têm percepções particulares. Embora sua capacidade de processamento seja limitada, esses grupos de neurônios são capazes de adaptar seu comportamento às suas percepções, e até de mudar suas respostas como resultado de sua experiência – ou seja, em certo sentido, de criar as próprias memórias.[5]

Além de possuir uma rede própria de neurônios semi-autônomos, o coração é, também, uma pequena fábrica de hormônios. Ele produz seu estoque de adrenalina, que libera quando precisa funcionar com capacidade máxima. O coração produz e controla a liberação de outro hormônio, o FNA (fator natriurético atrial), que regula a pressão sangüínea. Ele produz sua reserva de oxitocina, geralmente chamada de "o peptídeo do amor". (É o hormônio liberado no sangue quando uma mãe amamenta seu filho, durante o namoro e durante o orgasmo.[6]) Todos esses hormônios agem diretamente sobre o cérebro. Por fim, o coração pode afetar todo o organismo por meio de variações de seu campo eletromagnético, o que pode ser detectado a vários metros de distância do corpo, mas cujo significado nós ainda não compreendemos.[7]

Está claro que referências ao coração nas palavras que usamos para descrever nossas emoções são mais do que meras metáforas. O coração percebe e sente. Ele estabelece seu pró-

---

* Em seu livro notável, António Damásio desenvolve bastante essa idéia. Ele também lembra ao leitor que Baruch Spinoza – o grande filósofo do século XVII – antecipou as descobertas neurológicas que despontariam muito tempo depois, no final do século XX.

prio curso de ação. E, quando se expressa, influencia a fisiologia de todo o nosso corpo, incluindo o cérebro.

Para Marie, essas considerações estavam longe de ser teóricas. Aos cinqüenta anos, ela vinha sofrendo, havia algum tempo, de súbitos ataques de ansiedade que podiam pegá-la de surpresa a qualquer hora e em qualquer lugar. De repente seu coração começava a bater muito rápido, rápido demais. Um dia, em uma festa, o coração disparou. Para evitar cair, teve de segurar no braço de um homem que nem sequer conhecia. Essa incerteza constante sobre como seu coração reagiria a fez se sentir muito desconfortável. Marie começou a diminuir suas atividades. Após o incidente na festa, só saía se estivesse acompanhada por sua filha ou por amigos íntimos. Não mais dirigia sozinha para sua casa de campo com medo de que seu coração "pifasse" – como costumava dizer.

Marie não fazia idéia do que detonava esses ataques. Era como se seu coração decidisse, de repente, que estava apavorado com alguma coisa de que ela não tinha consciência. Seus pensamentos tornaram-se confusos e ansiosos, e ela começou a sentir tremedeira nas pernas.

Seu cardiologista diagnosticou um "prolapso da válvula mitral", um pequeno problema que, segundo ele, não era motivo para preocupação. Foi receitado um betabloqueador para evitar que seu coração disparasse, mas isso lhe trouxe fadiga de dia e pesadelos à noite. Marie decidiu, por conta própria, parar de tomar remédio, sem contar ao médico.

Quando ela veio me ver, eu tinha acabado de ler um artigo no *American Journal of Psychiatry* que mostrava como pacientes com tais sintomas geralmente respondiam bem ao tratamento com antidepressivos,[8] como se a descontrolada aceleração se originasse no cérebro e não na válvula com anomalia. Infelizmente, meu tratamento foi pouco mais eficaz que o de meu colega cardiologista.

Além disso, Marie estava muito infeliz por causa dos quilos extras que tinha ganhado devido à nova medicação. Seu coração só se acalmou quando ela aprendeu a domá-lo diretamente. Eu quase diria, "quando ela aprendeu a ouvi-lo e a falar com ele".

O relacionamento entre o cérebro emocional e o "pequeno cérebro" no coração é uma das chaves para o domínio emocional. Ao aprender – literalmente – a controlar o nosso coração, aprendemos a dominar nosso cérebro emocional, e vice-versa. Isso se dá porque a mais forte das relações entre o coração e o cérebro emocional é uma rede de comunicação difusa, de mão dupla, conhecida como "sistema nervoso periférico autônomo". É a parte do sistema nervoso que – estando além do nosso controle consciente – regula o funcionamento dos órgãos.

O sistema nervoso autônomo é constituído de dois ramos, começando no cérebro emocional e se espalhando pelo corpo. O ramo "simpático" libera adrenalina e noradrenalina, regulando as reações de "luta ou fuga". Sua atividade acelera o coração.* O outro ramo, chamado parassimpático, libera um neurotransmissor diferente, que promove estados de relaxamento e calma. Ele faz o coração bater mais devagar.**

Nos mamíferos, esses dois sistemas – o acelerador e o breque – estão constantemente em equilíbrio. É isso que lhes possibilita adaptar-se rapidamente à enorme variedade de mudanças que podem ocorrer em seu meio ambiente. Enquanto um coelho está comendo seu alimento tranqüilamente em frente à sua toca, ele pode parar a qualquer momento, levantar a cabeça, esticar as orelhas, vasculhar o horizonte como um radar e farejar o ar para detectar a presença de um predador. Uma vez afastado o perigo, ele logo volta à sua refeição.

* O termo "simpático" vem do latim e significa "estar em relação", porque os ramos nervosos correm ao lado da medula espinal, que está fechada na coluna espinal.

** O neurotransmissor do sistema parassimpático é a acetilcolina.

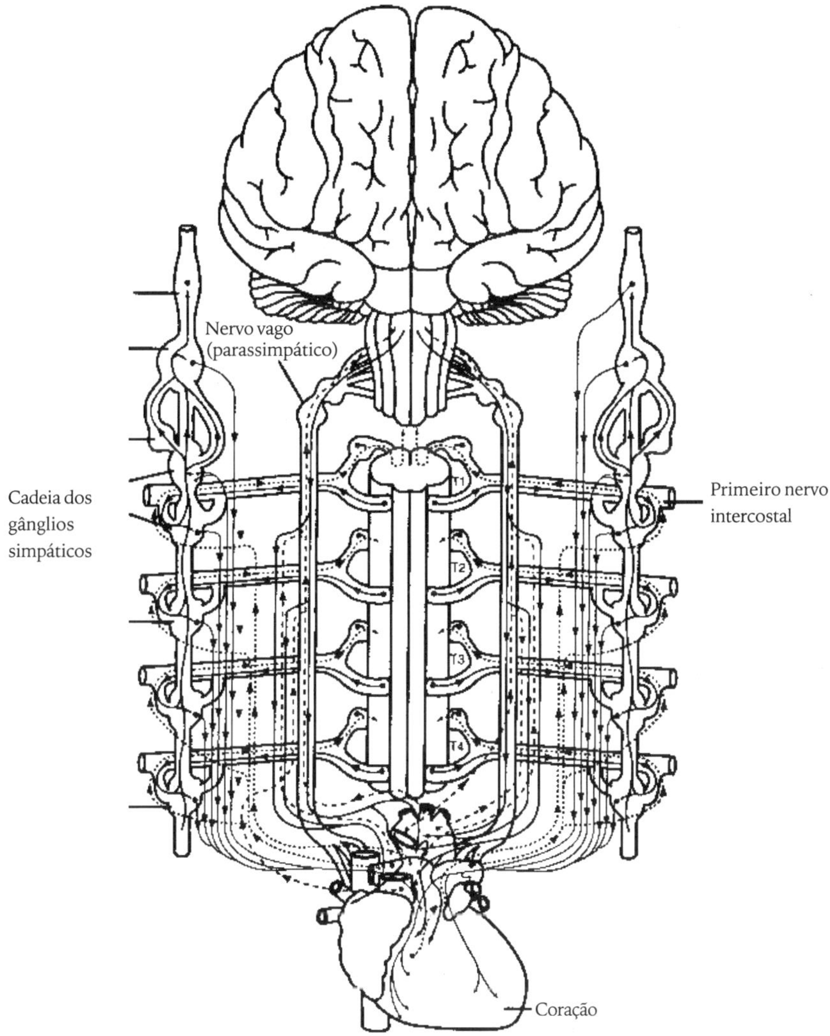

Figura 2: *O sistema cérebro-coração* – A rede semi-independente de neurônios que constitui o "pequeno cérebro no coração" está estreitamente conectada ao próprio cérebro. Juntos, eles constituem um verdadeiro "sistema cérebro-coração". Nesse sistema, os dois órgãos se influenciam constante e mutuamente. Entre os mecanismos que conectam o coração e o cérebro, o sistema nervoso autônomo tem um papel particularmente importante. Ele tem dois ramos: o ramo "simpático", que acelera o coração e ativa o cérebro emocional, e o ramo "parassimpático", que age como um breque em ambos.

Só os mamíferos possuem uma fisiologia tão flexível assim. Para negociar as guinadas imprevisíveis da existência, precisamos tanto de um breque como de um acelerador. Eles precisam estar funcionando muito bem, e têm de ser igualmente fortes para se contrabalançar caso a necessidade ocorra (ver "O sistema cérebro-coração", na página 49).

De acordo com o pesquisador norte-americano Stephen Porges, Ph.D., da Universidade de Maryland, o equilíbrio delicado entre os dois ramos do sistema nervoso autônomo possibilitou aos mamíferos desenvolver relações sociais cada vez mais complexas no curso da evolução. As mais complexas entre elas parecem ser os relacionamentos amorosos, sobretudo a fase particularmente delicada do namoro. Quando um homem ou uma mulher, por quem estamos interessados, olha para nós e o nosso coração começa a bater loucamente, ou ruborizamos, é porque nosso sistema simpático pisou no acelerador, talvez demais. Se inspirarmos profundamente para recuperar nosso equilíbrio e continuar a conversa, acabamos de pisar ligeiramente no breque parassimpático. Sem esses ajustes constantes, o namoro seria caótico. Esse é o caso com adolescentes que têm dificuldade em dominar o equilíbrio de seu sistema nervoso central.

Mas o coração faz mais do que simplesmente reagir à influência do sistema nervoso central: ele também envia fibras nervosas de volta à base do crânio, onde elas modulam a atividade cerebral.[9] Além de liberar hormônios, regulando a pressão sangüínea e influenciando o campo magnético do corpo, o "pequeno cérebro" no coração pode, assim, agir sobre o cérebro emocional por meio dessas conexões nervosas diretas. E, quando o coração perde seu equilíbrio, o cérebro emocional é imediatamente afetado. Isso pode ser o que Marie estava vivenciando.

Nós podemos testemunhar essa ação recíproca entre o cérebro emocional e o coração na constante variação do batimento cardíaco normal. Como estão sempre em equilíbrio, os dois ramos do sistema nervoso autônomo continuamente estão no processo de acelerar e reduzir o ritmo cardíaco.[10] É por isso que o intervalo entre duas batidas cardíacas nunca é idêntico. A variabilidade do batimento cardíaco é perfeitamente saudável; de fato, é sinal do bom funcionamento do acelerador e do breque, e, assim, de todo o nosso sistema fisiológico. Ela não tem nada a ver com as "arritmias" (ritmos cardíacos anormais) de que alguns pacientes sofrem. Ao contrário, as súbitas e violentas acelerações que duram vários minutos, e que são conhecidas como "taquicardias", ou aquelas que vêm com os ataques de ansiedade, são sintomas de situações anormais nas quais o coração não está mais respondendo à moderação do breque parassimpático.

No extremo oposto, quando o coração bate como um metrônomo, sem a mínima variação, a situação é particularmente séria. Os obstetras foram os primeiros a reconhecer isso: durante o parto, eles aprenderam a ficar de olho em qualquer feto com batimento cardíaco excessivamente regular porque sugere um problema potencialmente fatal. Agora já sabemos que isso também vale para os adultos. O coração começa a bater com tamanha regularidade só quando está para morrer.

Caos e coerência

Descobri meu próprio "sistema cérebro-coração" na tela de um computador laptop. A ponta de meu dedo foi inscrida em um anel conectado ao equipamento. O computador simplesmente media o intervalo entre cada batida cardíaca detectada pelo pulso em meu dedo indicador. Quando o intervalo era um pouco mais curto – o meu coração batendo um pouco mais rápido –, uma linha azul na tela subia um grau. Quando o intervalo era mais longo – tendo o meu coração diminuído seu ritmo –, a linha voltava a baixar.

Na tela vi a linha azul ziguezaguear para cima e para baixo sem razão alguma. A cada batida cardíaca, meu coração parecia estar fazendo ajustes. Mas não havia nenhuma estrutura nos picos e depressões conforme meu coração acelerava ou diminuía. A curva parecia uma série de picos numa cordilheira ao longe. Mesmo que meu coração estivesse batendo a 62 por minuto, de um momento para outro ele podia subir a 70 e descer a 55, sem que houvesse alguma razão para isso.

A técnica me acalmou. O ziguezague era, disse ela, o padrão normal da variabilidade do ritmo cardíaco. E então pediu que eu começasse a contar alto: "Subtraia 9 de 1356, depois continue subtraindo 9 de cada novo resultado". Embora essa tarefa não fosse difícil de realizar, ser colocado à prova na frente de um pequeno grupo de observadores que ali estavam, assim como eu, para satisfazer a curiosidade em relação à máquina, não era particularmente agradável.

De imediato, para minha enorme surpresa, a curva se tornou ainda mais dentada e a média de batimentos cardíacos pulou para 72. Dez batidas a mais por minuto, só porque eu estava lidando com números! Que sorvedor de energia, o cérebro! Ou talvez fosse o stress de ter de fazer contas de aritmética em público?

A curva ficava ainda mais irregular conforme meu batimento cardíaco acelerava; assim, a causa parecia ser mais a ansiedade do que o mero esforço mental, explicou a técnica. Todavia, eu não senti nada. Ela então solicitou que eu focasse minha atenção em meu coração e que trouxesse à mente uma memória feliz e agradável. Fiquei surpreso pelo pedido.

Eu sabia que a intenção dela era me acalmar. Geralmente, para alcançar um estado de calma interior usando técnicas de meditação ou relaxamento, exige-se que se esvazie a mente, sem sequer pensar sobre memórias agradáveis. Mas eu fiz o que me foi pedido e, em alguns segundos, a linha na tela mudou radicalmente: as guinadas agudas, os picos e as depressões se alteraram e se tornaram uma série de ondículas suaves, e depois ondas mais fortes que eram regulares, homogêneas e de belo formato. Meu coração parecia alternar entre uma suave

CAOS

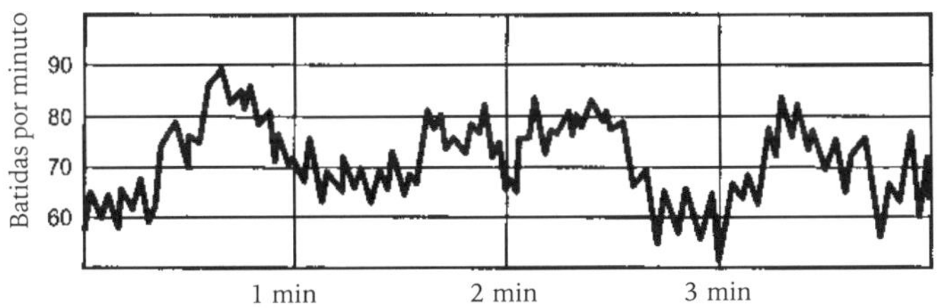

COERÊNCIA

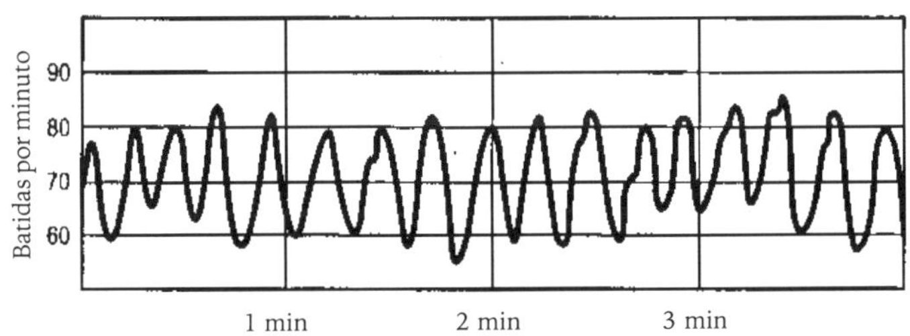

Figura 3: *Caos e coerência* – Em estados de stress, ansiedade, depressão ou perigo, a variabilidade entre batimentos cardíacos consecutivos torna-se irregular ou "caótica" e não possui estrutura interna. Em estados de bem-estar, compaixão ou gratidão, ela torna-se "coerente" – o ritmo cardíaco se alterna regularmente entre aceleração e redução. A coerência maximiza a variação dentro de um dado intervalo de tempo e produz uma maior – e mais saudávcl – variabilidade no ritmo cardíaco. (Este diagrama foi retirado do programa de computador "Freezer-Framer", produzido pelo Instituto Heartmath em Boulder Creek, Califórnia, Estados Unidos.)

aceleração e uma suave desaceleração. O batimento decaía e fluía com o calmo ritmo das ondas banhando a costa. Como um atleta que retesa e relaxa sua musculatura antes de fazer um esforço, meu coração parecia estar, confiantemente, mostrando que podia fazer as duas coisas e quantas vezes quisesse.

A janela na parte de baixo da tela indicava que minha fisiologia tinha ido de 100% "caos" a 80% "coerência". E tudo o que eu tinha feito para chegar a esse resultado tinha sido invocar uma memória agradável enquanto me concentrava no coração!

Nos últimos dez anos, programas de computador como o que acabei de descrever tornaram-se capazes de demonstrar dois modos característicos de variação no ritmo cardíaco – caos e coerência. As variações costumam ser fracas e "caóticas". O coração pisa no acelerador e no breque erraticamente; o padrão de batimentos é confuso, desordenado. Por outro lado, quando o ritmo de variabilidade do coração é forte e saudável, as fases de aceleração e redução alternam-se com rapidez e regularidade. Isso produz a imagem de uma onda harmoniosa, que é adequadamente descrita como "coerência" da variabilidade do ritmo cardíaco.

Entre o nascimento, quando é maior, e o momento que antecede à morte, quando é mais fraca, a variabilidade de nosso ritmo cardíaco decresce cerca de 3% ao ano.[11] Isso significa que a nossa fisiologia perde sua flexibilidade pouco a pouco e acha cada vez mais difícil se adaptar às variações em nosso ambiente físico e emocional. Essa perda de variabilidade é um sinal do envelhecimento. Quando a variabilidade declina, isso se deve, em parte, ao fato de não estarmos mantendo nosso breque fisiológico, o "tônus" saudável de nosso sistema parassimpático. Como um músculo que não é usado, esse sistema atrofia progressivamente com o passar dos anos. Enquanto isso, nós jamais paramos de usar nosso acelerador – o sistema simpático. Assim, após décadas operando desse modo, nossa fisiologia se assemelha a um carro que consegue, de repente, ganhar velocidade ou descer na banguela, mas que se tornou virtualmente incapaz de se ajustar a curvas na estrada. O declínio na variabilidade do ritmo cardíaco se correlaciona com todo um conjunto de problemas associados ao stress e ao envelhecimento: pressão alta, insuficiência cardíaca, complicações derivadas da diabetes, infarto do miocárdio, arritmias, morte súbita e até câncer. Estudos publicados em revistas especializadas e de renome como *The Lancet* e *Circulation* (a revista publicada pela American Heart Association) confirmam isso. Na *Circulation*, James Nolan, M.D., e seus colegas concluíram um estudo com 433 pacientes com moderada insuficiência cardíaca com a seguinte frase: "Uma redução no SDNN (variabilidade no ritmo cardíaco) identifica pacientes com alto risco de morte e é um melhor indicador de morte devido à insuficiência cardíaca progressiva do que outros meios clínicos convencionais".

Quando a variabilidade cessa, quando o coração não mais responde às nossas emoções e, especialmente, quando ele não pode mais "desacelerar" adequadamente, a morte está próxima.[12]

Um dia na vida de Charles

Aos quarenta anos, Charles é gerente de uma importante loja de departamentos. Já escalou vários degraus na hierarquia da empresa e está muito à vontade em sua área. O único problema é que, há meses, ele vem sofrendo de "palpitações". Elas lhe causam preocupação e já o fizeram procurar vários cardiologistas, que não conseguiram ajudá-lo. Charles chegou a um ponto em que decidiu parar de praticar esportes. Tem medo de ter um ataque que o leve de novo a um pronto-socorro. Ele também fica de olho quando faz amor com a esposa, por ter medo de forçar o coração. Em sua opinião, suas condições de trabalho são "perfeitamente normais" e "não particularmente estressantes". Entretanto, durante a nossa consulta ele explica que está pensando em deixar sua posição de prestígio. A verdade é que o presidente da empresa é insolente e cínico. Embora

Charles trabalhe bem nesse meio competitivo – e agressivo –, nunca deixou de ser uma pessoa sensível que se magoa com os comentários grosseiros e desagradáveis do presidente. E mais, como acontece amiúde, o cinismo que ele ostenta infecta todos os membros da equipe: os colegas de Charles na área de marketing, propaganda e finanças têm um relacionamento frio entre si e são rudes em seus comentários.

Charles concordou em gravar a variabilidade de seu ritmo cardíaco durante 24 horas. Para analisar os resultados, ele teve de escrever o que estava fazendo nas diversas horas do dia. Não foi difícil interpretar o resultado. Às onze da manhã, calmo, concentrado e eficiente, estava escolhendo fotos para um catálogo, sentado à sua mesa. Seu ritmo cardíaco demonstrava uma coerência saudável. Então, ao meio-dia, seu ritmo cardíaco virou um caos, além de ter aumentado cerca de doze batimentos por minuto. Naquele exato momento, ele estava se dirigindo ao escritório do presidente. Um minuto depois, seu coração batia ainda mais rápido e o caos era total. Esse estado prevaleceu durante duas horas: tinham acabado de lhe dizer que a estratégia de desenvolvimento que passara algumas semanas preparando era "inútil". Se ele não fosse capaz de organizá-la com mais clareza, melhor seria que outra pessoa cuidasse daquilo. Após sair do escritório do presidente, Charles teve um episódio típico de palpitação que o forçou a deixar o prédio para se acalmar.

À tarde, Charles tinha uma reunião. O registro mostrou outro episódio de caos que durou mais de trinta minutos. Quando o questionei, ele foi a princípio incapaz de lembrar o que poderia tê-lo causado. Após refletir, entretanto, lembrou-se de que o diretor de marketing tinha comentado, sem olhar para ele, que a aparência e o estilo dos catálogos que estavam sendo feitos não se encaixavam na imagem que a loja de departamentos tentava promover. Mas quando voltou à sua sala, o caos cessou e deu lugar a uma relativa coerência. Naquele momento, Charles estava ocupado revisando um projeto no qual acreditava muito. Em um engarrafamento a caminho de casa naquela noite, sua irritação acarretou outro episódio de caos. Em casa, ele abraçou a esposa e os filhos, e isso foi seguido de uma fase de dez minutos de coerência. Por que somente dez minutos? Porque depois disso Charles ligou a televisão para assistir ao noticiário.

Uma pesquisa diferente já demonstrou que emoções negativas, tais como raiva, ansiedade, tristeza e até preocupações comuns, reduzem muito a variabilidade cardíaca e semeiam o caos em nossa fisiologia.[13] Por outro lado, emoções positivas, como alegria, gratidão e sobretudo amor, parecem promover a maior coerência. Em poucos segundos, essas emoções induzem uma onda de coerência imediatamente visível no registro da freqüência cardíaca.[14] Para Charles, e para cada um de nós, os períodos caóticos em nossa fisiologia diária produzem uma verdadeira perda de energia vital. Em um estudo envolvendo milhares de executivos em empresas européias, mais de 70% se descreveram como "cansados", seja "a maior parte do tempo" ou "o tempo todo". E 50% deles disseram francamente que estavam "exaustos".[15] Como podem, homens e mulheres competentes e entusiasmados, cujo trabalho é parte essencial de suas identidades, chegar a esse ponto? Talvez seja, precisamente, devido ao acúmulo de períodos caóticos que eles mal podem notar. As agressões diárias ao equilíbrio emocional, quando sustentadas a longo prazo, sugam a energia, e os levam a sonhar com um emprego diferente ou, em suas vidas privadas, com outra família, com outra vida.

Felizmente, em contraste com nossas experiências de caos, todos nós experimentamos também períodos de coerência. Eles não se sobressaem necessariamente como momentos que coroam a existência, tais como momentos de êxtase ou enlevo, que marcam nossas vidas. Em um laboratório na Califórnia, em que a coerência cardíaca é pesquisada, Josh, o filho de doze anos de um dos engenheiros, sempre passava para ver o pai e sua equipe. Ele sempre trazia Mabel, seu labrador. Um dia, os engenheiros decidiram medir a coerência cardíaca de Josh e de Mabel. Longe um do outro, eles estavam em um estado comum de meio caos, meio coerência. Assim que ficaram juntos, passaram a ficar em estado de coerência. Se fossem separados, a coerência desaparecia de novo, quase instantaneamente. Para Josh e Mabel, só o fato de estarem juntos já gerava coerência. E deviam sentir isso intuitivamente, porque eram inseparáveis. Para eles, estar juntos não era uma experiência extraordinária, mas simplesmente algo que os fazia se sentir bem. Assim, esse elo significava que Josh nunca se pegava imaginando se deveria passar sua vida com um cachorro diferente, ou Mabel com um dono diferente. O relacionamento entre ambos trouxe-lhes uma coerência interna; era música em seus corações.

O estado de coerência cardíaca influencia outros ritmos fisiológicos. Em particular, a variabilidade natural na pressão sangüínea e nos ritmos respiratórios rapidamente se sincroniza com a coerência cardíaca. Esses três sistemas operam em uníssono.

Tal fenômeno é comparável ao alinhamento de ondas de luz em um raio laser que, por essa razão, é chamado de "coerência". O alinhamento fornece ao laser energia e poder. Uma lâmpada de cem watts dissipa sua energia em todas as direções e perde a eficácia, mas quando é focada em um raio e sua fase é alinhada, a mesma quantidade de luz pode cortar uma folha de metal. A coerência da variabilidade pode economizar energia de maneira idêntica. Esse focar de energia é provavelmente a razão por que, seis meses após uma sessão de treinamento em coerência cardíaca, 80% dos executivos antes citados não se declaravam mais "exaustos". Só um em cada seis entre os que antes declararam estar sofrendo de insônia ainda tinham dificuldade para dormir. Só um em oito que se declararam "tensos" continuavam a se sentir desse modo. Reduzir a inútil perda de energia talvez seja tudo o que é necessário para restaurar a vitalidade natural.

No caso de Charles, algumas sessões de treinamento de coerência com o auxílio do computador capacitaram-no a controlar suas palpitações. Não há nada mágico ou misterioso em relação ao seu progresso. Todos os dias ele fez alguns exercícios sozinho para vivenciar, em seu peito, sentimentos de coerência e, de vez em quando, devia se lembrar de evocar esses mesmos sentimentos quando começasse a notar que a tensão estava se acumulando durante o dia. Ao fazê-lo, aumentou em muito o equilíbrio de seus sistemas simpático e parassimpático. Em outras palavras, ele fortaleceu e ajustou o "timing" de seu breque fisiológico.

Como os músculos de um atleta bem treinado, uma vez que esse breque esteja "em forma", ele se torna extremamente fácil de usar. Com um breque muito bem afinado com o qual se possa contar o tempo todo, nossa fisiologia não foge do controle, mesmo quando as circunstâncias externas são difíceis. Dois meses após sua primeira sessão, Charles já estava praticando esportes novamente e fazendo amor com sua esposa com o entusiasmo que seu relacionamento merecia. Encarando seu presidente, aprendera a permanecer focado nas sensações em seu peito para manter sua coerência e para evitar que sua fisiologia se desgarrasse. De fato, ele se tornara capaz de responder com mais tato. Também era capaz de encontrar as palavras certas para neutralizar a agressividade de seus colegas sem ser defensivo (leia mais a respeito desse tema no capítulo 12).

Gerenciamento de stress

Em experiências de laboratório, a coerência permite que o cérebro trabalhe com mais rapidez e acuidade.[16] No dia-a-dia, vivenciamos isso como um estado no qual nossas idéias fluem naturalmente e sem esforço: facilmente encontramos as palavras para dizer o que queremos dizer e os movimentos são seguros e eficazes. É também um estado no qual nos adaptamos com facilidade a circunstâncias imprevisíveis, quaisquer que sejam elas. Nossa fisiologia está em equilíbrio, aberta ao mundo, capaz de encontrar soluções conforme a necessidade ocorra.

Coerência, portanto, não é um estado de relaxamento no sentido convencional do termo: ela não exige que nos retiremos do mundo nem que nosso ambiente tenha de ser estático ou mesmo calmo. Pelo contrário, em um estado de coerência, temos melhor domínio do mundo exterior. Quase poderíamos dizer que, em um estado de coerência, lidamos cara a cara com as circunstâncias exteriores, mas com um envolvimento harmonioso, não hostil.

Um estudo realizado com crianças de cinco anos cujos pais se divorciaram ajudou pesquisadores em Seattle a demonstrar o impacto do equilíbrio fisiológico delas sobre seu desenvolvimento futuro. Três anos depois, aquelas cuja variabilidade cardíaca era superior antes do divórcio – e que tinham, portanto, maior capacidade para chegar à coerência – foram, de longe, as menos afetadas pela desintegração familiar.[17] Essas crianças também mantiveram maior capacidade de mostrar afeto e de cooperar com outras, assim como de se concentrar nas atividades escolares.

Celeste me explicou claramente como usara a coerência de seu ritmo cardíaco. Aos nove anos, estava apavorada com a idéia de ter de mudar de escola. Algumas semanas antes do primeiro dia de aula, começou a roer as unhas, recusava-se a brincar com sua irmã mais velha e acordou diversas vezes durante a noite. Quando lhe perguntei que situações a faziam roer mais as unhas, ela respondeu imediatamente: "Quando penso na escola". Ainda assim, ela aprendeu muito depressa, como em geral acontece com as crianças, a concentrar sua mente para controlar seu ritmo cardíaco (como o programa de computador confirmou). Um tempo depois, ela me contou que estava se adaptando muito bem à nova escola. "Quando eu estou estressada, entro no meu coração e falo com a fadinha lá dentro. Ela me diz que tudo vai dar certo e, às vezes, até me diz o que devo dizer ou o que devo fazer." Eu sorri enquanto a escutava. Nós não gostaríamos todos de ter uma fadinha ao nosso lado?

Gerenciando o stress com o coração

O conceito de coerência cardíaca e o fato de que é possível aprender a controlá-la com facilidade vai completamente contra o conhecimento convencional que se tem a respeito do gerenciamento do stress. Sabemos que o stress crônico produz ansiedade e depressão. Ele também tem um impacto negativo no corpo: insônia, rugas, pressão alta, palpitações, dores nas costas, problemas epidérmicos e digestivos, infecções crônicas, esterilidade, impotência sexual, tudo isso causado ou piorado pelo stress. Em última análise, o stress crônico afeta as relações sociais e a performance profissional ao favorecer a irritação, ao empobrecer nossa capacidade de ouvir os outros, ao enfraquecer a concentração e favorecer o retraimento e a perda do espírito de equipe. Tais sintomas são típicos do que geralmente de denomina "esgotamento total".

Esse termo é freqüentemente utilizado no trabalho, mas é também comum quando estamos presos em um relacionamento que suga toda a nossa energia. Em situações assim, a reação mais comum é se concentrar em condições externas. As pessoas dizem: "Se ao menos eu pudesse mudar minha situação, me sentiria muito melhor em relação a mim mesmo e meu corpo funcionaria melhor". Enquanto isso, rangemos os dentes. Ansiamos pelo fim de semana e pelas férias. Sonhamos com dias melhores "depois". Tudo vai dar certo "depois que eu terminar a escola... depois que arrumar outro emprego... depois que as crianças saírem de casa... depois que me separar de meu marido... depois que me aposentar...". Infelizmente, quase nunca as coisas funcionam assim. Problemas semelhantes tenderão a vir à tona em situações novas. O sonho do Jardim do Éden lá no fim da rua, no próximo cruzamento, rapidamente começa a se tornar nosso principal meio de lidar com o stress. Deploravelmente, vivemos assim até o fim da vida.

Pesquisas sobre o benefício da coerência cardíaca levam a uma conclusão radicalmente diferente: é preciso lidar com o problema invertendo-o. Em vez de tentar produzir continuamente circunstâncias externas ideais, temos de começar a controlar o que está dentro – nossa fisiologia. Ao reduzir o caos fisiológico, e ao maximizar a coerência, automaticamente passamos a nos sentir melhor. Melhoramos nossos relacionamentos com os outros, nossa concentração, nossa performance e nosso lucro. Pouco a pouco, as circunstâncias ideais que buscamos o tempo todo começam a surgir por si sós, mas esse fenômeno é como um subproduto, um benefício secundário da coerência. Uma vez que tenhamos dominado nosso próprio ser interior, o que acontece no mundo exterior tem menos poder sobre nós. E passamos a ter, inclusive, maior controle sobre o mundo.

Programas de computador que medem a coerência do ritmo cardíaco são usados para pesquisar o sistema coração-cérebro, mas também para demonstrar a quem duvide que o coração de uma pessoa reage instantaneamente ao estado emocional. No entanto, é perfeitamente possível criar coerência em si sem um computador e sentir seus benefícios imediatos no dia-a-dia. Este é o tópico do capítulo seguinte.

4

Vivendo a coerência cardíaca

Em linguagem médica, Ron era um "intensivista" – um especialista em terapia intensiva – no hospital no qual fui chefe do departamento psiquiátrico. Ele me pediu para ver um consultor de gerência de 32 anos inflexível que sofrera um infarto do miocárdio dois dias antes. Meu colega estava preocupado com a seriedade da depressão em que ele se encontrava. Queria que eu o examinasse o mais rápido possível porque sabia, baseado na literatura científica, que pacientes que caem em depressão após um ataque cardíaco têm um prognóstico pobre. E mais – o paciente mostrou baixa variabilidade do ritmo cardíaco, sinal adicional de quanto sua condição era séria. Ron não sabia o que recomendar para lidar com esse segundo perigo, nem para quem se voltar. Na época eu também não sabia.

Além do mais, o paciente de Ron não queria ver um psiquiatra – o que em geral acontece com pessoas inflexíveis com altos níveis de stress. Embora me tivesse sido dito que sua vida emocional era sofrida, ele rejeitou todos os meus esforços para falar a respeito das circunstâncias do seu infarto ou para discutir seus problemas comigo. E também permaneceu evasivo a respeito das condições em que trabalhava. Achava que o stress era parte de seu tipo de trabalho e que seu corpo deveria se ajustar a ele. Afinal de contas, seus colegas estavam sujeitos às mesmas pressões e não tinham tido ataques cardíacos. De qualquer maneira, um psiquiatra que, ao contrário dele, *não* tinha um diploma de Harvard não iria lhe dizer como devia viver sua vida.

Apesar da conversa tensa, pude detectar algo frágil e quase infantil em seu rosto. Fiquei igualmente tocado pela ambição desmedida que o tinha movido desde a infância e que o estava esmagando agora, e a seu coração. Havia algo sensível nele, talvez até artístico – algo que estava lutando para emergir por trás daquela fachada fria. Ele deixou o hospital no dia seguinte, contra o conselho de seu cardiologista, e voltou ao escritório, que "o esperava". Fiquei triste em saber, pelo Ron, que ele morreu seis meses depois, de um segundo infarto, desta feita sem nem mesmo ter tido tempo de chegar ao hospital, sem ter tido tempo de se abrir para sua própria sensibilidade. Também me lamentei por não ter sabido como ajudá-lo. Nem meu colega nem eu sabíamos, na época, que havia um método simples e eficaz, um método que não exigia que ele buscasse nenhum tipo de terapia de longo prazo.

O método de treinamento de coerência

A coerência cardíaca foi descrita pela primeira vez em 1992 pelo médico Dan Winter e tornou-se conhecida mais recentemente graças ao Instituto de HeartMath em Boulder Creek, Califórnia.[1] Eles desenvolveram e pesquisaram uma série de técnicas e aplicações práticas de coerência cardíaca. Seu trabalho foi desenvolvido por outros, na Europa, como por Alan Watkins, M.D., Ph.D., em Londres.

A prática da coerência cardíaca traz para si muito da sabedoria milenar, das técnicas tradicionais usadas em ioga: atenção, meditação e relaxamento. O primeiro estágio consiste em voltar sua atenção para o interior. Antes de tudo, você deve pôr de lado suas preocupações, por alguns minutos. Você tem de estar disposto a se manter à margem dessas preocupações para poder dar ao seu coração e ao seu cérebro um tempo para que possam recuperar o equilíbrio e a intimidade.

A melhor maneira de fazer isso é começar inspirando, profundamente, duas vezes. Isso irá estimular imediatamente o sistema parassimpático e começar a aplicar, de leve, o "breque" fisiológico. Para maximizar o efeito, sua atenção deve permanecer focalizada na respiração até que tenha terminado de exalar, e, então, você deve ficar sem respirar durante alguns segundos antes de inspirar novamente. A questão é deixar sua mente se mover com a expiração até que ela se torne leve e suave dentro do peito.

As práticas de meditação oriental em geral sugerem a concentração na respiração durante o maior período de tempo possível, mantendo a mente vazia. Porém, para maximizar a coerência cardíaca, é melhor centrar sua atenção na região do coração durante dez a quinze segundos depois que a respiração se estabiliza. Nesse segundo estágio, imagine que você está respirando através do coração (ou do centro do seu peito, se você ainda não é capaz de sentir seu coração diretamente). Enquanto continua respirando lenta e profundamente (mas sem esforço), visualize – e realmente sinta – cada inspiração e cada expiração passando por essa parte-chave de seu corpo. Imagine que cada tomada de oxigênio nutre seu corpo e cada expiração o livra dos resíduos de que ele não mais precisa. Imagine o movimento lento e dócil da inspiração e da expiração, que banham o corpo com esse ar purificador e calmante. Imagine que elas estão ajudando seu corpo a usufruir da dádiva da atenção e da pausa que ele está recebendo de você. Você pode visualizar seu coração como uma criança em um banho de água morna em que bóia e brinca livremente, à vontade, sem restrições ou obrigações. Como uma criança amada que esteja brincando, você só lhe pede para ser ela mesma. Você a observa se desenvolvendo em seu próprio elemento, enquanto você a alimenta com um ar calmo e envolvente.

O terceiro estágio consiste em tomar consciência da sensação de calor e expansão que está se desenvolvendo em seu peito, e em cuidar dela e encorajá-la com seus pensamentos e sua respiração. Esse sentimento é com freqüência tímido no início e emerge discretamente. Após anos de maus-tratos emocionais, o coração é como um animal acordando de uma longa hibernação. No início ele sente os primeiros sopros quentes do ar primaveril. Anestesiado e incerto, abre um olho, depois o outro, e só acorda de verdade após ter a certeza de que o tempo ameno não é apenas acaso. Uma maneira de encorajar o coração é se apegar a um sentimento de reconhecimento e gratidão e deixá-lo encher o peito. O coração é particularmente sensível à gratidão, a quaisquer sentimentos de amor, quer sejam por outro ser humano, um objeto, ou mesmo pela idéia de um universo benevolente. Para muitos, é suficiente pensar no rosto de uma criança amada ou em um animal de estimação. Para outros, uma paisagem de paz na natureza traz a sensação de gratidão interna. Para você, talvez a gratidão interna surja da memória de uma proeza física – a alegria desmedida de um gol, aquela cesta de três pontos ou aquele saque indefensável. Durante esse exercício, as pessoas às vezes notam um sorriso manso surgir nos lábios, como se ele tivesse se espalhado a partir de uma luz dentro do peito. Esse é um simples sinal de que a coerência foi estabelecida.

Outros sinais incluem a sensação de leveza, calor ou expansão dentro do peito.

Em um estudo publicado pelo *American Journal of Cardiology*, o dr. Watkins e pesquisadores do Instituto HeartMath já demonstraram que o simples ato de recordar uma emoção positiva ou imaginar uma cena agradável rapidamente provoca uma mudança na variabilidade do batimento cardíaco para uma fase de coerência.[2] A coerência no ritmo cardíaco afeta o cérebro emocional, assegurando estabilidade e sinalizando que tudo está funcionando bem fisiologicamente. O cérebro emocional reage a essa mensagem reforçando a coerência cardíaca. A influência recíproca cria um circulo "virtuoso" que, com pouca prática, pode levar a um estado de coerência máxima que pode durar trinta minutos ou mais. A coerência entre o coração e o cérebro emocional estabiliza o sistema nervoso autônomo, tanto o simpático como o parassimpático. Tendo alcançado um estado de equilíbrio, estamos prontos para enfrentar todas as contingências da vida. Simultaneamente, temos acesso à sabedoria do cérebro emocional – sua "intuição" – e às faculdades de reflexão, raciocínio abstrato e planejamento do cérebro cognitivo.

Quanto mais treinamento tivermos no uso dessa técnica, mais fácil será induzir a coerência. Uma vez acostumados a esse estado interno, nos tornamos capazes de falar direto, por assim dizer, ao coração. Como Celeste falando com a pequena fada que vivia dentro do seu coração, podemos fazer perguntas como "No fundo do meu coração, eu realmente o/a amo?" e receber uma resposta verdadeira.

Estabelecida a coerência, só temos que nos fazer a pergunta e cuidadosamente observar a reação do coração. Se provocar uma onda extra de calor interno, de bem-estar, pelo menos ele deseja manter o contato. Se, pelo contrário, o coração parecer se retrair ligeiramente – se a coerência diminuir –, significa que ele prefere concentrar sua energia em outro lugar. Isso não significa que esta seja a resposta certa. Afinal de contas, muitos casais passam por períodos nos quais seus corações prefeririam estar em outro lugar, pelo menos temporariamente, antes de reatar e redescobrir uma felicidade mais duradoura em seu relacionamento. Não obstante, é muito importante estar consciente das preferências do coração em cada estágio da vida porque ele tem uma influência poderosa sobre o presente. Nesse autêntico diálogo interior, imagino o coração como um tipo de ponte para nosso "self visceral", agindo em nome de nosso cérebro emocional, de repente se abrindo para uma nova forma de comunicação quase direta. E todos nós precisamos descobrir se nosso cérebro emocional está apontando uma direção diferente daquela que escolhemos racionalmente. Se esse for o caso, temos de renovar a esperança do nosso cérebro emocional de outros modos, para evitar um conflito com o nosso cérebro cognitivo. Tal conflito sabotaria nossa capacidade de refletir. No fim, ele produziria um caos fisiológico e, conseqüentemente, uma perda crônica de energia.

Existem diferentes programas de computador que medem a variabilidade do batimento cardíaco e permitem que qualquer um visualize o impacto de seus pensamentos na coerência ou no caos – em um segundo. Quando você focaliza sua atenção no coração e no bem-estar interior, pode ver a mudança de fase ocorrendo e a coerência assumindo a forma de ondas regulares de maneira harmoniosa. Por outro lado, assim que você deixa os pensamentos negativos e as preocupações desviarem sua atenção – que é a tendência normal do cérebro, quando é deixado à vontade –, a coerência diminui em segundos e o caos se instala. Se você se entregar à raiva, o caos irrompe imediatamente e a curva na tela imita o horizonte montanhoso amedrontador com seus picos pontiagudos. Programas de biofeedback estão disponíveis há anos, e eles têm se concentrado na mensuração do "relaxamento", assim como no aumento da temperatura dos dedos, na diminuição da atividade das glândulas sudoríparas e na redução da freqüência cardíaca. Com a descoberta da importância da variabilidade do batimento cardíaco, sistemas de biofeedback que se concentram na coerência começam a estar disponíveis para ajudar a aumentar o treinamento. E mais, mesmo antes do advento dos computadores, já tínhamos maneiras de estabelecer a coerência. Já observei amiúde que meus pacientes ou conhecidos que praticam ioga são capazes de induzi-la facilmente quando os testo com um computador. Sua fisiologia parece já ter sido parcialmente transformada pelos exercícios regulares.

Na mesma linha, concentração demais nos aspectos técnicos do método pode se tornar um obstáculo. Quando demonstrei esse método a um amigo que tem uma vida espiritual profunda, ele teve dificuldade em atingir mais do que 35% da coerência ótima. Ele então me perguntou se podia simplesmente rezar, como costumava fazer, em vez de seguir minhas instruções. Conforme rezava, rapidamente começou a experimentar o calor e o bem-estar em seu peito, que parecia corresponder ao que eu tinha descrito. Em alguns momentos, sua coerência subiu a 80%. Claramente, meu amigo descobrira um método próprio de equilibrar sua fisiologia, ao imergir em seus sentimentos: conectando-se a um universo todo-poderoso e benevolente. No entanto, a oração não sustenta necessariamente a coerência em outros – às vezes ela tem até efeito contrário. Essa é a razão por que ficar muito atento às experiências em seu próprio peito é tão importante. Programas de computador são essenciais apenas para pessoas que duvidem de que a concentração de suas mentes e a focalização nas experiências internas de seus corpos possam, verdadeiramente, alterar sua fisiologia, ou para aqueles que não são capazes de experimentar seus sentimentos internos e precisam de uma fonte externa de feedback.

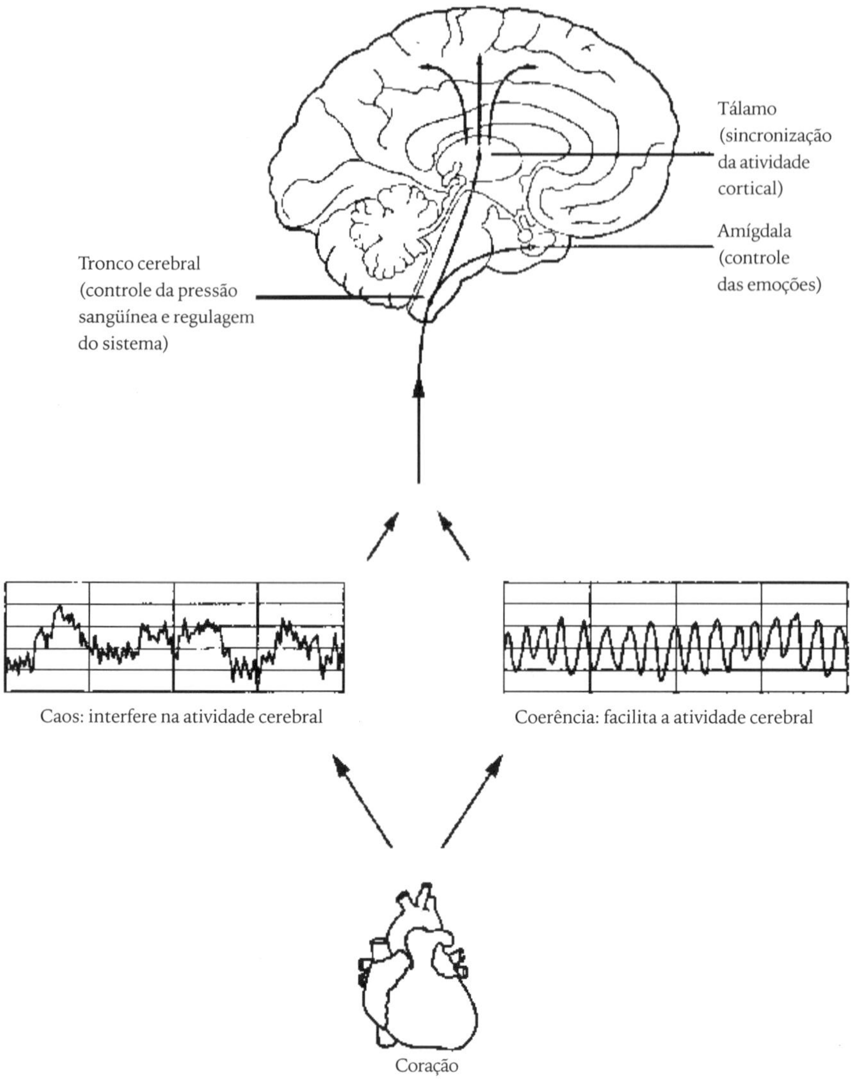

Figura 4: *O coração ajuda o cérebro a funcionar* – De acordo com alguns estudos preliminares, a coerência do ritmo cardíaco afeta diretamente a performance do coração. Crê-se que as fases de caos interferem na sincronização de operações no cérebro, ao passo que a coerência contribui para sua coordenação. Isso resulta em respostas mais rápidas e mais acuradas e em uma melhor performance sob stress. (Gráfico baseado em uma apresentação de Rollin McCraty, diretor de pesquisa do Instituto HeartMath em Boulder Creek, Califórnia.)

Os benefícios da coerência

Há outros modos mais eficazes de nos convencermos de que podemos facilmente aprender a controlar a nossa fisiologia do que ver nosso coração chegar à coerência em uma tela de computador. Quando você pode observar como as pessoas conseguem se livrar de palpitações ou de ataques de pânico, ou desenvolver a capacidade de dominar sua ansiedade quando devem, digamos, mudar de escola ou falar em público, sua convicção é reforçada. Entretanto, para mim, o que finalmente me convenceu foi a disponibilidade da pesquisa experimental demonstrando os efeitos clínicos dessa abordagem, tanto na psiquiatria como na cardiologia.

Na Universidade de Stanford, por exemplo, Frederick Luskin, Ph.D., recebeu uma bolsa para pesquisa dos Institutos Nacionais de Saúde para ensinar coerência do batimento cardíaco a um grupo de pacientes com insuficiência cardíaca severa e edema (inchaço das extremidades). Como é geralmente o caso, os sintomas físicos deles – falta de ar, fadiga, edema – estavam atrelados à ansiedade e à depressão. Após seis semanas de tratamento, o grupo que tinha aprendido a dominar sua coerência cardíaca diminuíra em muito o stress (em 22%) e a depressão (em 34%). O estado físico dos pacientes nesse grupo – sua capacidade de caminhar sem perder o fôlego – melhorou sensivelmente (em 14%). Esses resultados contrastavam radicalmente com os do grupo de controle, que recebeu tratamento convencional para a insuficiência cardíaca. Comparados com o ponto inicial, todos os sintomas tinha piorado.[3] Em Londres, seis mil executivos de grandes empresas, como Shell, British Petroleum, Hewlett-Packard, Unilever e o Banco Hong Kong Shangai, fizeram um curso de treinamento em coerência do batimento cardíaco. Nos Estados Unidos, milhares deles têm sido treinados no Instituto HeartMath, como o pessoal da Motorola e do governo do estado da Califórnia. Testes de follow-up desses participantes demonstram que seu treinamento reagiu ao stress sob três pontos de vista diferentes – o físico, o emocional e o social.

Um mês após o treinamento, dados obtidos indicam que o impacto físico por ele causado sobre os participantes foi tremendo. Sugerem que a queda na pressão sangüínea representou um índice igual ao que seria esperado se tivessem perdido dez quilos e foi duas vezes maior do que se tivessem feito uma dieta livre de sal.[4] Outro estudo sugere uma melhora notável no equilíbrio hormonal. Após um mês de prática da coerência, trinta minutos por dia, cinco dias por semana, a porcentagem de DHEA (deidroepiandrosterona) – o assim chamado "hormônio da juventude"[5] – dobrou. Com esses mesmos sujeitos, a porcentagem de cortisol – o hormônio quintessencial do stress, associado a aumentos da pressão sangüínea, ao envelhecimento da pele e à perda da memória e do poder de concentração[6] – tinha caído 23%.[7] As mulheres observadas nesse estudo mostraram notável melhora em seus sintomas pré-menstruais, com menos irritabilidade, depressão e fadiga. Tal mudança de hormônios reflete a profunda restauração do equilíbrio fisiológico do corpo, que é ainda mais notável porque ele ocorre sem medicação ou hormônios sintéticos.

O sistema imunológico também parece se beneficiar da prática da coerência cardíaca. A imunoglobulina A (IgA) representa a primeira linha de defesa contra agentes infecciosos (vírus, bactérias e fungos). A IgA é constantemente renovada na superfície das membranas mucosas do nariz, da garganta, dos brônquios pulmonares, dos intestinos e da vagina – todos locais onde as infecções são uma ameaça constante. Foi pedido a voluntários em um experimento que pensassem em uma cena por que tivessem passado e ficado muito irritados. A simples evocação dessa lembrança levou a vários minutos de caos em seus ritmos cardíacos. Após o período de caos, a secreção de IgA caiu, em média, durante seis horas, diminuindo assim a resistência à infecção. O mesmo experimento mostrou que evocar uma memória positiva, que acionou vários minutos de coerência, resultou em um *aumento* na produção de IgA nas seis horas seguintes.[8]* Em outro estudo, publicado há mais de dez anos no *New England Journal of Medicine*, pesquisadores em Pittsburgh demonstraram que o nível de stress das pessoas afetava diretamente sua propensão a pegar resfriados.

Quanto maior o stress, maior a propensão a se tornar clinicamente doente.[9] Esse fenômeno pode, muito bem, dever-se ao efeito de emoções negativas no sistema coração-cérebro e no sistema imunológico. Cada vez que temos uma altercação desagradável no escritório, ou com nossa esposa, ou mesmo na rua, nossa linha de defesa contra as infecções baixa sua guarda durante seis horas! A menos, parece, que consigamos manter nossa coerência.

Pesquisas feitas com gerentes de empresas mostram que aprender a induzir a coerência pode levar a um declínio substancial nos sintomas comuns de stress. O número de executivos que dizem ter palpitações "freqüentemente ou quase o tempo todo" cai de 47% – um número surpreendente – para 30% depois de seis semanas, e para 25% depois de três meses. Sintomas de tensão física caem de 41% para 15%, depois para 6%. A insônia decai de 34% para 6%; sentimentos de exaustão, de 50% para 12%; tipos diferentes de dor – incluindo dor nas costas –, de 30% para 6%. De acordo com vários participantes, a fadiga mental tinha se tornado parte "normal" de

* Em um estudo comparativo, a conhecida meditação de atenção do programa clínico da Faculdade de Medicina da Universidade de Massachusetts, desenvolvida por Jon Kabat-Zinn, Ph.D., foi utilizada com funcionários de uma empresa de biotecnologia. Seguindo um treinamento de oito semanas, aqueles que fizeram parte do grupo de meditação tiveram aumento considerável de anticorpos correlacionado com o grau com que eles aumentaram o efeito positivo do cérebro, conforme avaliado pelo EEG (eletroencefalograma). (J. K. T. Davidson, J. Kabat-Zinn et al., "Alternations in brain and immune function produced by mindfulness meditation", *Psychosomatic Medicine* 65 (2003); 564-570.)

seu trabalho, do mesmo modo que a fadiga física era considerada normal nas minas e fábricas no início da Revolução Industrial. Depois que aprenderam a dirigir suas respostas fisiológicas às exigências constantes do trabalho, esses executivos, treinados na coerência, diriam que agora sabiam como reduzir sua perda de energia.

No domínio psicológico, os números foram igualmente notáveis. A proporção de funcionários de grandes empresas que alegam estar "ansiosos" a maior parte do tempo diminui de 33% (um em cada três!) para 5%. Aqueles que se dizem "insatisfeitos", de 30% para 9%; aqueles que se declaram "loucos da vida", de 20% para 8%. Os participantes descrevem uma nova habilidade de lidar com seus sentimentos. Dizem que a prática da coerência os fez se darem conta de que episódios de raiva e sentimentos negativos são inúteis e que os dias de trabalho no escritório estão muito mais agradáveis sem essas ocorrências.

Charles, cuja história conhecemos no capítulo anterior, reconhece-se nesses dados. Todavia, a transição aconteceu aos poucos. Quando recorda como levava tudo "ao pé da letra" antes do treinamento de coerência, mal pode acreditar como pôde ter chegado tão longe. Ele lembra o estado em que os comentários do presidente o deixavam, horas a fio. Como era incapaz de se livrar desses sentimentos, mesmo em casa, à noite, quando, insone, se virava na cama de lá para cá, às vezes durante semanas. Agora ele se sente mais calmo, capaz de "deixar para lá" esses comentários. Afinal de contas, o presidente falava assim com todo mundo – ele era desse jeito. Tratava-se de um problema *dele*, não de Charles. Charles aprendeu a acalmar sua fisiologia, a evitar que ela o arrastasse. De fato, seu médico ficou surpreso em notar a redução em sua pressão sangüínea e lhe perguntou se ele tinha feito uma dieta sem lhe contar.

Quando se trata de operações empresariais e relacionamentos sociais, grupos que já aprenderam a dominar suas respostas internas trabalham mais harmoniosamente. Em empresas que foram testadas no Reino Unido, seis semanas e seis meses depois do treinamento em coerência, executivos disseram que estavam pensando com mais clareza, ouvindo mais uns aos outros e tendo reuniões mais produtivas. Em um grande hospital na área de Chicago, no qual as enfermeiras foram treinadas, a satisfação no emprego aumentou sensivelmente. Ao mesmo tempo, os pacientes revelaram que estavam mais satisfeitos com os cuidados que recebiam delas. A rotatividade na troca de enfermeiras, um ano depois do treinamento, caiu de 20% para 4%.[10] Finalmente, um estudo realizado entre alunos do ensino médio norte-americano mostra até que ponto o gerenciamento efetivo do estado interior de uma pessoa pode mudar sua performance sob stress. Esses alunos repetiram o último ano. Após um treinamento em coerência de duas horas por semana durante oito semanas, 64% deles passaram na prova de matemática, comparados com apenas 42% daqueles que não receberam o treinamento. Obviamente, a coerência não muda o conhecimento matemático, mas faz com que o conhecimento existente fique prontamente mais acessível quando se está fazendo um teste estressante.[11]

Vivendo em coerência

Françoise Dolto, M.D., uma reputada psiquiatra infantil francesa da década de 1970, sabia falar com crianças com problemas emocionais como ninguém. Com uma criança perdida que era incapaz de explicar o que estava doendo e que estava inconsolável, ela começava fazendo aquela pergunta mágica: "O que seu coração sente?". Ela sabia que com essas poucas palavras abria diretamente a porta para as emoções, evitando elaborações mentais do tipo "Eu deveria" ou "Eu não deveria". Françoise ajudava aqueles que estavam sofrendo a fazer contato com seus conteúdos internos, seus desejos mais profundos, as próprias coisas que, no fim das contas, determinam o bem-estar e a felicidade.

O mesmo vale para os adultos – especialmente para os que receberam um treinamento mais tradicional entre nós, aqueles que tendem a perceber e a reagir apenas por intermédio do cérebro cognitivo. Todo um mundo desconhecido – de sensações e emoções – se abre para quem olha para as reações de seu coração. Uma vez estabelecida a coerência, eles não raro se dão conta de que seu eu intuitivo interno os guia o tempo todo, e sentem compaixão, quase carinho, por seu ser interior. Como as tradições espirituais orientais sugerem, a compaixão pelo ser interior gera compaixão pelo mundo exterior. O conhecimento está dentro de você. O ato de se tornar consciente disso o torna mais aberto em relação aos outros.

Eu mesmo, freqüentemente, invoco essa intuição do coração. Lembro-me, por exemplo, de um caso difícil de uma jovem paciente afro-americana que estava tendo dores físicas terríveis, mas cujos exames e testes nada revelavam de anormal. Depois de alguns dias, os médicos se recusaram a fazer mais exames nela. A paciente queria que os médicos lhe dessem morfina, o que eles se recusaram a fazer, já que não havia um diagnóstico claro. Em circunstâncias tensas como essa, não é incomum que meus colegas acabem por chamar um psiquiatra. A jovem estava furiosa com a sugestão de que seu problema estivesse "todo na sua cabeça". Ela concordou em me ver somente na presença de sua mãe, que estava ainda mais determinada a que fizessem exames adicionais na filha. Do ponto de vista delas, a recusa dos médicos em fazer mais exames era prova evidente de racismo. Se o hospital estava se recusando a fazer mais, era porque ela não era nem branca nem rica.

Meu dia tinha sido longo e difícil. Quando me receberam com uma enxurrada de insultos, sem me dar sequer tempo de me apresentar, senti uma onda de irritação subir por mim, algo que beirava a raiva. Saí do consultório abruptamente. No corredor me dei conta de que estava cheio de rancor. Como um professor que houvesse sido alvo da chacota de um aluno, comecei a pensar em tudo o que podia fazer para que pagassem por seu "mau comportamento". Observando esse estado interior, comecei por inspirar profundamente, duas vezes, até que pude entrar na coerência, focando minha atenção em meu coração; depois comecei a pensar que estava catando conchas com meu filho, ao pôr-do-sol, na Normandia. Acalmado, e com minha mente já desanuviada, pensei sobre a situação novamente. Novas idéias pareciam surgir de outra parte de mim. Era evidente que aquela jovem sofrera demais para estar sentindo tamanha raiva contra pessoas que estavam dando o melhor de si para ajudá-la. Ela deve ter sido rejeitada e mal-entendida inúmeras vezes. E minha atitude não a ajudou a mudar de opinião a respeito dos médicos do hospital, a maioria dos quais era branca. Não era minha incumbência, afinal de contas, saber como ajudar as pessoas com personalidade difícil? Se eu, como psiquiatra, não fosse capaz de me comunicar com ela, quem mais poderia fazê-lo? Como pude nutrir tais pensamentos de "vingança"? Em que isso poderia ajudar?

De repente, pensei em uma nova maneira de abordá-la. Deveria voltar ao consultório e dizer-lhe: "Você tem o direito de receber os melhores cuidados de meus colegas e de mim. Eu realmente sinto muito se não estive à altura de suas expectativas. Se quiser, gostaria de descobrir o que está acontecendo e como nós a desapontamos". Iniciada a conversa, iria descobrir a causa real de seu sofrimento.

Talvez eu pudesse, então, ser capaz de sugerir uma abordagem mais eficaz do que a dos testes adicionais, que seriam não só desagradáveis para ela como desnecessários. O que eu teria a perder? Voltei ao consultório naquele novo estado mental e fiz minha proposta. Seu olhar hostil gradualmente se iluminou. Começamos uma conversa de verdade. Descobri como vários serviços de emergência a enviaram para outro lugar, como um médico a tinha insultado e, pouco a pouco, a conversa se tornou mais íntima. Ela finalmente pediu que sua mãe deixasse a sala. Então pudemos falar sobre seu passado como prostituta e sua experiência com drogas. Algumas de suas dores presentes se deviam ao fato de ter parado de usar heroína. Isso era algo com que se poderia lidar facilmente. Prometi ajudá-la a reduzir a dor causada pela abstinência e nos separamos "de bem". Ela estava confiante de que iria, afinal, ser ajudada, e eu estava feliz por ter cumprido meu trabalho como médico. Quando deixei o consultório pela segunda vez, tremi ao pensar sobre quão perto estivera, devido à raiva, de a ter mandado para casa sem nenhum tratamento.

Durante seu divórcio, Christine, que também tinha aprendido a induzir a coerência interna, experimentou uma situação muito semelhante com seu filho Thomas, de cinco anos. Ela se oferecera para levá-lo ao zoológico no domingo de manhã, mas ele não estava fazendo nenhum esforço para achar os sapatos. Com pressa, ela ouviu em sua cabeça a voz da melhor amiga lhe dizendo: "Se você não lidar com a bagunça de seu filho agora, ela só irá piorar. Espere até ele ser adolescente!". Christine começou a dar bronca no filho pela incapacidade crônica de arrumar suas coisas, tarefa que ele sempre deixava para mais tarde. A reação de Thomas foi sentar no chão, cruzar os braços e agir como uma criança incompreendida e martirizada, prestes a cair no choro. Foi a gota d'água. Christine, que estava tensa devido à sua situação familiar, decidiu sair sem ele e deixá-lo com sua mãe, que fora ajudar nesse dia. Ela estava determinada a não ser novamente lograda pelas manipulações emocionais de seu filho.

Depois de entrar no carro, porém, Christine avaliou seus sentimentos. Ela ainda estava irritada e tensa, mais se deu conta de que o resto do dia, e provavelmente o resto do fim de semana, seria estragado por aquele começo catastrófico. Ela decidiu pôr em prática o que aprendera no treinamento em coerência e, assim que a calma interior prevaleceu, outra perspectiva se abriu para ela. E se o atraso e a desorganização de Thomas naquela manhã não tivessem sido causados pela costumeira propensão dele para a bagunça? E se fossem o resultado de sua tristeza devido ao divórcio dos pais? Christine se viu no lugar dele por alguns instantes, um garoto de apenas cinco anos, confuso, incapaz de expressar seu medo e sua infelicidade. Ela também imaginou como teria reagido em tais circunstâncias se sua mãe não a tivesse entendido e insistisse em fazer cena sobre alguma coisa tão trivial quanto não colocar os sapatos. Que tipo de exemplo estava dando a seu filho? Ela queria que ele aprendesse a lidar com tensões emocionais saindo de rompante para fora da sala e batendo a porta como, de fato, acabara de fazer?

De repente, Christine viu, com clareza, que tinha de correr o risco de "ficar com a cara no chão" e voltar para casa para falar com Thomas. "Sinto muito por ter ficado tão brava", ela lhe disse. "Afinal de contas, o zoológico não é tão importante assim. O que é importante é que você está um pouco triste e isso é normal nesta situação em que você, seu pai e eu estamos. E quando as pessoas estão tristes, elas têm dificuldade em arrumar as coisas. Também estou triste e é por isso que fico tão irritada facilmente. Mas se eu e você tivermos consciência disso, será muito mais fácil resolver todas as questões."

Thomas olhou para ela e caiu no choro. Christine o pegou no colo e o abraçou. Pouco depois o menino já estava sorrindo de novo e eles passaram um dia ótimo juntos. De fato, Thomas se tornou uma criança mais organizada e atenta do que era antes. Quando a energia emocional é liberada pela coerência, somos com freqüência capazes de achar respostas, assim como as palavras certas, que mais reconciliam do que separam. E, quando o fazemos, paramos de desperdiçar energia.

A coerência leva à paz interior, mas não se trata de uma técnica de relaxamento. Visa facilitar a ação. A coerência pode ser praticada em qualquer situação diária. Você pode estabelecer coerência tanto quando seu coração está a 120 como quando está a 55. Esta é, na verdade, a grande meta: manter a coerência tanto durante uma empolgante corrida ou luta como diante da dor da derrota; no prazer da vitória e no êxtase. Manuais de sexualidade oriental ensinam que focar a mente no coração ajuda a dominar e maximizar o prazer. Mestres tântricos e taoístas já compreendiam, muito antes dos programas de computador estarem disponíveis, o efeito positivo da coerência cardíaca durante a relação sexual. Os resultados experimentados por homens e mulheres que já descobriram a coerência e a praticam regularmente são bons demais para parecer verdade. O controle da ansiedade e da depressão, a diminuição da pressão sangüínea, o aumento do hormônio DHEA (deidroepiandrosterona), o estímulo do sistema imunológico – o que os resultados preliminares sugerem não é apenas uma diminuição do processo de envelhecimento, mas uma reversão do relógio fisiológico. Embora difícil de acreditar, a natureza de tais resultados casa com a natureza dos danos físicos e psicológicos causados pelo stress. Se o stress pode causar tanto mal, não fico nem um pouco surpreso com o fato de que o domínio interior possa fazer tanto bem assim.

Todavia, para aqueles entre nós que foram machucados pela vida e cujas feridas ainda não cicatrizaram, olhar para dentro de si pode provocar ansiedade e ser doloroso demais. Nesse caso, o acesso à nossa fonte interior de coerência pode ser bloqueado. Geralmente isso acontece como resultado de um trauma no qual as emoções foram de tal maneira arrebatadas que o cérebro emocional, e portanto o coração, não é mais capaz de operar do mesmo modo. O sistema mente-coração não pode mais servir de bússola, mas é uma bandeira adejando ao vento. Outra abordagem pode então recobrar o equilíbrio, um método tão surpreendente como eficaz, que pode ter sua origem no mecanismo dos sonhos: a dessensibilização e o reprocessamento pelo movimento dos olhos.

5

Dessensibilização e Reprocessamento pelo Movimento Ocular (EMDR): o mecanismo de cura da própria mente

Após um ano de idílio, Mark, o homem com quem Sarah tinha certeza de que iria se casar, a deixou de repente. Não houvera uma probleminha sequer em seu relacionamento. Seus corpos pareciam ter sido feitos um para o outro e suas mentes vivazes – eram ambos advogados – estavam de acordo em tudo. Ela amava tantas coisas nele: a voz, o cheiro, a risada que ele dava sempre. Até gostava dos futuros sogros. Tudo já estava planejado. Um dia, Mark bateu à sua porta com uma laranjeira nos braços, com uma enorme faixa. Em suas mãos estava uma carta que dizia o que ele não poderia lhe dizer pessoalmente. As palavras eram frias e duras. Mark voltara para a antiga namorada, que era católica como ele, e ela seria a mulher com quem se casaria. Sua decisão era definitiva, dizia a carta.

A ferida no cérebro

Depois daquela tarde, Sarah nunca mais foi a mesma. Sempre fora forte como uma rocha, mas começou a ter ataques de ansiedade quando se lembrava do que havia lhe acontecido. Não era mais capaz de se sentar perto de uma árvore em um jardim, especialmente de uma laranjeira. Seu coração começava a pular no peito assim que pegava um envelope com seu nome escrito nele. Às vezes, sem razão aparente, tinha flashbacks: revia a cena da despedida como se Mark estivesse bem diante de seus olhos, como se tudo estivesse acontecendo de novo. À noite, costumava sonhar com ele e acordar assustada. Não se vestia mais como antes, não falava mais do mesmo jeito, nem sequer sorria mais. Durante muito tempo, seria incapaz de falar sobre o que tinha acontecido com ela, tomada por uma mistura de vergonha – como pudera estar tão errada a respeito de Mark? – e constrangimento, pois seus olhos se enchiam de lágrimas assim que evocava a memória. Falar sobre isso era impossível; era incapaz de elaborar uma única frase para descrever o que lhe acontecera. As poucas palavras que lhe vinham pareciam tão insuficientes, tão pouco convincentes.

Como a história de Sarah ilustra bem – e como todos nós sabemos por experiência própria –, eventos traumáticos deixam marcas em nosso cérebro. Um estudo do departamento de psiquiatria da Faculdade de Medicina de Harvard mostrou como é essa marca. Pessoas que tiveram um grande trauma – "desordem por stress pós-traumático" – escutavam uma fita que recontava o incidente enquanto permaneciam deitadas dentro de um scanner TEP (tomografia por emissão de pósitrons).

As imagens do scanner mostravam quais partes do cérebro eram ativadas ou desativadas durante esse período em que o terror estava sendo vivenciado de novo, e houve clara ativação da amígdala e da região adjacente: o centro do temor no cérebro emocional. O córtex visual também fora ativado, quase como se olhassem para uma fotografia de um evento que estivesse acontecendo bem à frente de seus olhos. Mais fascinante ainda era a "desativação" – um tipo de amnésia – da área de Broca no córtex pré-frontal esquerdo, a região do cérebro responsável pela linguagem verbal. O scanner TEP nos mostrava a assinatura neurológica do que, em geral, ouvimos os pacientes dizerem: "Não há palavras para descrever aquilo por que passei".[1]

Os psiquiatras sabem que essas cicatrizes no cérebro são difíceis de eliminar. As pessoas com freqüência continuam a apresentar sintomas décadas após o trauma original. Esse fenômeno é comumente visto em veteranos da Guerra do Vietnã ou em sobreviventes do Holocausto, mas também vale para traumas que ocorrem na vida civil. Um estudo descobriu que a *maioria* das mulheres com PTSD, que foram vítimas de agressão, ainda sofriam do mesmo mal dez anos depois.[2] O que é incrível é que a maioria dessas pessoas sabe perfeitamente bem que não deveria estar se sentindo mais assim. Sabem que a Guerra do Vietnã acabou, que o Holocausto foi um pesadelo do passado ou que o estupro é uma memória distante. Elas *sabem* que agora estão seguras, mas não se *sentem* assim.

O permanente vestígio da dor

Todos podemos compreender isso por experiência própria porque, de fato, a maioria de nós já passou pelo que podem ser chamados de traumas "com t minúsculo", para contrapô-los aos traumas "com T maiúsculo" das experiências que põem a vida em risco, geralmente associadas ao diagnóstico de PTSD. Talvez tenhamos sido humilhados no ensino fundamental, rudemente rejeitados por uma namorada ou namorado, ou cometido um sério erro em nossa vida profissional, talvez perdido o emprego abruptamente. Pode até ter sido um divórcio difícil que nos deixou com uma cicatriz emocional. Indubitavelmente pensamos muito a respeito disso quando estamos sós, quando recebemos muitos conselhos de amigos e da família, lemos artigos de revistas sobre esse tipo de situação e como responder a ela, talvez até tenhamos lido livros de auto-ajuda. De todas essas fontes, aprendemos, muito bem, inclusive, como *pensar* sobre a situação, e sabemos como *deveríamos* nos sentir a respeito dela. No entanto, geralmente é neste pé que deixamos as coisas: com sentimentos que ficaram para trás e permanecem ancorados no passado mesmo depois de a nossa compreensão racional (cognitiva) ter mudado.

O homem que teve um acidente de carro continua a se sentir desconfortável e tenso quando dirige na auto-estrada, mesmo que saiba muito bem que o acidente não foi por sua culpa e que ele já dirige há anos pela mesma via sem ter havido nenhum problema. A mulher que foi sexualmente violentada continua a se sentir congelada quando tenta se aproximar fisicamente do homem que ama, a despeito de saber de seu afeto por ele e do desejo que tem por essa intimidade. É como se as redes neurais que representam todas as cognições apropriadas não tivessem se unido com as redes neurais no cérebro emocional, que continua a codificar as emoções dolorosas.[3]

Em um laboratório da Universidade de Nova York, um pesquisador nascido na Louisiana conseguir elucidar um pouco mais como esses vestígios emocionais são organizados no cérebro. Quando criança, Joseph LeDoux, Ph.D., observava seu pai, um açougueiro, abrindo o cérebro de bois. Até hoje ele é fascinado pela estrutura desse órgão. Após anos estudando a diferença entre as partes esquerda e direita do cérebro, o dr. LeDoux queria compreender como os cérebros emocional e cognitivo se relacionavam. Foi um dos primeiros pesquisadores a demonstrar que reações de medo não são codificadas no neocórtex. Ele descobriu que quando o animal aprende a ter medo de alguma coisa, o traço da memória é formado diretamente no cérebro emocional.[4]

Nesses estudos, ratos são colocados em uma gaiola com piso eletrificado. Quando uma campainha toca, recebem pequenos choques pelas patas. Após alguns toques de campainha e choques, os ratos rapidamente aprendem a congelar de medo quando a ouvem soar. Se o experimento pára durante algum tempo, a resposta de medo dos animais persiste, até meses depois, quando ouvem a campainha (ou qualquer outro som semelhante). Todavia, é possível fazer "terapia" com esses ratos, ao tocar a campainha repetidamente e *não* lhes dar choques. A "terapia por exposição", um tipo de terapia behaviorista, é conhecida por "eliminar" a resposta que temos. Após uma exposição suficiente desse tipo, é como se os ratos aprendessem que não precisam mais temê-la, uma vez que não mais prenuncia o início do choque elétrico. Mesmo quando ela dispara, os animais apenas continuam suas atividades rotineiras. Essa descoberta, um dos mais antigos resultados da literatura behaviorista clássica, é conhecida desde a época de Pavlov como "extinção" da resposta do medo por "exposição".[5] Para todos os efeitos práticos, parece que o vestígio da resposta de medo foi apagado do cérebro emocional dos ratos. Porém, a realidade é bem diferente.

O dr. LeDoux e outros cientistas que trabalharam com ele, tais como Greg Quirk, Ph.D., agora na Faculdade de Medicina Ponce, descobriram que o vestígio no cérebro emocional jamais desaparece totalmente. Os ratos se comportam "como se" não tivessem mais medo apenas se o córtex pré-frontal estiver bloqueando ativamente a resposta automática do cérebro emocional. Assim que o controle do neocórtex enfraquece, o medo ressurge, mesmo depois da "terapia".[6] O dr. LeDoux também fala da "indelebilidade" das memórias emocionais.[7] A "terapia de exposição" com a qual os ratos demonstram se dar bem inicialmente parece deixar a resposta de temor do cérebro emocional intocada, pronta para ser reativada. Extrapolando para os pacientes humanos, esses resultados em animais nos ajudam a compreender como as cicatrizes no cérebro emocional podem permanecer durante décadas, prontas e esperando para se manifestar de novo.

Conheci Paulina quando ela tinha sessenta anos. Estava procurando ajuda porque se sentia irracionalmente desconfortável na presença de seu novo chefe. Duas semanas mais tarde, quando ele se postou atrás dela no escritório, Paulina começou a suar incontrolavelmente e não foi capaz de continuar sua conversa telefônica com um importante cliente. Dez anos antes havia perdido um emprego devido a um problema semelhante. Agora estava determinada a fazer alguma coisa a respeito.

Logo descobri que seu pai, alcoólatra e violento, a espancara diversas vezes quando era criança. Pedi que descrevesse uma das piores cenas. Ela me contou como, quando tinha cinco anos, seu pai tinha chegado em casa com um carro novo e parecia estar de bom humor. Paulina quis se aproveitar disso para se aproximar dele. Quando ele entrou em casa, ela achou que, para fazê-lo feliz, poderia deixar o carro brilhando ainda mais, lavando-o. Encontrou um balde e uma esponja e começou a lavar o carro com todo o entusiasmo que uma garotinha que quer agradar o pai é capaz de ter. Infelizmente não notou que havia areia no fundo do balde e que ela havia grudado na esponja. Quando o pai saiu para ver o carro, percebeu que ele fora riscado de ponta a ponta, dos dois lados. Foi tomado de uma tremenda fúria que pareceu completamente incompreensível para a garotinha. Apavorada com o que ele pudesse fazer, Paulina correu para o quarto, no andar superior, e se escondeu debaixo da cama. Pensar naquela memória trouxe-lhe de volta a imagem que parecia ter sido imprimida em seu cérebro tão claramente quanto um quadro: os pés de seu pai vindo em sua direção enquanto ela se aninhava debaixo da cama, o mais próximo possível da parede, como um pequeno animal.

Junto com esse quadro, a emoção daquele momento voltava com toda a força. Na minha frente, 55 anos depois, pude ver o rosto de Paulina deformado pelo medo. Sua respiração estava agitada, todos os músculos pareciam tensos, e lembro-me de ter tido medo de que ela sofresse um ataque cardíaco em meu consultório. Cinqüenta e cinco anos depois, todo o seu cérebro, todo o seu corpo ficaram possuídos pelo medo, pela cicatriz deixada por aquele evento.

Depois que os ratos aprendem a temer a campainha que os avisa do choque, eles congelam quando qualquer campainha toca, qualquer um cujo som pareça com o som original.[8] No caso de Paulina, bastava seu chefe parecer, ainda que vagamente, com seu pai para torná-la extremamente desconfortável, mesmo décadas depois.

É provável que as cicatrizes de nosso cérebro emocional permaneçam prontas para se expressar quando o cérebro cognitivo e o poder da razão baixam sua guarda: quando ingerimos bebidas alcoólicas, por exemplo, ou quando usamos drogas que alteram o estado da mente, quando estamos excessivamente cansados, ou distraídos demais por outras preocupações para manter controle sobre o nosso temor límbico. Essas condições demonstram uma verdadeira "desconexão" entre o cérebro emocional e o cérebro cognitivo depois que eventos traumáticos deixaram uma cicatriz profunda: as duas partes do cérebro estão puxando em direções diferentes, e não tentando descobrir um jeito de integrar o passado e o presente em um padrão harmonioso.

Os movimentos dos olhos dos sonhos

Os psiquiatras conhecem esta "desconexão" da PTSD. Eles acham que a desconexão entre os pensamentos pertinentes e as sobras das emoções inapropriadas deixadas pelo trauma é precisamente o que torna o tratamento difícil. Sabem que apenas ficar falando sobre o trauma costuma gerar fracassos em produzir a conexão necessária entre a antiga memória emocional e uma visão mais pertinente ancorada no presente. Com efeito, sabem que tão-só lembrar o trauma parece fazer as pessoas se sentirem pior.

Os psiquiatras também sabem que a medicação só tem eficácia limitada. No início dos anos 90, uma crítica sobre tratamentos para a desordem por stress pós-traumático, publicada no prestigioso *Journal of the American Medical Association*, concluiu que não havia tratamentos realmente eficazes para esses casos, somente intervenções com benefícios limitados.[9] Em face da minha experiência com pacientes, estava bem consciente do fato. Como meus colegas, tinha lutado para ajudar vítimas de trauma emocional durante anos, obtendo somente sucesso limitado, até que um dia vi uma fita de vídeo extraordinária.

Francine Shapiro, Ph.D., pesquisadora sênior do Instituto para Pesquisa Mental de Palo Alto, descobridora da Dessensibilização e Reprocessamento pelo Movimento Ocular (EMDR), estava apresentando seu método em uma reunião de medicina behaviorista a que eu estava assistindo. Eu tinha ouvido falar no EMDR e estava extremamente cético a respeito da possibilidade de, ao fazer as pessoas moverem os olhos de um lado para o outro, imitando os movimentos oculares rápidos que ocorrem durante os sonhos, poder fazer alguma coisa para ajudar a curar o trauma. Entretanto, um dos casos chamou a minha atenção.

Foi diagnosticado que Maggie, uma mulher com pouco mais de sessenta anos, tinha um câncer agressivo na garganta. Seu médico dissera que ela tinha seis meses de vida e que morreria de morte lenta e sofrida. Seu marido de 72 anos era viúvo e a primeira esposa, destino fatal, havia morrido de câncer também. Quando Maggie lhe contou o veredicto do médico, Henry se sentiu de tal maneira indefeso que lhe disse que não tinha como passar por tudo isso de novo. E, então, ele a deixou.

Maggie ficou em estado de choque e profundamente deprimida. Comprou uma arma com a intenção de se matar. Sabendo disso, amigos convenceram Henry a voltar e a ficar com ela. Todavia, Maggie ficara tão traumatizada com o abandono que não conseguia mais dormir, tinha pesadelos recorrentes em que ele a deixava, e não pôde tolerar se separar dele mesmo para ir ao supermercado. Tendo ouvido falar de um estudo para ajudar pessoas a se recuperar de traumas, ela participou de um dos primeiros estudos de controle de EMDR.

De início, Maggie mal podia evocar a imagem de Henry dando ré enquanto saía de casa, no dia em que a abandonou. Ela quase sufocava de medo. Então, com a ajuda de uma terapeuta amorosa e atenciosa, foi capaz de se permitir evocar as mais poderosas imagens de Henry a deixando enquanto seguia a mão da terapeuta, movendo-se de lá para cá na frente de seus olhos. Falar sobre sua dor custou-lhe um esforço imenso, claro, e a memória parecia estar impressa basicamente em todo o seu corpo. Ela se queixava não apenas do trauma, mas de medo dos "pulos de seu coração" e de dor "no corpo todo". De repente, após outra sessão de movimentos oculares, o rosto de Maggie mudou completamente. Ela tinha uma expressão de surpresa no rosto e disse: "Sumiu!". "É como se eu estivesse no trem", ela recorda. "Você olha algo que parece estar ali durante um instante, e depois aquilo some; está no passado e há outra coisa que você está olhando. Belo ou doloroso, está no passado. Você não pode recapturar isso."

Toda a sua linguagem corporal tinha mudado. Ela parecia recomposta, embora ainda um pouco confusa. Com a série seguinte de movimentos oculares, Maggie começou a sorrir. A terapeuta parou o movimento dos olhos e lhe perguntou o que tinha vindo à sua mente. "Eu me vi em pé na entrada de casa olhando Henry saindo de carro e pensei: 'Se ele não consegue lidar com isso, problema *dele*, não meu'. Eu estava acenando para ele e dizendo: 'Adeus, Henry, adeus'. Você pode imaginar uma coisa dessas? 'Adeus, Henry, adeus...'"

Conforme a sessão continuava, com mais uma série breve de movimentos oculares, Maggie começou a falar espontaneamente, ou "associando livremente", sobre a cena de seu leito de morte. Ela podia ver seus amigos lá e sabia que jamais estaria sozinha. No final da série seguinte de movimentos oculares, em vez de medo seu rosto mostrava uma nova expressão de resolução. Bateu com a mão no colo e disse: "E sabe de uma coisa? Eu vou morrer com dignidade!". Todo o tratamento durara apenas quinze minutos, e a terapeuta não tinha dito mais do que dez frases.

O cientista em mim ficou murmurando: "Trata-se só de um paciente... talvez ela seja particularmente sugestionável... talvez não passe de um efeito placebo". Entretanto, se de fato fosse um efeito placebo, decidi que queria aprender como induzir efeitos placebo como aquele em meus pacientes. Eu jamais vira nada parecido.

O que finalmente me convenceu foi um estudo com oitenta pacientes com traumas emocionais que foram tratados com EMDR publicado em uma das revistas de psicologia clínica mais exigentes, *Journal of Counsulting and Clinical Psychology*. Nesse estudo, 80% dos pacientes sentiram recuperação de suas síndromes traumáticas depois de três sessões de noventa minutos.[10] Esse índice de recuperação é comparável ao dos antibióticos no caso de pneumonia.[11] Não conheço nenhum tratamento em psiquiatria, incluindo a mais potente das medicações, que tenha algum dia alcançado resultados dessa magnitude em três semanas.

Claro, fiquei preocupado com a idéia de que resultados alcançados tão rapidamente pudessem não durar muito. Todavia, o mesmo grupo de pacientes foi analisado durante quinze meses e descobriu-se que eles desfrutavam daquele benefício quinze meses após o tratamento. Com tais dados, achei que seria pouco consciencioso de minha parte não aprender EMDR e verificar por mim mesmo.

Mecanismos de cura pessoal no cérebro

O EMDR começa com a idéia de um "sistema de adaptação de informação e processamento" que está em nosso sistema nervoso para nos ajudar a amadurecer psicologicamente. O conceito é simples: todos nós passamos por traumas "com t minúsculo" durante a vida. No entanto, normalmente não desenvolvemos PTSD. Digamos, por exemplo, que você sofreu um acidente de bicicleta: estava andando em uma pista ao longo de vários carros estacionados e alguém, de repente, abriu uma porta bem quando você passava. Tarde demais para brecar. Além dos hematomas físicos inevitáveis, você poderá ficar com algumas equimoses emocionais.

Durante algumas horas, ou dias, seu corpo talvez trema, você talvez pense sobre o acidente nas horas mais inesperadas, fale disso com freqüência, sonhe com isso à noite. No dia seguinte, pode ser que fique nervoso ao pensar em pegar a bicicleta de novo e, se o fizer, vai se perceber atento aos carros estacionados. Entretanto, após algum tempo, não muito depois de seus hematomas físicos terem sumido, vai se descobrir andando de bicicleta novamente. Você vai prestar mais atenção nos carros estacionados e talvez tenha aprendido a andar a uma distância segura deles. Em essência, já terá "digerido" o evento doloroso. É muito parecido com o sistema digestivo, que extrai do alimento o que é útil e necessário para o corpo e rejeita o resto; seu sistema nervoso tiraria a informação útil – a "lição" – e descartaria as emoções, pensamentos e ações que não fossem mais necessários depois de o evento ter sido superado.[12]

Esse processo de digestão psicológica é o que Freud descreveu como "trabalho de luto" em sua tese clássica *Luto e melancolia*. Após uma perda séria, ou qualquer importante desafio à nossa sobrevivência no mundo, nosso sistema nervoso fica temporariamente desorganizado e progressivamente encontra seu equilíbrio (sua "homeostase", como os fisiologistas dizem). Em geral, ele até sai mais fortalecido desse processo, mais flexível, mais adaptado ao vasto leque de situações. Alguns psiquiatras já declararam, convincentemente, que é esse processo que nos ajuda a desenvolver mais resistência contra as adversidades.[13] Freud estava escrevendo quando a era industrial se encontrava a todo vapor e ele se referia a esse fenômeno como "trabalho" de luto. O EMDR, desenvolvido durante a revolução da informática e na era da neurociência, refere-se ao mecanismo de digestão que existe em nosso cérebro como o "sistema de adaptação de informação e processamento".

Em algumas circunstâncias, todavia, a capacidade de nosso sistema para se adaptar pode ser esmagada. É o que acontece quando o trauma é grande demais, como no caso de tortura, estupro ou perda de um filho (segundo minha experiência, a perda de um filho, ou mesmo a doença séria de um filho, pode se tornar uma das experiências mais dolorosas que alguém pode ter de suportar, e uma das de mais difícil recuperação). Uma segunda circunstância é quando um trauma – mesmo pequeno – acontece em uma hora em que estamos particularmente vulneráveis. Talvez esse evento tenha ocorrido na infância, quando somos fisicamente impotentes para nos defender e quando nosso sistema nervoso ainda não está de todo desenvolvido. Ele pode também ocorrer quando adultos estão fragilizados, física e emocionalmente, por qualquer razão. Em um e outro casos – por trauma intenso ou com vítima fragilizada –, eventos adversos então se tornam "traumáticos", no sentido exato do termo.

Vera, por exemplo, era uma enfermeira em consulta por causa de um sentimento crônico de depressão e uma auto-imagem muito baixa. Ela se via como "gorda e feia" – "nojenta", chegou a dizer –, ao passo que, objetivamente, era até atraente e seu peso estava bem dentro do razoável. Como era naturalmente engraçada e cativante, era evidente que sua auto-imagem estava muito distorcida. Enquanto a escutava, compreendi que essa imagem de seu corpo tinha deitado suas raízes alguns anos antes, durante os últimos meses de sua gravidez.

Vera lembrava-se com grande lucidez do dia em que estava brigando com o namorado, o pai de seu filho. Ela se queixava de que ele não passava mais tempo com ela. Ele dizia que estava "ocupado demais", mas Vera sabia que ele estava mentindo e continuou a pressioná-lo. Finalmente o namorado cedeu e gritou que a "verdadeira" razão pela qual ele a estava evitando era esta: "Você está gorda demais; você é a coisa mais feia que já vi na vida!".

Vera não pôde controlar as lágrimas. "Achei que tinha superado isso", ela começou dizendo. Em outras circunstâncias, talvez tivesse sido capaz de se livrar do comentário do namorado com seu habitual bom humor. Talvez replicasse que ele não era nenhum Brad Pitt. Mas sua gravidez fora difícil; ela parou de trabalhar no início da gestação e não tinha certeza de que seria capaz de achar um novo emprego quando fosse a hora de voltar ao trabalho. Temia que Jack pudesse deixá-la logo após o nascimento da criança, exatamente como seu pai fizera com sua mãe. Vera se sentiu impotente e vulnerável. A combinação era suficiente para que aquele comentário tóxico tomasse a dimensão traumatizante que jamais deveria ter tomado.

As memórias emocionais do corpo

Como nas observações do ex-diretor da Clínica de Trauma Psicológico de Harvard, o neurocientista e psiquiatra Bessel van der Kolk, M.D., Ph.D., o EMDR assume que uma memória de trauma é uma informação a respeito de um caso que ficou trancada no sistema nervoso quase que em sua forma original.[14] Imagens, pensamentos, sons, cheiros, emoções, sensações físicas, crenças que instantaneamente se desenvolveram ao redor (tais como "Estou sem saída") estão todos estocados em uma rede neural que tem vida própria. Imprimida no cérebro emocional e desconectada do nosso conhecimento racional a respeito do mundo, essa rede se torna um pacote de informação não processada e disfuncional que pode ser reativada à menor lembrança do trauma original.

Uma memória no cérebro pode ser acessada de qualquer de seus constituintes; essa é a assim chamada "propriedade de 'conteúdo acessível' do sistema de memória do cérebro".[15] O odor de perfume de uma ex-namorada pode ser suficiente para que toda a memória dessa pessoa volte: imagens, pensamentos e palavras. E mais, ao contrário dos computadores que precisam de equivalentes exatos, a recuperação da memória no sistema nervoso procede por analogia; portanto, qualquer coisa que possa, mesmo que vagamente, nos lembrar de algo que saibamos pode trazer de volta a memória. Essa característica tem conseqüências importantes para as memórias traumáticas. Isso significa que qualquer imagem, som, cheiro, emoção, pensamento, ou uma sensação física que lembre o que aconteceu à época do evento, pode trazer de volta toda a experiência de uma memória disfuncional guardada.

Já vi isso acontecer de forma dramática quando trabalhava como psiquiatra em hospitais não especializados. Fui chamado para ver uma jovem que tinha acabado de sair de uma sala de cirurgia. Ela estava um pouco confusa por causa da anestesia geral e parecia agitada. As enfermeiras estavam preocupadas porque, em sua confusão, ela poderia arrancar os tubos e conexões endovenosas que ainda estavam ligados ao seu corpo. Para evitar que fizesse isso, amarraram seus pulsos à maca com ataduras. Pouco depois, a moça acordou e começou a gritar, com uma expressão de terror no rosto. Estava brigando com as ataduras com toda a sua força; o batimento cardíaco e a pressão sangüínea dispararam, colocando-a em risco iminente de uma complicação médica. Depois que pude acalmá-la (o que envolveu retirar as ataduras), ela descreveu como acabara de se livrar da memória de seu padrasto amarrando-a à cama, quando era criança, e queimando sua pele com pontas de cigarro. A memória, retida em sua forma vívida, disfuncional, tinha sido acessada em virtude da sensação em seus pulsos.[16]

A investida do EMDR serve para evocar a memória traumática em todos os seus diversos componentes – visual, emocional, cognitivo e, principalmente, físico (o eco da imagem no corpo); então se pede que o paciente apenas siga a mão do terapeuta – que se move rapidamente de um lado para o outro diante de seu rosto – para induzir os movimentos pertinentes do olhar. Esse processo estimula o "sistema de adaptação de informação e processamento" que ainda não conseguiu metabolizar a memória disfuncional em si.

A idéia é que a indução de movimentos oculares similares ao do REM (rápido movimento dos olhos) no sono forneça assistência necessária ao sistema de cura natural da mente que, até agora, não conseguira realizá-lo sozinho. Assim como certas plantas e outros remédios naturais foram usados durante séculos para ajudar o processo natural de cura de feridas de traumas físicos, o movimento de olhos do EMDR parece acelerar a recuperação natural de traumas psicológicos.

Durante os movimentos oculares em si, os pacientes espontaneamente parecem fazer associações livres por intermédio da vasta rede de memórias relacionadas em diferentes níveis da consciência. Eles freqüentemente começam a ver outras cenas relacionadas ao mesmo trauma, quer porque foram de natureza similar (por exemplo, outro fim de namoro, talvez um que acontecera antes), quer porque tinham uma emoção similar (por exemplo, ficar trancado por um primo em um baú aos quatro anos de idade). Ou podem simplesmente experimentar emoções poderosas que de súbito vêm à tona, mesmo que estivessem sendo contidas até então. É como se os movimentos oculares do EMDR facilitassem o acesso rápido a todos os canais de associação a essa memória traumática que está sendo objeto do tratamento. Como esses canais são evocados, eles parecem rapidamente se unir às redes cognitivas que estocam informações mais pertinentes baseadas no presente. É por meio dessa conexão que a perspectiva do adulto – que não é mais impotente, nem presa de ameaças que pertencem ao passado – pode se ancorar no cérebro emocional. A nova perspectiva pode, então, tomar o lugar do registro neurológico do medo ou desespero. E, quando esse registro é trocado, amiúde tem-se a impressão de que uma nova pessoa pode emergir.

Após vários anos praticando o EMDR, continuo surpreso pelos resultados que sigo testemunhando. Compreendo perfeitamente que muitos de meus colegas, psiquiatras ou terapeutas, permaneçam céticos, assim como fui durante muito tempo. Porém, sei que não vi muitos tratamentos na medicina tão intrigantes quanto aqueles em que o EMDR é posto em ação.

6

O EMDR em ação

Lilian era atriz e professora de arte dramática em um teatro de renome nacional. Tinha atuado em todo o mundo e sabia tudo o que havia para saber sobre autocontrole. Entretanto, ela estava sentada em meu consultório porque seu velho inimigo – o medo – a tinha em suas garras.

Seu terror atual advinha do fato de, algumas semanas antes, ter recebido um diagnóstico de câncer no rim. Enquanto eu explorava seu passado, contou-me que seu pai a estuprara em várias ocasiões quando ela era criança. A impotência que Lilian sentia ao se confrontar com sua doença era, provavelmente, em parte, eco do que havia passado na infância, quando não tinha recursos para escapar de seu horrendo apuro.

Ela nunca esqueceu do dia em que, com seis anos, se machucou na parte de dentro da coxa em uma cerca. Seu pai a levou ao consultório médico e se sentou ao seu lado enquanto ela tomava pontos da coxa ao púbis, sem anestesia. De volta à casa, o pai a deitara de barriga para baixo e, mantendo-a assim deitada, e com a mão em seu pescoço, estuprou-a pela primeira vez.

Lilian começou por me dizer que, no decorrer de vários anos de terapia convencional, falara longamente sobre incesto e de sua relação com o pai. Ela não achava que seria útil voltar a àquelas velhas memórias. "Já superei isso", disse.

Mas a relação entre essa cena de infância – combinando os temas da doença, impotência total e temor – e a ansiedade que Lilian sentia a respeito de seu câncer parecia, para mim, forte demais para pôr a questão de lado. Ela por fim concordou em evocar as memórias novamente, usando o EMDR.

Com a primeira seqüência de movimentos oculares, todo o corpo expressou seu terror de infância mais uma vez. Uma idéia passou feito um raio por sua mente: "Não tinha sido culpa minha? Tudo não começou com minha queda no quintal e o fato de que meu pai viu minha genitália no consultório do médico?". Como a maioria das vítimas de abuso sexual, Lilian sentiu-se parcialmente responsável por aqueles atos medonhos. Apenas lhe pedi que continuasse pensando sobre o que tinha dito e passasse por outra série de movimentos oculares durante trinta segundos. Após essa seqüência, disse-me que podia ver que não fora por sua culpa. Ela era apenas uma garotinha e o papel de seu pai era o de cuidar dela e de protegê-la.

Esse fato estava agora perfeitamente claro. De modo nenhum ela fora responsável pela agressão. Tinha simplesmente caído enquanto brincava. O que poderia ser mais comum para uma menina cheia de vida e louca por aventuras? Ante meus olhos, o ponto de vista adulto estava começando a formar um elo com a distorção que havia sido preservada no cérebro emocional de Lilian.

Durante a curta seqüência seguinte de movimentos oculares, sua emoção mudou. O temor deu lugar a uma raiva justa. "Como ele pôde ter feito uma coisa dessas comigo? Como minha mãe permitiu que ele continuasse com isso durante anos?" Suas sensações físicas, que expressavam tanto quanto suas palavras, também mudaram. A pressão na base da nuca e o temor na boca do estômago – que ela tinha sentido alguns minutos antes – cederam lugar a tensões poderosas em seu peito e na mandíbula, subprodutos comuns da raiva.

Várias escolas de psicoterapia sustentam que a meta do tratamento com vítimas de estupro é somente esta: levá-las a uma bem-sucedida transformação do temor e da impotência em uma raiva legítima em relação ao perpetrador. Com o EMDR, porém, o tratamento continua do mesmo modo enquanto o paciente estiver experimentando mudanças internas. E, realmente, após mais algumas seqüências de movimentos oculares, Lilian se viu como a menininha que tinha sido emocionalmente abandonada e sexualmente abusada. Sentiu uma tristeza profunda e enorme compaixão por aquela pequena garota. Como se estivesse seguindo os estágios do luto descritos por Elisabeth Kübler-Ross, sua raiva se transformou em tristeza.[1] Lilian percebeu que o adulto competente que ela havia se tornado podia tomar conta dessa criança. Pensou na ferocidade com que tinha protegido seus próprios filhos "como uma leoa", disse ela. Finalmente, pouco a pouco, contou a história do pai. Durante a Segunda Guerra Mundial, na Holanda, quando ainda era muito jovem e ativo na Resistência, ele fora capturado e torturado. Quando pequena, Lilian ouvira sua mãe e seus avós contarem que, depois da guerra, ele nunca mais havia sido o mesmo. Uma onda de pena e compaixão por ele crescia dentro dela – muito mais que isso, de compreensão. Ela agora o via como um homem com uma sede imensa de amor e compaixão que a esposa, rude e emocionalmente endurecida pela vida, muito parecida com os pais dele, tinha lhe negado. Eles todos ficaram presos em uma tradição cultural que não deixava espaço para emoções.

Alguns minutos mais tarde, Lilian viu seu pai como uma alma perdida, um homem que tinha passado por realidades tão duras que "foram suficientes para levá-lo à beira da loucura". Por fim, ela o viu como "um velho que mal podia andar. Ele tem uma vida tão dura. Eu fico triste por ele".

Depois de pouco mais de uma hora, o terror de Lilian como uma criança vitimada de estupro mudou para aceitação e até mesmo compaixão por seu agressor – a perspectiva adulta mais concebível possível. Em pouco tempo, ela passara por todas as etapas conhecidas de luto.

Observando essa progressão, parecia que meses ou mesmo anos de psicoterapia tinham sido condensados em uma única sessão de noventa minutos.

O estímulo do sistema de adaptação de informação e processamento teria ajudado a estabelecer todas as conexões possíveis entre os eventos passados – aqueles que ela vivenciara quando criança – e sua perspectiva como mulher adulta. Feitas essas conexões, a informação disfuncionalmente guardada foi diferida – ou "metabolizada", como dizem os biólogos. A memória perdera seu poder de produzir emoções inapropriadas. Lilian tinha sido até capaz de revisitar a memória do primeiro estupro e depois examiná-la resolutamente. "É como se agora eu fosse apenas uma observadora", disse ela. "Estou olhando para isso de longe. É só uma memória, apenas uma imagem."

Privada de sua carga disfuncional "límbica", a memória perde a potência. Seu poder enfraquece. Isso, em si, é um enorme passo adiante. Todavia, a solução de antigos traumas – que carregamos como feridas parcialmente saradas – não termina quando memórias dolorosas são neutralizadas.

Depois de ter passado pelo luto por essa dor antiga, Lilian descobriu uma força interior que até então era insuspeita e inacessível. E enfrentou sua doença e seu prognóstico sinistro com muito mais serenidade. Cooperou com extrema maturidade com seus médicos, conheceu uma longa série de tratamentos de câncer complementares e tirou proveito deles com discernimento e inteligência. Mais importante ainda, foi capaz de continuar vivendo intensamente a vida durante sua doença. Sua psicoterapeuta, a quem ela continuou vendo uma vez por mês, ficou tão surpresa com a súbita transformação que me ligou um dia para saber o que tinha acontecido. O que tínhamos feito que era diferente, uma vez que sua história de incesto teoricamente fora resolvida graças à terapia? Resultados como este não mentem; como muitos médicos que já vivenciaram experiências com seus pacientes, a terapeuta de Lilian logo se interessou por um treinamento em EMDR. Desde então, ele passou a fazer parte de sua abordagem terapêutica.

Três anos após essas poucas sessões, Lilian está mais viva do que nunca – talvez até mais –, apesar da cirurgia, da quimioterapia e da radioterapia. Em virtude da sua experiência com essa doença e da sua força interior, ela até transmite um brilho especial. Está atuando novamente e já voltou às aulas. E está ansiosa por continuar assim por muitos anos mais.*

As crianças de Kosovo

O sistema de adaptação de informação e processamento funciona mais depressa com crianças. Uma explicação possível é que suas estruturas cognitivas mais simples e seus canais de associação mais limitados aceleram seu curso.

Alguns meses depois do fim da guerra em Kosovo, eu estava em Peja trabalhando como consultor em trauma emocional. Um dia, pediram-me que examinasse dois adolescentes, irmão

* Obviamente, o EMDR não cura o câncer. Não obstante, sei que ele desempenhou um papel importante no tratamento de Lilian, assim como com outros pacientes que estavam enfrentando doenças sérias que ameaçavam suas vidas.

e irmã. Durante a guerra, a milícia tinha cercado a casa em que viviam e assassinado seu pai na frente deles. A garota, com quinze anos na época, foi estuprada enquanto mantinham um revólver em sua cabeça. Desde então ela não conseguia voltar ao seu quarto. Para escapar da milícia, o garoto fugiu com o tio para o telhado, para onde uma granada foi lançada, matando o segundo e ferindo severamente o primeiro no abdome. A milícia o deixara como morto.

Depois desses acontecimentos, os dois jovens viviam em um estado de ansiedade constante. Embora a guerra tivesse acabado e a milícia tivesse se dispersado, os irmãos mal conseguiam dormir, mal comiam, e se recusavam a sair de casa. O pediatra que os visitara várias vezes estava preocupado demais com eles – até porque era amigo da família. Ele não sabia como ajudá-los.

Um aspecto de meu trabalho consiste em ensinar médicos a diagnosticar desordens por stress pós-traumático. Depois de uma de minhas palestras, o pediatra veio até mim e me perguntou se eu poderia fazer algo por aqueles irmãos. Enquanto ouvia o médico me contar a história, fiquei imaginando se haveria realmente alguma coisa que eu pudesse fazer para ajudá-los, especialmente em uma língua estrangeira, trabalhando com um intérprete. Quando eles reviveram essas memórias, suas emoções eram intensas. Porém, durante a sessão inicial, fiquei surpreso em ver que imediatamente após a primeira série de movimentos oculares nem um nem outro parecia estar mais transtornado. Recordo-me de ter pensado que ou sua timidez na presença de um intérprete estava bloqueando suas associações, ou o trauma tinha sido tão grande que eles eram incapazes de fazer contato com suas emoções (em psiquiatria, isso é denominado fenômeno de "dissociação").

Fiquei muito surpreso ao ouvi-los dizer, ao fim da primeira sessão, que agora eram capazes de evocar as imagens da agressão sem se sentirem angustiados. Embora fosse um sinal obviamente positivo, esse nível de "cura" parecia impossível para mim. Eu tinha certeza de que dentro de alguns dias veríamos evidências de que nada, de fato, fora resolvido.

Uma semana depois voltei, com a intenção de continuar o tratamento e tentar de novo, possivelmente usando outras cenas como ponto de partida. Fiquei estupefato quando a tia deles me contou que naquela mesma noite, após nossa primeira sessão, os dois jantaram normalmente pela primeira vez desde o incidente. E dormiram a noite toda, também pela primeira vez em meses. A menina tinha até mesmo dormido no próprio quarto.

Eu mal podia acreditar. Pensei que talvez os adolescentes fossem educados e dóceis demais para me dizer que eu não conseguira ajudá-los. Ou simplesmente não quisessem responder a mais nenhuma pergunta sobre aquele episódio terrível. Talvez, pensei, eles acreditassem que, se me assegurassem que seus sintomas tinham desaparecido, me convencessem a deixá-los em paz.

Assim que os vi, entretanto, percebi que alguma coisa realmente mudara. Eles estavam sorrindo. Estavam até rindo, como crianças sem nenhum problema, criadas em lugares menos violentos, ao passo que antes estavam deprimidos e tristes. Também me pareciam descansados. Meu intérprete, que era aluno de medicina em Belgrado antes da guerra, estava convencido de que eles tinham passado por uma transformação.

Não obstante, permaneci cético sobre a eficácia genuína das sessões. Então, alguns meses depois, encontrei diversos terapeutas que se especializaram em tratar crianças com PTSD. Eles confirmaram que as crianças que passam por esse tratamento geralmente reagem mais depressa e mostram muito menos emoção que os adultos. De fato, desde a minha experiência em Kosovo, um dos primeiros experimentos realizados com PTSD em crianças de ensino fundamental revelou que o EMDR é eficaz nessa faixa etária.[2] Mesmo que os resultados não tenham sido tão espetaculares quanto aqueles que testemunhei em Kosovo, nesse estudo o EMDR teve efeitos notáveis em crianças que não obtiveram bons resultados com nenhuma outra abordagem.

A batalha pelo EMDR

Um dos aspectos mais curiosos da história do desenvolvimento do EMDR é a resistência que ele encontrou por parte da psiquiatria e da psicologia acadêmicas. Em 2000, o banco de dados mais freqüentemente usado para desordens por stress pós-traumático – o banco de dados de pilotos no Hospital de Administração de Veteranos de Dartmouth – registrou a existência de maior controle nas experiências clínicas utilizando EMDR do que qualquer outro tratamento. Os resultados desses estudos foram tão impressionantes que três "metanálises" – estudos que revêem todos os estudos previamente publicados – concluíram que o EMDR era, pelo menos, tão eficaz quanto os melhores tratamentos existentes. Em muitos casos, o EMDR também parecia o método mais bem tolerado e mais rápido.[3]

Todavia, hoje, ele continua a ser descrito como uma abordagem "controversa" em muitos círculos universitários norte-americanos (embora em menor grau na França, na Holanda, na Alemanha e na Inglaterra). Nos Estados Unidos, chegou até a ficar sob o ataque de alguns acadêmicos como uma "moda passageira' e "uma técnica de marketing".[4] Na história da medicina, tais controvérsias são comuns. Quando importantes descobertas ocorrem antes que os fenômenos possam ser teoricamente explicados, elas encontram uma resistência violenta e sistemática das instituições entrincheiradas – especialmente quando o tratamento é descrito como "natural" e parece "simples demais".

Um dos exemplos mais famosos, e provavelmente o mais parecido com o do EMDR, é a história do dr. Philippe Semmelweis, um médico húngaro que mostrou a importância da assepsia (técnica de esterilização) nos partos vinte anos antes que Lister e Pasteur tivessem chegado ao conceito de germe. Na época, na clínica onde o jovem dr. Semmelweis era professor assistente, mais de uma em cada três mulheres morria de febre puerperal depois de dar à luz. As mulheres mais pobres de Viena, as únicas que iam para essas clínicas, o faziam apenas sob coerção porque sabiam o risco que estavam correndo.

O dr. Semmelweis teve um "insight" extraordinário ao sugerir o seguinte experimento: todos os médicos, que geralmente faziam dissecação sem luvas antes de se apresentar para o parto, tinham que lavar as mãos com cal antes de tocar a genitália das pacientes. Ele teve enorme dificuldade para impor a sua idéia. Como esses eventos ocorreram antes da descoberta dos germes, não havia uma razão lógica para acreditar que mãos limpas pudessem transmitir alguma coisa invisível e sem cheiro que poderia causar a morte.

De qualquer maneira, os resultados desse experimento foram extraordinários. Em um mês, a mortalidade tinha caído de uma paciente em três para uma em vinte. Mas a principal conseqüência do experimento do dr. Semmelweis foi sua demissão. Seus colegas, que achavam tedioso lavar as mãos com cal, rebelaram-se e conseguiram que ele fosse mandado embora. Como não havia uma justificativa plausível para tais resultados na época, o dr. Semmelweis e sua idéia improvável foram alvo de escárnio, apesar de sua brilhante demonstração. Ele morreu à beira da loucura, só alguns anos antes das descobertas que finalmente possibilitaram a Pasteur e Lister fornecer uma explicação científica para o que o dr. Semmelweis descobrira empiricamente.

Mais recentemente, na psiquiatria, passaram-se mais de vinte anos para que a FDA (Food and Drug Administration) reconhecesse os benefícios do lítio no tratamento da desordem bipolar (também conhecida como "síndrome maníaco-depressiva"). O lítio era apenas um "sal mineral natural" sem benefícios conhecidos para o sistema nervoso central, e seu mecanismo não era compreendido. Assim, o uso do lítio como terapia encontrou tenaz resistência da medicina convencional.*

Em um exemplo ainda mais recente, no início dos anos 80, a descoberta de que as úlceras estomacais podiam ser causadas por uma bactéria – a *H. pylori* – e tratadas com antibióticos foi considerada ridícula em convenções médicas. Apesar dos resultados indiscutíveis, foram necessários mais de dez anos para que a nova idéia fosse aceita.**

O EMDR e o sono com sonhos

A verdade é que ainda não compreendemos como o EMDR produz esses resultados impressionantes. Robert Stickgold, M.D., Ph.D., do Laboratório de Neurofisiologia de Harvard, aventou a hipótese de que os movimentos oculares e outras formas de estímulo que evocam uma resposta fisiológica semelhante (a reorientação da atenção) têm um papel importante na reorganização da memória no cérebro. Essa resposta pode ocorrer com a mesma freqüência tanto durante o sono – e du-

---

* Um australiano, John F. J. Cade, M.D., demonstrou os efeitos do lítio na desordem bipolar em 1949. Mas psiquiatras norte-americanos começaram a usá-lo apenas em meados da década de 1960, e ele foi oficialmente aprovado pela FDA somente em 1974. Em 2004, o mecanismo da ação do lítio permanece relativamente misterioso, embora várias saídas promissoras tenham sido aventadas recentemente com a descoberta de seus efeitos sobre a transcrição genética e a inibição da proteína cinase C. (H. K. Manji, W. Z. Potter et al. [1995]. "Signal transduction pathways: molecular targets for lithium's actions", *Archives of General Psychiatry*, n. 52, pp. 531-543.)

** Outro australiano, Barry Marshall, M.D., fez esta descoberta. Exasperado com a recusa de seus colegas em acreditar em suas observações, acabou por engolir o conteúdo de um tubo de ensaio cheio de bactérias para provar que elas provocariam uma úlcera, o que realmente ocorreu.

rante o sonho – como durante uma sessão de EMDR. Em um artigo sobre a fisiologia do sono na revista *Science*, o dr. Stickgold e seus colegas sugeriram que tais formas de estímulo ativam as associações que ligam as memórias que são interconectadas pelas emoções.[5] O dr. Stickgold acha que mecanismos similares podem ser ativados pelo estímulo sensório gerado por intermédio do EMDR.[6] Outros pesquisadores já mostraram que, desde o início, movimentos oculares induzem igualmente uma resposta de "relaxamento forçado", levando a uma imediata queda do batimento cardíaco e a um aumento na temperatura do corpo.[7] Isso sugere que o estímulo do EMDR – como a prática da coerência cardíaca – reforça a atividade do sistema nervoso parassimpático.

A teoria do dr. Stickgold possivelmente também explica por que o EMDR pode funcionar quando se usam técnicas diferentes do movimento ocular para estimular a atenção. Além dos olhos, o sistema auditivo é estimulado durante o sono com sonhos, e contrações musculares involuntárias na superfície da pele ocorrem.[8] Assim, em vez de movimentos oculares, alguns clínicos utilizam sons alternados – da esquerda para a direita – nos fones de ouvido. Ou eles estimulam a pele com palmadas suaves ou aplicando vibrações ora na mão direita, ora na mão esquerda. De fato, como veremos no capítulo 8, o estímulo pela pele pode alterar diretamente a atividade do cérebro emocional.

Minha convicção pessoal é de que os movimentos oculares – ou outras formas de estímulo que prendam a atenção – ajudam os pacientes a ficar concentrados no presente enquanto experimentam emoções passadas. Talvez seja este estado dual de atenção – um pé no passado e outro no presente – que aciona a reorganização da memória traumática no cérebro.[9]

Obviamente, ainda há muito a aprender sobre o sistema de adaptação de informação e processamento e sobre os modos diferentes de ajudá-lo a realizar ou acelerar seu trabalho de digestão. Enquanto isso, o EMDR está rapidamente ganhando terreno, graças ao número crescente de estudos científicos que demonstram sua eficácia.

Hoje, o EMDR é oficialmente reconhecido como um tratamento eficaz pela Associação Americana de Psicologia,[10] pela Sociedade Internacional para Estudos sobre o Stress Traumático, que seleciona tratamentos recomendados de PTSD com base em critérios cientificamente estabelecidos,[11] pelo Departamento de Saúde do Reino Unido[12] e pelos Departamentos de Saúde em Israel e na Irlanda do Norte em seus relatórios sobre as intervenções psicológicas efetivas após ataques.[13, 14] Na França, na Suécia, na Alemanha e na Holanda, faculdades de medicina e departamentos de psicologia estão começando a ensinar o EMDR.

O tratamento com o EMDR é geralmente combinado com outras formas de terapia, tais como a terapia cognitivo-comportamental, a terapia de casais (para ajudar um dos parceiros a passar por antigos traumas que envenenam o relacionamento) e a terapia psicodinâmica e a psicanalítica. Com certeza, não há nenhum conflito entre o EMDR e as outras abordagens terapêuticas. Muito pelo contrário: por trazer para o corpo suas próprias memórias e conflitos e ao evocá-las, o EMDR é uma ferramenta útil e complementar para que o progresso se dê de modo mais rápido e fácil.*

É claro que entre os inúmeros estudos que acompanham os efeitos do EMDR alguns tiveram resultados negativos. Alguns nem sequer acharam diferença entre as sessões de EMDR feitas com ou sem movimentos oculares. A dificuldade em medir o efeito exato de um tratamento e compreender seus verdadeiros mecanismos é uma realidade compartilhada por toda a me-

* Como testemunho dessa simbiose, em junho de 2002 Francine Shapiro, Ph.D., recebeu o prêmio Sigmund Freud – uma das distinções mais prestigiosas que um psicanalista pode receber –, concedido pelo Conselho de Psicoterapia Mundial.

dicina. O vazio de conhecimento entre o que funciona e como funciona certamente se aplica ao caso dos antidepressivos: vários estudos já sugeriram que, baseados em dados disponibilizados pela FDA, eles são pouco mais do que placebos; no entanto, a maioria dos médicos que receita antidepressivos os considera úteis em circunstâncias pertinentes.[15] No futuro, será importante continuar a pesar qualquer nova evidência sobre esta nova e fascinante abordagem para curar a dor emocional.

Traumas com "t minúsculo" deixam vestígio permanente

Enquanto isso, a descoberta de um modo eficaz de curar o trauma pode mudar as práticas psiquiátrica e psicoterápica. No fim do século XIX, Pierre Janet, uma figura de proa da psiquiatria européia, e depois Sigmund Freud tentaram chegar a uma hipótese ousada: parte significativa dos distúrbios psicológicos com que nos deparamos todos os dias na prática clínica – depressão, ansiedade, desordens na alimentação, alcoolismo e consumo de drogas – tinha sua origem em eventos traumáticos. Essa teoria foi de grande valia, mas, infelizmente, não foi seguida por um método de tratamento que pudesse rapidamente aliviar as vítimas de traumas emocionais.

Hoje, quando o EMDR elimina os traços de emoções disfuncionais, os sintomas de distúrbios psicológicos não raro desaparecem completamente e uma nova personalidade emerge. Com a intervenção que pode tratar a causa dos sintomas em vez de apenas ajudar a gerenciá-los, toda a abordagem em relação aos pacientes pode ser transformada – sobretudo porque os traumas com "t minúsculo" são muito comuns e causam inúmeros outros sintomas além da PTSD.

Um estudo realizado em um pronto-socorro na Austrália ilustra os múltiplos efeitos de "pequenos" choques emocionais. Durante um ano, pesquisadores analisaram as vítimas de acidentes de automóvel tratados no local. Ao fim de um ano, os pacientes foram submetidos a uma série de exames psicológicos. Mais da metade tinha desenvolvido desordens psiquiátricas desde a época do acidente e, dentre todas, a PTSD foi a *menos* comum. Aquelas pessoas estavam sofrendo especialmente de depressão, ataques de ansiedade comuns, uso exagerado do álcool e de drogas, sem outras condições.[16] A maior lição desse estudo é que a PTSD não é a única desordem – longe disso – a exigir um exame de eventos passados que possam ter deixado cicatrizes emocionais com dor permanente. Todas as formas de depressão e ansiedade pedem um esforço sistemático na busca da causa dos sintomas atuais no histórico do paciente. Só então poderá ser eliminado o maior número possível de traços emocionais não resolvidos.

Vera, a enfermeira cuja história contei no capítulo anterior, estava tão preocupada com sua aparência física que pensou que somente uma lipoaspiração lhe permitiria olhar de novo no espelho. Nós começamos a primeira série de movimentos oculares precisamente com a imagem dela nua no espelho. Ela a considerava "insuportável", com um nível de angústia 10/10. (Na verdade Vera disse 15(!) por 10.)

Fizemos as primeiras seqüências de movimentos oculares enquanto ela se concentrava naquela imagem perturbadora. A primeira coisa que lhe veio à mente foi a memória de seu ex-marido se referindo com desdém ao aumento de peso relacionado à gravidez. Vera ouviu as palavras dele de novo: "Você é a coisa mais feia que já vi na vida...". Conforme aquela memória voltava, as lágrimas que ela tinha segurado durante três anos começaram a se derramar. Nós continuamos com outra seqüência de movimentos oculares que duraram cerca de dois minutos. Então uma expressão de raiva surgiu em seu rosto. Ela se virou para mim e parecia um tanto desconcertada: "Como ele pôde dizer uma coisa dessas quando havia uma pessoinha dentro de mim que era seu próprio filho?". Em vez de permitir que ela falasse demais, pedi-lhe que pensasse sobre isso e recomeçasse os movimentos oculares.

Depois de alguns minutos, Vera começou a sorrir. Eu perguntei no que estava pensando. "Que ele ainda é um merda inútil! Eu não o suporto!", ela exclamou rindo. Fez mais algumas séries de movimentos oculares e a levei de volta à imagem inicial de seu corpo nu no espelho. Perguntei o que ela achava dele agora. Respirando normalmente, com voz calma, Vera disse: "O corpo de uma mulher normal de trinta anos que teve dois filhos". Todo o seu ser parecia estar em paz.

Apesar desses resultados dramáticos, não podemos ver o EMDR como uma panacéia. Segundo minha experiência, essa técnica não funciona muito bem quando os sintomas não têm raiz em eventos dolorosos do passado. Em tais casos, o EMDR ainda pode ser útil, mas os resultados não são nem rápidos nem impressionantes.* Por outro lado, outros métodos naturais também têm impacto direto nos ritmos biológicos do corpo. De fato, o cérebro emocional não está apenas sujeito às variações e à influência do sono e dos sonhos. O cérebro emocional é parte de um todo cujos ritmos ele compartilha: o ritmo do sol, alternando a noite e o dia; a periodicidade mensal da lua, influenciando o ciclo menstrual, e os ritmos mais longos das estações. Como veremos a seguir, tais ciclos oferecem igualmente uma via para o bem-estar emocional.

* O EMDR não é indicado para casos de depressão aguda de origem claramente biológica, para psicoses, tais como a esquizofrenia ou outras, nem para a demência.

7

A energia da luz: reprogramando seu relógio biológico

O dr. Frederick Cook era um experiente explorador do grande Norte no século XIX. Quando seu navio e sua tripulação ficaram presos no Ártico, ele jamais perdeu a esperança de sobreviver em um ambiente extremamente hostil. Entretanto, o dr. Cook não esperava pelo desafio emocional que o aguardava e a seus homens.

Preso no início do inverno, eles tinham 68 dias consecutivos de escuridão pela frente. Em seu diário, o dr. Cook escreveu: "Os dias estão ficando cada vez mais curtos e as noites, perceptivelmente mais longas... É o deprimente véu da escuridão, caindo sobre a cintilante alvura das noites anteriores, que envia um manto de desespero para cobrir nossas almas". Ele achou que seus homens estavam ficando mais apáticos e pessimistas conforme as noites de inverno se aprofundavam. O dr. Cook finalmente se decidiu por uma exposição direta a uma fogueira em campo aberto como método básico de tratamento para elevar o espírito da tripulação e notou que isso os beneficiava mais por causa da luz que oferecia do que pelo calor que emitia.

Inversamente, o dr. Cook também observou a influência libertadora dos dias mais longos, com a chegada da primavera, sobre a vida instintiva dos esquimós: "As paixões desta gente são periódicas e sua corte (namoro) se dá logo depois da volta do sol; de fato, nesta época, eles quase tremem pela intensidade de suas paixões e, durante várias semanas, a maior parte de seu tempo é gasto na gratificação delas".[1]

O impacto da luz e do sol no humor e nos impulsos humanos foi registrado muito antes do dr. Cook, antes mesmo dos tempos bíblicos. Que parecemos mais felizes na primavera do que no meio do inverno é um fato tão óbvio que nos esquecemos de que isso tem implicações profundas sobre como melhorar nosso humor e favorecer nosso nível de energia. A luz influencia diretamente, e até controla, funções essenciais do cérebro emocional. Para os animais que vivem na selva, é a duração do dia e da noite que controla o sono e os impulsos mais vitais, incluindo o apetite por alimento e sexo, assim como por exploração do ambiente e a busca por novidade.

Experiências em laboratório facilmente mostram que a luz é *o* fator controlador essencial, em oposição às mudanças na temperatura ambiental, à exposição a pólen ou a outros fatores relacionados à mudança das estações. A luz penetra no cérebro através dos olhos, e o impulso neural é transmitido a um grupo especial de células no hipotálamo, um dos principais pontos de saída do cérebro emocional. Como centro de controle hormonal do corpo, o hipotálamo influencia diretamente o apetite, o impulso sexual, os ciclos de sono e de menstruação, a regulagem de calor no corpo e o humor.

Por nossas estruturas límbicas serem parecidas com a dos animais, a exposição à luz influencia nossos impulsos e nossas funções biológicas de modo semelhante. Claro, a luz artificial nos libertou dos ciclos restritos do sono e despertar impostos pelo aparecimento e o desaparecimento do sol. Porém, mesmo em um dia nublado, a luz do dia é de cinco a vinte vezes mais brilhante do que a luz no interior das casas. Por causa disso, a luz artificial não pode substituir o poder que o sol exerce em nossos ritmos biológicos.

Todos os ritmos do corpo

O sono, o sonho, a temperatura do corpo, a secreção hormonal e a digestão, todos eles são regulados de acordo com o ciclo de 24 horas que independe da hora em que vamos dormir. Esse ciclo constante de 24 horas é a razão pela qual experimentamos o tal do "jet lag" quando cruzamos fusos horários. Embora durmamos das onze da noite às sete da manhã na nova zona horária, o período de sono das primeiras noites não corresponde ao período do ciclo de sonhos, do ciclo de temperatura do corpo, ou do ciclo de liberação de cortisol, que continuam a seguir seu próprio "relógio". O mesmo acontece quando vamos para a cama quatro horas mais tarde do que de costume, depois de uma festa no sábado à noite. Podemos dormir oito horas seguidas depois disso, mas o período de sono estava "fora de sincronia" com os outros ciclos subjacentes do corpo. As últimas quatro horas de sono, por exemplo, se deram enquanto nosso nível de cortisol e a temperatura do nosso corpo já tinham começado a subir. É por isso que nos sentimos irritados e quebrados no dia seguinte (bem, isso e a cerveja, claro).

Entretanto, a maioria desses ciclos internos pode ser diretamente modificada pela exposição à luz. Assim como os girassóis se viram na direção do sol todos os dias, nosso hipotálamo foi feito para se orientar pelo ritmo mutável da diminuição ou do aumento da luz diária durante as estações do ano. Quando orientado de maneira apropriada, o controle do hipotálamo sobre a secreção de hormônios e neuropeptídeos pode ser extremamente preciso.*

Quando os dias ficam mais curtos no inverno, uma em cada três pessoas percebe mudanças em certos impulsos básicos que são controlados pelo hipotálamo. As mudanças parecem-se um pouco com sintomas de hibernação: desejo de carboidrato (pão, massas, batata, doces), mais sono, decréscimo de energia e do apetite sexual, baixa motivação para iniciar novos projetos e lentidão dos processos mentais. Para 10% da população que mora acima da latitude 40 (Nova York, nos Estados Unidos, Madri, na Europa), tais sintomas ganham uma proporção de depressão clínica entre novembro e março.[2] Os sintomas dessa "desordem afetiva sazonal" são extraordinariamente mais *físicos* do que psicológicos, uma vez que refletem mudanças nos impulsos fisiológicos mais do que conseqüências dolorosas de ordem emocional.

Quando Frank veio me ver, fiquei pasmo pela aparente falta de explicação psicológica para os sintomas que o atormentavam havia dois anos. Um homem de negócios bem-sucedido, quarentão, Frank era bem-apessoado e simpático, bem-falante e estava muito à vontade no que se refere a questões particulares de sua história pessoal. Ele tinha sofrido com o sobe-e-desce comum da vida, mas não pude encontrar nenhuma dor residual desses eventos dolorosos. Seus negócios foram estressantes às vezes, mas tudo permanecera dentro dos limites que lhe eram familiares, um nível de dificuldade que ele geralmente experimentava como mais "estímulo e desafio" do que algo esmagador.

---

* A secreção de melatonina à noite, por exemplo, é iniciada minutos depois de escurecer e continua até que qualquer sinal de luz seja registrado. Uma vez reconhecida a luz, o fluxo de melatonina é interrompido em segundos. (R. Y. Moore [1996]. "Neural control of the pineal gland", *Behavioural Brain Research* 73 (1-2): 125-130.)

Todavia, nos últimos dois anos Frank havia consultado uma série de médicos em busca de alívio para um acesso de fadiga crônica progressivo e debilitante, confusão mental, sono agitado e dor no pescoço e nos ombros. Esses sintomas acabaram por levá-lo a trabalhar só meio período. Em face dos clássicos "pontos nevrálgicos" que ele apresentava ao longo da coluna e no pescoço (áreas do tamanho de uma moeda de um centavo que são extremamente sensíveis à pressão pelo médico), foi diagnosticado que Frank tinha "fibromialgia".

Fibromialgia é um caso pouco compreendido que associa várias características de depressão, fadiga prostradora e dor. O caso também é temido por pacientes e médicos porque tende a ser crônico e a responder só parcialmente a uma variedade de tratamentos convencionais, incluindo antidepressivos. Pacientes que sofrem de fibromialgia se sentem fisicamente doentes e se ressentem da pressão dos médicos para que vejam um psiquiatra ou tomem antidepressivos.

Eu não me senti mais capaz de ajudar Frank do que muitos de meus colegas, convencionais ou alternativos, que já o tinham inundado com uma enorme quantidade de sugestões. Sob o tratamento de vários médicos, ele tentara de tudo, da nutrição à psicoterapia e antiinflamatórios, mas nada fora de grande ajuda.

Conforme escutava sua história, surpreendi-me com um detalhe nas suas lembranças: de como aquela situação se iniciara. Ele se lembrava com clareza de que seus problemas tinham começado após uma noite maldormida e continuou a ter problemas para acordar de manhã. Essa situação é que precedera seus problemas com relação à dor. E mais, o assunto do sono principiou no início de dezembro, quando a luz do dia diminui rapidamente.

Exatamente como meus outros colegas, sugeri a Frank que tentasse outro tratamento. Disse-lhe que talvez este pudesse ajudar, e que ao menos não teria efeitos colaterais, nem sequer seria um transtorno para ele. Era minha primeira experiência com o uso de estímulo artificial da aurora como tratamento e jamais pude imaginar que seria tão prestimoso.

Desde o fim da década de 1980, pesquisadores do Instituto Nacional para a Saúde Mental e em outras partes do mundo já faziam experimentos com terapia de luz para síndromes depressivas que têm um padrão sazonal claro. Foi demonstrado que trinta minutos de exposição a um dispositivo luminoso (10 mil luxes ou aproximadamente vinte vezes o brilho de uma lâmpada convencional) podem reverter os sintomas de depressão sazonal dentro de duas semanas. Entretanto, pacientes com freqüência se queixam de ter que ficar em frente a uma caixa de luz trinta minutos por dia, e o compromisso a longo prazo com esse tratamento é um tanto frustrante. Nos últimos dez anos, David Avery, M.D., da Universidade de Washington, em Seattle, foi pioneiro em uma pesquisa por uma nova abordagem na terapia de luz. Em vez da brutal exposição a 10 mil luxes logo depois de acordar, é possível permitir que o lento advento de uma aurora simulada cuide do cérebro que desperta.

Simulação da aurora

São seis da manhã e seu quarto está totalmente escuro. De repente, um despertador corta o silêncio e o arranca de um sonho. Com pálpebras pesadas, você abafa o despertador com sua mão, tentando silenciar aquele intruso que não é bem-vindo. "Mais cinco minutos", você implora, cansado. Ainda não amanheceu, mas há outra alternativa?

Sim, há outra alternativa: o aparelho que simula a aurora. Você precisa acordar às seis da manhã? Às 5h15 o aparelho começa a iluminar o seu quarto aos poucos. Devagar e progressivamente, ele simula o surgimento – primeiro muito lentamente e depois mais depressa – do sol, o sinal a que seu cérebro emocional tem estado ligado para acordar nos últimos milhões de anos de evolução no planeta Terra. Após várias horas de escuridão, seus olhos se tornaram tão sensíveis aos sinais luminosos que podem detectar essa suave transição mesmo por trás das suas pálpebras cerradas.

Quando os primeiros raios de luz aparecem, eles são registrados pelo hipotálamo e iniciam a preparação do nosso cérebro para a suave transição para o despertar. O teatro dos sonhos começa a fechar as cortinas, a temperatura do corpo e o nível de cortisol sobem, e, conforme a intensidade da luz atinge níveis mais elevados, o padrão da atividade elétrica típica dos neurônios durante o sono progressivamente transita para o da luz que nasce e depois para o completo despertar.

Estudos recentes feitos em pessoas que sofrem de depressão no inverno sugerem que a simulação da aurora pode ser até *mais* eficaz do que ficar exposto a uma caixa de luz de alta intensidade.[3] Talvez isso se deva ao fato de que a simulação da aurora utiliza os mecanismos de controle natural dos ritmos circadianos (período de 24 horas) do corpo, em vez de expô-los abruptamente à luz artificial depois de acordar na mais completa escuridão. Para aqueles que temem tamanha suavidade, alguns aparelhos estão equipados com um "despertador de resposta" que soa ao final do período da aurora.*

Esperançoso, Frank testa seu simulador de aurora. Ele liga seu abajur, no criado-mudo, a um pequeno dispositivo eletrônico que pode ser programado como um despertador. Na manhã seguinte, acordou com a luz do abajur antes que o despertador tocasse. Em uma semana, notou um padrão diferente em seu despertar. Ele normalmente ainda estaria sonhando e sendo arrancado do sonho, mal se dando conta de que já era dia, e depois voltaria ao sonho novamente. Esse mergulho para dentro e para fora da consciência acontecia uma ou duas vezes antes que Franz percebesse que seu corpo e sua mente estavam cada vez mais despertos e cada vez menos interessados em voltar a dormir.

Em duas semanas Frank se deu conta de que estava mais alerta durante o dia e capaz de pensar com mais clareza. Seu humor estava melhorando. Depois de alguns meses, a nova técnica de despertar começou até a ajudá-lo em relação à dor, embora ela jamais tenha desaparecido totalmente. Frank descreveu sua experiência em uma carta que enviou à empresa fabricante do simulador de aurora: "Eu mal posso descrever a diferença que esta luz já fez em minha vida. Nenhuma outra abordagem me ajudou tanto assim. O fato de ela ser completamente natural é um bônus, uma vez que abomino tomar remédios... Não compreendo como ela funciona, mas, com certeza, me sinto mais descansado, coerente e energizado quando acordo, e isso faz toda a diferença em meu dia, todos os dias".[4]

O aspecto mais fascinante do simulador da aurora talvez seja quão importante ele pode ser para todos nós, deprimidos ou não, estressados ou não. Quando ainda era estudante de medicina, minha primeira exposição à psiquiatria foi no Centro Médico de Stanford, onde aprendi sobre o sono, suas diferentes fases e sua relação com os problemas mentais. Nosso professor, Vincent Zarcone, M.D., era um dos principais pesquisadores do sono no mundo. Ele descreveu para nós como o sono com sonhos – também conhecido como sono REM (rápido movimento dos olhos) ou "sono paradoxal", porque o cérebro parece estar completamente acordado embora o corpo esteja totalmente relaxado – ocorre sobretudo na última parte da noite, no momento em que o cérebro e o corpo se preparam para acordar. Essa é a razão pela qual com freqüência acordamos de manhã no meio de um sonho.

Pensei no assunto por um tempo. Já tinha notado que era desagradável ser acordado de manhã, no meio de um sonho, por um despertador, e como era bem melhor acordar *depois* que o sonho tivesse terminado. Findada a palestra, perguntei ao dr. Zarcone se já havia sido inventado um dispositivo capaz de evitar que o despertador tocasse enquanto a pessoa estivesse sonhando. Com todo o conhecimento sobre fisiologia que temos hoje sobre o sono REM, parece possível detectar se alguém ainda está nessa etapa do sono e simplesmente retardar o toque do relógio até que o sonho tenha terminado. O dr. Zarcone riu como se já tivesse pensado nisso muitas vezes também. "Isso seria legal, não seria?", disse ele. "Mas não conheço nenhum aparelho e acho que, se surgisse alguma coisa, seria um estorvo, se usada diariamente." Isso se passou há vinte anos. Hoje, simuladores de aurora parecem uma resposta tão óbvia para o problema que nos fazem indagar como ninguém pensou nisso antes. Por que acordar ao som de um despertador que nos arranca do nosso ritmo biológico, do fluxo natural, quando esses dispositivos podem nos despertar suavemente com a luz do dia, de acordo com as leis de milhões de anos de evolução?

Tão mais intrigante é a possibilidade de essa tecnologia impecável poder trazer benefícios que vão muito além das mudanças sazonais de humor e das manhãs mais suaves. A terapia da luz tradicional pode ser útil em uma variedade de condições. Em alguns estudos, descobriu-se que ela estabiliza o ciclo menstrual, melhora a qualidade do sono, reduz a necessidade de carboidratos e a freqüência de bebedeiras que alguns precisam tomar no inverno e, assim, favorece a resposta aos antidepressivos nas pessoas que têm, por sua vez, resistência ao tratamento.[5] Recentemente, pesquisadores da Universidade da Califórnia, em San Diego, descobriram que apenas cinco dias de exposição matinal à luz poderiam aumentar a secreção de testosterona em homens saudáveis em mais de 60%.[6]

Nenhum desses efeitos foi testado com o simulador de aurora, somente com a exposição à caixa de luz brilhante. Se tais resultados fossem obtidos com o simulador da aurora, sugeririam que todos poderíamos melhorar de maneira significativa nosso bem-estar simplesmente mudando o jeito de acordar de manhã. Não há dúvida de que esta será uma área de pesquisa ativa nos próximos anos.

Se a luz pode ordenar nossos ritmos físicos mediante seu controle sobre o cérebro emocional, cinco mil anos de medicina tradicional tibetana e chinesa sugerem ainda outro modo poderoso de modular o fluxo de energia entre a mente e o corpo. Apesar de sua simplicidade e elegância, esse sistema de medicina somente agora começa a ser explorado pela ciência ocidental. E já estamos aprendendo alguma coisa sobre sua misteriosa eficácia.

8

O poder do Qi: a acupuntura afeta diretamente o cérebro emocional

Como duas pessoas que nasceram para ser amigas mas não se dão conta disso na primeira vez em que se encontram, durante meu primeiro encontro com a acupuntura perdi a chance.

Eu ainda era um estudante de medicina em Paris, no início dos anos 80, antes de ir para os Estados Unidos para continuar minha educação. Um de meus professores na época acabara de chegar da China. Após ler um livro escrito pelo francês Soulié de Morant – entre os primeiros a introduzir a acupuntura no Ocidente[1] –, decidira descobrir mais a respeito dela por si mesmo. Para documentar suas descobertas, fizera um filme em super-8 de uma cirurgia em um hospital de Pequim.

Com outros duzentos estudantes, assisti, boquiaberto, a uma mulher que falava calmamente com o cirurgião que estava removendo um cisto do tamanho de um melão de seu abdome aberto. A única anestesia consistia em umas poucas agulhas fininhas espetadas em sua pele. Obviamente, jamais víramos algo parecido. Entretanto, assim que o filme acabou e as luzes se acenderam, esquecemos o que tínhamos acabado de ver. Talvez isso fosse possível na China, mas aqui?... Estava distante demais do que sabíamos e do enorme acervo de conhecimentos da medicina ocidental que ainda nos faltava estudar. Remoto e esotérico demais. Não voltei a pensar naquele filme durante quinze anos, até o dia em que fui à Índia, a Dharamsala, a sede do governo do Tibete no exílio, no sopé da cordilheira do Himalaia.

Visitei o Instituto de Medicina Tibetano e falei com um profissional sobre sua visão a respeito da depressão e da ansiedade. "Vocês, ocidentais", disse ele, "têm uma visão dos problemas emocionais que está de pernas para o ar. Sempre se surpreendem em ver isso a que chamam de depressão ou ansiedade ou stress como sintomas físicos. Vocês falam de fadiga, aumento ou perda de peso, batimentos cardíacos irregulares como se fossem manifestações físicas de um problema emocional. Para nós, o oposto é que é verdadeiro. A tristeza, a perda de auto-estima, sentimentos de culpa, a falta de prazer podem ser manifestações mentais de um problema físico."

Verdade, eu jamais pensara dessa forma. E a visão que ele tinha da depressão era tão plausível quanto a ocidental. Ele prosseguiu: "Na realidade, as duas visões estão erradas. Para nós, sintomas emocionais e sintomas físicos são simplesmente dois lados da mesma coisa: um desequilíbrio da circulação da energia, o Qi".

Naquela hora, não entendi nada. Instruído na tradição cartesiana, que traça uma distinção clara entre o "físico" e o "mental", ainda não estava preparado para falar do "Qi" (pronuncia-se "tchi"). Nem estava preparado para imaginar a existência de uma "energia" reguladora, subjacente, que afeta tanto o domínio físico como o mental – especialmente do tipo que pode ser medida com instrumentos objetivos. Mas meu colega tibetano prosseguiu: "Há três modos de influenciar o Qi: pela meditação, que o regenera; pela nutrição e das ervas medicinais; e, diretamente, com a acupuntura. Geralmente tratamos o que vocês chamam depressão com acupuntura. Funciona bem desde que os pacientes façam o tratamento por tempo suficiente".

Mas eu já não o escutava mais. Ele estava me falando sobre meditação, ervas e agulhas. Não estávamos mais na mesma freqüência de onda. Além disso, assim que ele se referiu ao período de tratamento, imediatamente imaginei que devia ter alguma coisa a ver com o efeito placebo, respostas que pacientes têm a tratamentos sem nenhum agente ativo. Os placebos costumam dar certo quando os pacientes estão sendo tratados regular e gentilmente, e com convincentes aparatos de competência técnica. Uma vez que isso é o que um acupunturista faz, parecia-me óbvio que qualquer resposta à acupuntura era um efeito placebo. Após chegar a essa conclusão, apenas fiquei escutando-o por pura educação e então pedi licença para continuar fazendo o que tinha de fazer. Esta foi a segunda oportunidade que perdi – mas ela deixou um traço em minha memória.

O terceiro encontro aconteceu em Pittsburgh, um ano ou dois mais tarde. Um sábado à tarde, na rua, encontrei uma paciente que eu vira apenas uma vez, no ambulatório do hospital. Ela sofria de uma depressão séria, mas se recusara a tomar os antidepressivos que eu receitei. Apesar disso, tínhamos nos dado bem; assim, quando a vi, perguntei-lhe como estava, se estava se sentindo melhor. Ela olhou para mim sorrindo, mas um pouco incerta se devia se abrir comigo ou não. Devo ter parecido aberto, pois ela finalmente me disse que tinha decidido ver um acupunturista. Fizera algumas sessões durante quatro semanas e agora estava bem.

Se não tivesse tido aquela conversa com o médico tibetano em Dharamsala, certamente eu teria atribuído a "cura" dela ao efeito placebo. Como já mencionei, em casos de depressão o efeito placebo é comum – tão comum que é preciso cerca de três estudos clínicos comparando um antidepressivo a um placebo para que um deles demonstre que a medicação é superior.[2] Mas a conversa em Dharamsala voltou de imediato à minha mente e fiquei um pouco chateado, devo admitir, pelo fato de um tratamento diferente do meu ter se mostrado mais útil. Decidi descobrir um pouco mais sobre essa prática estranha. O que aprendi a respeito da extensão de seu impacto na natureza do corpo e da mente ainda me desconcerta.

Ciência e agulhas

Primeiro, com cinco mil anos de prática documentada, a acupuntura é provavelmente a técnica médica mais antiga do planeta. Nos últimos cinqüenta séculos, muitos placebos surgiram – plantas ineficazes (algumas delas tóxicas), óleos de serpente, pós de casca de tartaruga e por aí afora. Mas nenhum, que eu saiba, sobreviveu à prática médica diária durante tanto tempo. Quando comecei a levar a acupuntura a sério, descobri que em 1978 a Organização Mundial de Saúde (OMS) tinha publicado um relatório reconhecendo oficialmente a acupuntura como uma prática médica eficaz e aceitável. E mais, segundo um relatório dos Institutos Nacionais de Saúde que circulou nos meios acadêmicos na época, a acupuntura era eficaz para casos como dor pós-operatória, náusea durante a gravidez ou quimioterapia. Desde então, um relatório da Associação Médica Britânica, publicado em 2000, chegou a conclusões semelhantes, e a lista de indicações aumentou, com a inclusão, por exemplo, de dores nas costas.[3]

Descobri que, se a acupuntura era realmente um placebo, coelhos eram tão sensíveis a ela quanto seres humanos. Vários experimentos demonstraram claramente que um coelho pode ser "anestesiado" ao serem estimulados pontos em sua pata correspondentes àqueles que bloqueiam a dor nos seres humanos. Ainda mais convincente: quando o fluido cérebro-espinal (o fluido que banha o cérebro e a medula espinal) de um coelho "anestesiado" é injetado em outro coelho, esse segundo animal também não sente mais dor. (E isso não acontece com uma injeção de fluido placebo.) Está, portanto, provado que, no mínimo, a acupuntura induz a secreção de substâncias pelo cérebro que podem bloquear a experiência da dor, além de qualquer efeito placebo.[4]

A literatura científica internacional contém uma gama de estudos de pesquisa confirmando a eficácia da acupuntura para uma série de problemas, que incluem depressão, ansiedade e insônia, desordens intestinais, dependência do fumo e de heroína, e até infertilidade feminina (dobrando, por exemplo, a taxa de sucesso na inseminação artificial). Foi inclusive publicado um estudo no *Journal of the American Medical Association* mostrando que um feto em uma posição difícil pode ser virado no útero materno em 80% dos casos com o estímulo de um único ponto de acupuntura.[5]

Um encontro pessoal

Na esteira dessas descobertas indiscutíveis sobre a acupuntura, estudos ainda mais surpreendentes seriam realizados (nós voltaremos a eles mais adiante), mas esta informação foi suficiente para me inspirar a descobrir mais sobre a acupuntura.

Eu tinha ouvido falar de uma profissional um tanto incomum, uma certa Christine, que tratava pacientes com problemas emocionais com a "acupuntura dos cinco elementos". Fora ela quem cuidara de minha paciente com depressão com tão bons resultados. Então pensei que o lógico seria começar por ela.

Christine não era médica, mas praticava a acupuntura havia 25 anos. Seu consultório ficava em uma sala de paredes brancas no andar superior de uma casa de campo rodeada de árvores. Luz solar adentrava as muitas janelas da casa o dia todo. Duas poltronas de lona estavam lado a lado, próximas à mesa baixa. Não havia escrivaninha, só uma mesa para massagem com uma colcha indígena em tons de vermelho, rosa e roxo. Na parede, uma mensagem me saudava: "A doença é uma aventura. A acupuntura lhe dá as armas, mas a luta depende de você".

Christine fez perguntas e anotações sobre minha história pessoal durante uma hora. Eram perguntas estranhas. Por exemplo, perguntou se eu tolerava mais o calor ou o frio; se eu preferia comida crua ou cozida; se eu tinha mais energia de manhã ou à noite. Em seguida tomou o meu pulso longamente, os dois ao mesmo tempo, com os olhos fechados, como que para se concentrar melhor. Depois de alguns minutos me disse: "Você sabe que tem um sopro cardíaco, não sabe? Não é nada sério. Está lá há muito tempo e não o incomoda".

Ora, escutar um leve sopro cardíaco com um estetoscópio já é difícil, mas jamais encontrei um cardiologista que o detectasse pelo pulso. Sob circunstâncias normais, teria tomado isso como um bom chute, porém me lembrei de um colega que eu vira devido a um problema completamente diferente quinze anos antes, e ele me dissera a mesma coisa. Após escutar meu coração durante cinco minutos, ele concluiu: "Você tem um sopro cardíaco leve. Ninguém o escutará, em minha opinião, mas, se alguém lhe falar dele, lembre-se de que não é nada sério". E eu não pensei mais nele desde então. Como é que aquela mulher, em seu cenário xamã, o tinha identificado apenas com os dedos?

A seguir, ela me pediu que deitasse quase que totalmente nu na mesa de massagem. Eu tinha um tipo morfológico e uma personalidade "yang", explicou-me. Não tinha "yin" suficiente nos rins e tinha "Qi demais" no fígado, revelou também. Enquanto falava, usava um pequeno tecido umedecido com álcool para desinfetar diversos pontos em meu corpo. Disse que o estímulo das agulhas inseridas naqueles pontos iria "fomentar um equilíbrio maior em minha energia e no relacionamento entre os órgãos".

Os pontos que ela escolheu eram essencialmente nos pés e tíbias, nas mãos e nos pulsos – sem nenhuma conexão clara, portanto, com os rins ou o fígado. Naturalmente, fiquei preocupado com as agulhas. Surpreendi-me ao ver que eram finas como um fio de cabelo. De qualquer modo, não senti nada quando ela as inseriu com grande habilidade, com movimentos rápidos e firmes, sob a minha pele. Não tive nem mesmo a sensação de uma picada de mosquito. Nada. Foi somente mais tarde, quando Christine girou ligeiramente ou enterrou um pouco mais uma delas, que senti uma leve descarga elétrica mais embaixo. Estranhamente, Christine pareceu sentir isso antes de mim, pois disse: "Ah, aí está. Consegui". E, de fato, meio segundo depois, senti a eletricidade que parecia ter "encontrado" a agulha, como um raio que atinge o pára-raios. Ela chamou essa sensação de "Dai Qi", e explicou que era um sinal de que conseguira alcançar o ponto que estava procurando. "O que você sente é o Qi em movimento, atraído para a agulha", explicou.

Conforme manuseava uma agulha em meu pé, senti uma leve pressão nas costas. "Sim", disse ela, "estou no meridiano do rim. Eu lhe falei que seu rim precisava de yin. É o que estou tentando fazer."

Fiquei fascinado pelos "meridianos" – linhas "virtuais" percorrendo o corpo todo, descritas há 2500 anos. Os meridianos não correspondem a nenhuma realidade material do corpo, tais como o sistema arterial ou o venoso, os dutos linfáticos, ou mesmo os dermatomas. No entanto, eles claramente se manifestavam em meu próprio corpo.

Alguns minutos e dez agulhas depois, uma sensação de calor e relaxamento começou a percorrer o meu corpo. A sensação era um pouco como o bem-estar que se segue a um esforço físico intenso. No final da sessão, a sensação era de energia renovada; estava animado para fazer várias coisas, ligar para meus amigos, sair para jantar...

Christine tomou o meu pulso novamente. "O yin em seus rins aumentou como devia. Estou satisfeita", disse, sorrindo.

Então ela me olhou. "Você precisa relaxar mais. Você não se cuida. A atividade constante o está consumindo. Você medita? Isso o traz de volta, sabe?" Ela também me aconselhou a mudar minha dieta e sugeriu algumas ervas medicinais – exatamente o que meu colega tibetano havia feito com os pacientes dele em Dharamsala.

A acupuntura e o cérebro

O que realmente impulsionou o interesse científico pela acupuntura foi a publicação de um artigo na *Proceedings of the National Academy of Sciences* alguns anos depois.[6] Somente os membros da Academia de Ciências dos Estados Unidos ou seus "convidados" podiam publicar trabalhos nessa revista seleta. O professor Zhang-Hee Cho, Ph.D., da Universidade da Califórnia, em Irvine, um pesquisador em neurociências e imagens cerebrais, decidiu testar a teoria de 2500 anos segundo a qual estimular o dedinho do pé com uma agulha de acupuntura acaretava, entre outras coisas, melhora na visão. Ele colocou dez pessoas saudáveis em um scanner e começou a testar sua máquina fazendo piscar uma imagem feito um tabuleiro de damas, em preto e branco, na frente dos olhos delas. Esse é o estímulo visual mais forte que se conhece. Realmente, as imagens mostravam grande ativação do sistema visual, sobretudo aquela área do córtex visual localizada na parte de trás do cérebro. Em todos os participantes, os tabuleiros piscantes detonaram um aumento tremendo da atividade dessa região do cérebro, que cessou com a interrupção do estímulo. Como era esperado, a reação dos cérebros havia sido totalmente normal.

Então o dr. Cho pediu a um experiente acupunturista que estimulasse o ponto conhecido em livros de medicina chinesa como "Bexiga 67", localizado na parte de fora do dedinho do pé e que tem a reputação de melhorar a visão. Para surpresa da equipe, quando a agulha foi usada de acordo com o modo tradicional – girada com rapidez entre os dedos do acupunturista –, as imagens do scanner mostraram haver atividade precisamente na mesma região do cérebro, o córtex visual. É verdade, a atividade na mesma região foi menos intensa do que com os tabuleiros de damas, mas foi suficientemente pronunciada para passar por todos os testes estatísticos. Em seguida, o dr. Cho queria se certificar de que o resultado não era produto de uma alucinação dos pesquisadores ou dos sujeitos. Então estimulou o ponto no dedão que não correspondia ao meridiano e nenhuma ativação das regiões visuais ocorreu. Convincente, mas isso não pôs fim ao experimento.

Um dos mais espantosos conceitos da medicina tradicional chinesa e tibetana é a idéia de que existem "tipos morfopsicológicos", em especial "yin" e "yang". Esses dois tipos dominantes são identificados na base das preferências de cada pessoa por ambientes quentes ou frios, por certas comidas, certas horas do dia, e também pela aparência física – até mesmo no formato do crânio. Textos antigos declaram que o estímulo de certos pontos da acupuntura podem ter o efeito oposto com pacientes diferentes, dependendo de seu tipo – daí a importância em identificá-lo antes. O dr. Cho, portanto, pediu ao acupunturista que identificasse o tipo de cada um dos sujeitos e depois observou os efeitos do estimulante "Bexiga 67" no dedinho do pé tanto do tipo yin como do tipo yang.

Finalmente, ele verificou se os dois grupos reagiam do mesmo modo quando viam os tabuleiros de damas: mostrando a ativação do córtex visual, e depois a desativação, quando o estímulo parou. Os yin apresentaram o mesmo tipo de resposta quando seu ponto "Bexiga 67" foi estimulado – ativação com estímulo e retorno ao normal quando a ativação cessou. Porém – por incrível que pareça –, os yang mostraram o efeito *oposto*. O estímulo com a agulha "desativava" o córtex visual, e, quando o estímulo parou, o córtex visual retornou ao normal.

A distinção de yin-yang não corresponde a nada conhecido na fisiologia ocidental moderna. Foi, não obstante, capaz de prever, como sugerem os milenares textos chineses, que o cérebro responderia de modo exatamente oposto ao mesmo estímulo com a mesma agulha no mesmo ponto de acupuntura. Esse resultado é tão surpreendente que a maioria dos cientistas ocidentais prefere, como eu fizera 25 anos antes, nem sequer pensar no caso.

Para Paul, a acupuntura não era teoria. Ele sofria de depressão havia anos e tomava um antidepressivo padrão havia meses, sem nenhum efeito. Fora ver Thomas Ost, L.Ac., o acupunturista do Centro de Medicina Complementar (CCM) de nosso hospital, por causa da dor nas costas. Embora o tratamento principal fosse a dor, Ost soube da depressão de Paul pelas perguntas preliminares, e então se ofereceu para inserir a agulha em dois pontos adicionais no crânio que, como vários estudos chineses sugeriam, ajudavam a curar a depressão.[7] Na metade da primeira sessão, Paul declarou mais tarde, ele pôde "sentir uma camada de nevoeiro se levantar", camada que não permitia que pensasse com clareza. Paul se sentiu mais leve e um pouco mais confiante, mesmo que ainda estivesse com um nó na garganta, que ele sempre associara a seus períodos de depressão.

Após várias sessões semanais, ele sentiu as outras camadas desaparecerem, gradualmente. Então, na hora certa, sua garganta ficou desimpedida. Pouco a pouco, Paul começou a dormir melhor. Sua energia retornara, pela primeira vez em dois anos. Finalmente, sua autoconfiança voltou, assim como o desejo de ficar com a esposa e filhas e dar início a novos projetos. Como nos estudos chineses, seus sintomas pareciam responder à acupuntura do mesmo modo e no mesmo ritmo que aos antidepressivos aos quais eles haviam sido comparados.

Naturalmente, por motivos de segurança, Paul jamais deixou de tomar o antidepressivo que seu médico receitara, portanto é possível que o remédio tenha produzido tais mudanças. Todavia, o fato de que os primeiros sinais de alívio apareceram nas primeiras sessões de acupuntura sugere que as agulhas foram as responsáveis pelo encadeamento de sua recuperação. E, é claro, os dois tratamentos devem ter se reforçado mutuamente. A acupuntura talvez tenha estimulado os mecanismos de autocura do cérebro emocional, enquanto o antidepressivo também fazia a sua parte.

Acupunturistas, tanto ocidentais como orientais, sabem muito bem que sua arte é particularmente útil no alívio do stress, da ansiedade e da depressão. Porém, no Ocidente, isso é menos reconhecido ou utilizado. Os poucos estudos ocidentais são positivos. Já se descobriu até que a acupuntura é capaz de controlar a ansiedade de pacientes antes de uma cirurgia, como alternativa à medicação ansiolítica (tais como Valium ou Ativan), o que foi mostrado em um estudo realizado no Hospital da Universidade de Yale.[8] Mas seu uso é ainda limitado, indubitavelmente porque, como no caso do EMDR, nós não compreendemos seus mecanismos de ação muito bem.

Em Harvard, um desses mecanismos acabou de ser elucidado. Kathleen Hiu, M.D., com a ajuda de uma equipe do Hospital Geral de Massachusetts (um dos maiores centros de estudo do funcionamento do cérebro por imagem do mundo), demonstrou como a acupuntura pode afetar diretamente o cérebro emocional. Ao estimular um único ponto – localizado nas costas da mão, entre o polegar e o dedo indicador –, ela mostrou a anestesia parcial dos circuitos de dor e medo. Esse ponto – "Intestino Grosso 4", chamado "hegu" ou "hoku" nos textos chineses antigos – é um dos mais remotos e mais freqüentemente utilizados por todos os acupunturistas no mundo. É muito conhecido, de fato, por controlar a dor e a ansiedade. Estimulado através da pele – como ocorre no EMDR quando a pele é usada como estímulo em vez dos olhos –, parece capaz de "falar ao" ou agir diretamente sobre o cérebro emocional.[9]

O caso de Caroline forneceu uma das mais espantosas ilustrações desse uso. Ela também era paciente de Ost em nosso Centro de Medicina Complementar. Aos 28 anos, tinha acabado de passar por uma cirurgia devido a um câncer agressivo no estômago. No dia seguinte à operação, ainda sentia muita dor. Somente a morfina, que ela mesma se aplicava de acordo com a necessidade, conseguia lhe garantir algum alívio. Entretanto, sua tolerância à medicação era baixa. A morfina a tornava confusa e lhe trazia pesadelos violentos. Caroline precisava de uma alternativa, e depressa.

Ost teve a oportunidade de cuidar dela como parte de um programa de pesquisa que estávamos conduzindo à época. No início do tratamento, Caroline estava tão absorvida com sua dor que mal notara as três agulhas finas que Thomas inserira em sua mão, perna e abdome, ajustando-as durante 45 minutos. No entanto, no dia seguinte, ela quase não tomou morfina – somente três pequenas doses em 24 horas, segundo os registros das enfermeiras. Dois dias depois ela anunciou que a dor tinha como que sumido quase inteiramente. Ao mesmo tempo, sentia-se mais forte e determinada do que nunca a superar a doença e não deixar se levar pelo pessimismo dos médicos. Sua ansiedade parecia ter se dissolvido com a dor, sem nenhum dos efeitos colaterais causados pela morfina.[10*]

O estudo de Harvard mostra que as agulhas de acupuntura são, de fato, capazes de bloquear as regiões do cérebro emocional responsáveis pela experiência da dor e da ansiedade. Essa

---

* Vários estudos controlados registram os benefícios da acupuntura na redução da dor pós-operatória. Em média, uma sessão diária de acupuntura nos dias subseqüentes à cirurgia pode reduzir as doses de narcóticos a um terço de sua quantidade normal e assim limitar os efeitos colaterais substancialmente. O melhor exemplo disso nos foi dado por James Reston, o famoso colunista do *New York Times*. Enquanto estava em Pequim com o presidente Nixon, ele teve de ser submetido a uma apendicectomia de emergência. Após a cirurgia "estilo ocidental" que salvou a sua vida, teve dores abdominais terríveis. Ele pediu um remédio, mas, em vez disso, ofereceram-lhe duas agulhas – uma na mão e outra na tíbia –, que ele mal sentiu. Mais surpreso ficou ao descobrir, algumas horas mais tarde, que a dor tinha desaparecido. Reston ficou tão espantado com essa experiência que, assim que voltou a Nova York, escreveu um longo artigo intitulado "Agora, deixem-me contar-lhes sobre a minha apendicectomia em Pequim", publicado no *New York Times* de 26 de julho de 1971. De um dia para o outro, Reston abriu as portas dos Estados Unidos para a acupuntura.

pesquisa nos ajuda a compreender resultados tão surpreendentes como o de Caroline. A pesquisa com os coelhos que não sentem mais dor, além dos estudos com dependentes de heroína durante a recuperação, também sugerem que a acupuntura estimula a secreção de endorfinas. Essas pequenas moléculas produzidas pelo cérebro agem como morfina e heroína.

Os pesquisadores começam a discernir um terceiro mecanismo: uma sessão de acupuntura parece ter efeito direto no equilíbrio entre os dois ramos do sistema nervoso autônomo. Ela aparentemente aumenta a atividade do sistema parassimpático – o "breque" fisiológico – à custa do sistema simpático – o "acelerador". Assim, a acupuntura promove a coerência do ritmo cardíaco.[11]

Sobretudo, ela ajuda a promover um retorno ao equilíbrio do sistema nervoso autônomo. Como já vimos nos capítulos anteriores, o papel desse equilíbrio no bem-estar emocional, na saúde física, no retardo do envelhecimento e na diminuição da possibilidade de morte súbita já foi relatado em revistas eminentes como *Lancet*, *American Journal of Cardiology* e *Circulation*. Será que o equilíbrio fisiológico corresponde ao equilíbrio da "energia vital", o "Qi" a que o texto de 2500 anos se refere? Talvez não seja possível reduzir o Qi a uma única função, mas, no meu modo de entender, o equilíbrio do sistema nervoso autônomo é certamente uma de suas facetas. Sabemos que a medicação é capaz de influir nesse equilíbrio autônomo, como vimos no capítulo 3. A nutrição também pode, como veremos no capítulo seguinte, assim como a acupuntura. Essas três abordagens são exatamente o que as tradições médicas chinesa e tibetana recomendam para influenciar o "Qi".

No início do século XXI, somos testemunhas de uma troca sem precedentes entre culturas científicas e médicas em todo o mundo. Como uma nova "passagem a noroeste" pelo estreito de Bering, uma ponte parece ter sido lançada entre as grandes tradições médicas do Ocidente e do Oriente. Imagens do funcionamento do cérebro e o processo de biologia molecular começam a nos ajudar a compreender as relações entre o cérebro, as moléculas das emoções (como as endorfinas), o equilíbrio do sistema nervoso autônomo, o "fluxo de energia vital" de que os antigos falavam. Dessas múltiplas conexões, uma nova fisiologia irá provavelmente emergir. Alguns, como Candice Pert, Ph.D., professora de fisiologia e biofísica da Universidade de Georgetown em Washington, D.C., a chamam de fisiologia do "sistema unificado corpo-mente".[12]

A acupuntura é um dos pilares da medicina tradicional chinesa e tibetana. Os outros dois são o controle fisiológico por meio da atitude mental – quer pela meditação, quer por exercícios de coerência cardíaca discutidos anteriormente – e a nutrição. A sabedoria dessa medicina está se tornando crescentemente clara a nossos olhos ocidentais. Mas, para os profissionais asiáticos, não faria nenhum sentido usar a acupuntura ou cultivar o nosso equilíbrio mental e fisiológico sem prestar atenção especial nos componentes que constantemente renovam o nosso corpo – o alimento que ingerimos. E, ainda assim, a nutrição é um campo quase totalmente ignorado pelos psiquiatras e psicoterapeutas hoje em dia. Ao mesmo tempo, grandes descobertas têm sido feitas a respeito de como a nutrição contribui para o gerenciamento do stress, da ansiedade e da depressão – descobertas que podem ser usadas imediatamente.

9

A revolução na nutrição: os ácidos graxos Ômega-3 alimentam o cérebro emocional

Patrícia tinha trinta anos quando seu segundo filho nasceu, exatamente um ano depois do primeiro. Seu parceiro, Jacques, estava orgulhoso e feliz. No ano anterior, com seu primeiro filho, sua vida doméstica tinha sido uma sucessão de pequenas bênçãos, e eles ansiavam ardentemente pela vinda do segundo filho. Mas Jacques estava surpreso: Patrícia não parecia muito feliz. Ela estava temperamental e se aborrecia facilmente; demonstrava pouco interesse no bebê, retraía-se, às vezes caía no choro sem nenhuma razão aparente. Mesmo a amamentação, que ela tinha adorado com o primeiro bebê, parecia agora uma cruz.

Patrícia teve "depressão pós-parto". Cerca de uma em cada dez mães passa por isso, o que torna a questão mais alarmante porque acaba com a felicidade resultante do nascimento de um filho.[1] O bebê era perfeito, o restaurante de Jacques estava indo cada dia melhor – então por que ela estava tão infeliz? Nem ele nem Patrícia eram capazes de entender aquela súbita tristeza. Os médicos tentaram amenizar o problema com a desculpa da "mudança hormonal" que ocorre com a gravidez e, especialmente, com o nascimento em si, mas essa explicação não ajudou em nada.

Nos últimos dez anos, surgiu uma perspectiva inteiramente nova a respeito do problema de Patrícia. Ela morava em Nova York, onde o consumo diário de um dos mais importantes alimentos para o cérebro, os ácidos graxos essenciais "Ômega-3", são particularmente baixos, assim como no Reino Unido, na França e na Alemanha.[2] Os ácidos graxos, que o corpo não consegue fabricar (daí o termo "essenciais"), têm um papel importantíssimo na constituição do cérebro e na manutenção de seu equilíbrio. É por isso que essas gorduras são a principal nutrição que o feto recebe pela placenta. E é também por isso que as reservas da mãe, que já são baixas na dieta ocidental, caem de forma dramática nas últimas semanas de gravidez.

Após o nascimento, os ácidos graxos Ômega-3 continuam a ser passados para o bebê pela amamentação materna, de que são um dos componentes principais. A amamentação, assim, esgota as reservas que a mãe tem para seu próprio organismo. Se um segundo nascimento se sucede ao primeiro, como foi o caso de Patrícia, e se sua dieta permanece pobre em peixe e marisco, a principal fonte desses ácidos graxos, a mãe corre sério risco de depressão.[3]

A "depressão pós-parto" ocorre entre três a vinte vezes mais freqüentemente nos Estados Unidos, na França e na Alemanha do que no Japão, em Cingapura e na Malásia. De acordo com a revista *Lancet*, esses números correspondem às diferenças no consumo de peixe e marisco nos países asiáticos e ocidentais; eles não podem ser atribuídos tão-somente à tendência dos asiáticos de esconder os sintomas de depressão.[4] Se Jacques e Patrícia vivessem na Ásia e não nos Estados Unidos, a segunda experiência de gravidez e parto poderia ter sido muito diferente. É fundamental compreender por quê.

Combustível para o cérebro

O cérebro faz parte do corpo e, assim como todas as células de todos os outros órgãos, as células do cérebro são constantemente renovadas. As células de amanhã são, portanto, compostas do que comemos hoje.

Um importante fator neurológico é que dois terços do cérebro são compostos de ácidos graxos. Essas gorduras são o componente básico das membranas das células nervosas, o "envelope" por meio do qual todas as comunicações com outras células nervosas são feitas, dentro do cérebro e também com o resto do corpo. O que comemos se integra diretamente nessas membranas e se constitui em sua substância. Se consumirmos grandes quantidades de gorduras saturadas – tais como manteiga ou gordura animal, que são sólidos em temperatura ambiente –, sua rigidez se reflete na rigidez das células cerebrais; se, por outro lado, comermos principalmente gorduras não polissaturadas – aquelas que são líquidas em temperatura ambiente –, as bainhas das células nervosas tornam-se mais fluidas e flexíveis, e a comunicação entre elas é mais estável, especialmente quando as gorduras não polissaturadas são ácidos graxos Ômega-3.[5]

Os efeitos desses nutrientes no comportamento são extraordinários. Quando os ácidos graxos Ômega-3 são eliminados da dieta de ratos de laboratório, o comportamento dos animais muda rapidamente em poucas semanas. Eles se tornam ansiosos, param de aprender novas tarefas e entram em pânico em situações estressantes, tais como na busca de uma rota de fuga a um obstáculo.[6] Talvez até mais sério seja o fato de que uma dieta com baixo teor de Ômega-3 reduz a capacidade para o prazer. Doses muito maiores de morfina são necessárias nesses ratos para excitá-los, apesar do fato de ela ser o modelo da gratificação fácil.[7]

Por outro lado, uma equipe de pesquisadores europeus já mostrou que uma dieta rica em Ômega-3 – tal como a dos esquimós, que consiste em dezesseis gramas diários de óleo de peixe[8] – leva, a longo prazo, ao aumento da produção de neurotransmissores e acarreta bom humor no cérebro emocional.[9]

O feto e o recém-nascido, cujo cérebro cresce sem parar, têm maior necessidade de ácidos graxos Ômega-3. Um recente estudo dinamarquês, publicado no *British Medical Journal*, mostra que mulheres que ingerem mais Ômega-3 em suas dietas diárias durante a gravidez têm bebês mais pesados e saudáveis, e menos partos prematuros.[10] Outro estudo dinamarquês, publicado no *Journal of the American Medical Association*, demonstra que crianças que foram amamentadas durante pelo menos nove meses, e que receberam grande quantidade de Ômega-3 em suas dietas, têm Q.I. mais elevado do que as outras, vinte ou trinta anos mais tarde.[11] Mulheres em países com o mais elevado nível de consumo de peixe e os níveis mais altos de Ômega-3 em seu leite também estão menos propensas a sofrer de depressão pós-parto.[12] Mas o papel do Ômega-3 não se limita à gravidez.

A perigosa energia de Benjamin

De início, Benjamin não sabia o que estava acontecendo com ele. Como presidente de um laboratório bioquímico de uma grande indústria farmacêutica multinacional, sempre tivera excepcionais reservas de energia. Aos 35 anos, jamais enfrentara problemas de saúde. Contudo, estava se sentindo cansado e apático. A princípio pensou que fosse um resfriado prolongado – mas não se tratava de uma infecção viral.

Assim que chegava ao escritório, fechava a porta e evitava a companhia dos colegas. Ele chegou a pedir a seu assistente que cancelasse diversos compromissos importantes com o pretexto de que estava muito ocupado. Conforme o tempo passava, seu comportamento se tornava cada vez mais estranho. As reuniões que não podia evitar o deixavam pouco à vontade. Sentindo-se incompetente e ridículo, achava que todo mundo era muito mais bem informado, mais criativo e mais dinâmico que ele. Benjamin se convenceu de que era só uma questão de tempo para que suas inadequações se revelassem.

Quando se encontrava sozinho no escritório, às vezes fechava a porta e chorava, enquanto se imaginava ridículo por trabalhar tanto assim. Esperava ser mandado embora de um dia para o outro e ficava só imaginando o que iria dizer à mulher e aos filhos.

Finalmente, como era médico e a empresa para a qual trabalhava produzia um antidepressivo comumente receitado, Benjamin decidiu prescrever a si mesmo o remédio. Mal tinham se passado duas semanas e ele já se sentia bem melhor. Voltou à sua rotina normal, convencido de que o pior tinha passado. Na verdade, ele estava à beira de um desastre.

A medicação se mostrava altamente eficaz, mas ainda havia algumas oscilações de tempos em tempos; assim, Benjamim dobrou a dose. E a droga parecia funcionar melhor ainda. Ele estava dormindo, no máximo, quatro horas por noite, e tinha a impressão de estar conseguindo recuperar o tempo perdido nos meses anteriores. Sentia-se exultante e divertia seus colegas com piadas, às vezes de mau gosto. Uma noite, quando ficou na empresa até tarde com uma jovem assistente, ela se inclinou sobre a mesa de Benjamin para pegar uma pasta de arquivo. Ele percebeu que ela não estava usando sutiã e, de repente, sentiu uma forte atração por ela. Ele a tocou. Ela cedeu. Naquela noite, Benjamin não foi dormir em casa.

Esse incidente sombrio de assédio sexual não teria nada de original se não fosse pelo fato de que logo se repetiu com uma empregada de laboratório e, mais tarde, com uma secretária. Benjamin tinha um impulso sexual tão forte que era inconcebível para ele tentar mantê-lo sob controle. Ele jamais pensou nas conseqüências que isso teria sobre a sua equipe. Logo depois, suas investidas junto às mulheres à sua volta, no trabalho, tornaram-se inconvenientes. E, acima de tudo, como sempre acontece nessas circunstâncias, elas não se sentiam realmente à vontade para lhe dizer "não".

O comportamento de Benjamin não parou por aí. Ele se tornara irritável, e sua esposa, que estava assustada, não mais conseguia influenciá-lo. Ele a obrigara a assinar um empréstimo bancário para comprar um carro esportivo, depois investiu toda a poupança de ambos em operações desastrosas no mercado financeiro. Mas a reputação de Benjamin e sua produtividade no emprego eram de tal maneira respeitadas que ninguém ousava falar nada. Pelo menos não naquele momento.

Sua vida profissional começou a desmoronar no dia em que suas colegas se encheram do assédio sexual e dos comentários chauvinistas dele. Após uma longa batalha judicial com a empresa – que queria mantê-lo a todo custo –, o danoso testemunho de seus colegas ocasionou o fim de sua brilhante carreira – e de seu casamento. Ele estava arrasado, mas ainda teria um longo período de sofrimento pela frente.

Sentindo-se acuado, Benjamin quis ver um psiquiatra, cujo diagnóstico era inquestionável. Ele estava sofrendo de desordem bipolar, caracterizada por períodos alternados de depressão e "mania", durante os quais perdia a noção dos limites a ponto de seus julgamentos morais e financeiros serem ditados pela necessidade hedonista de gratificação imediata. Essas fases maníacas eram freqüentemente desencadeadas pelo antidepressivo.

Assim que Benjamin parava de ingerir o remédio e tomava tranqüilizantes, seu humor e seu excesso de energia se aquietavam. No entanto, privado de um vento artificial que inflava suas velas, acordava para a realidade dramática de suas circunstâncias alteradas e tornava-se deprimido novamente. Nesses momentos, ele decerto tinha um bom motivo para sentir pena de si mesmo.

Durante meses, depois anos, Benjamin tentou diversos remédios que só conseguiram empurrá-lo para a mania ou para a depressão. Além disso, estava altamente sensível aos efeitos colaterais dessas drogas. Engordou e se sentia "em câmera lenta", quase ao ponto da exaustão, mesmo com doses padrão dos estabilizadores de humor que lhe eram sucessivamente receitados. Os antidepressivos que tomava não o deixavam dormir e de imediato afetavam sua capacidade de julgamento. Devido à sua doença, que era conhecida em seu meio profissional, e sua batalha que prosseguia contra a depressão, ele não conseguia arrumar emprego e passou a viver de salário-desemprego. Por fim, tudo começou a mudar no dia em que seu psiquiatra, que buscava desesperadamente uma inovação, sugeriu que Benjamin tentasse um tratamento descrito em um estudo publicado pelo principal periódico de psiquiatria experimental, o *Archives of General Psychiatry*.

Benjamin, que não estava mais tomando medicação e que sofria de crises de choro sem causa aparente várias vezes por semana, concordou, sem titubear, em tomar nove cápsulas por dia de extrato de óleo de peixe – três antes de cada uma das três refeições diárias. Essa nova tática foi um verdadeiro ponto de mutação. Em poucas semanas, a depressão desaparecera completamente. Mais notável ainda foi o fato de que, durante o ano seguinte, ele teve apenas um período de alguns dias durante os quais se sentira ativo demais.

Dois anos depois do início do tratamento, Benjamin não tomara outra medicação além das cápsulas de extrato de óleo de peixe. Ele ainda não tinha voltado para a mulher e para as filhas, mas já começara a trabalhar no laboratório de um excolega. Benjamin é tão talentoso que eu não tenho dúvida de que dará a volta por cima no campo profissional nos próximos anos.

Em Harvard, Andrew Stoll, M.D., foi o primeiro a provar a eficácia dos óleos de peixe Ômega-3 para estabilizar mudanças de humor e tratar depressões em maníaco-depressivos. No grupo que usou para seu estudo, somente um paciente teve recaída. Os resultados foram tão convincentes que pesquisadores interromperam o estudo quatro meses depois. Os pacientes do grupo de "controle" – aqueles que receberam um "placebo" de óleo de oliva – recaíram numa porcentagem surpreendentemente mais alta do que os do grupo Ômega-3. Privar o grupo de controle do Ômega-3 por mais tempo poderia se transformar em quebra de ética médica.[13]

Após passar anos estudando os mecanismos do humor e da depressão, o dr. Stoll estava tão impressionado com os efeitos do Ômega-3 que decidiu escrever um livro, *The Omega-3 Connection* [A conexão do Ômega-3], em que apresenta suas descobertas.[14] Desde então, tem se demonstrado que seus benefícios vão muito além do tratamento de maníaco-depressivos.

Eletrochoque versus *óleo de peixe*

Os pais de Keith começaram a se preocupar realmente quando seus professores sugeriram que ele deveria abandonar os estudos porque achavam que ele não era mais capaz de se concentrar na sala de aula. Keith, com traços delicados e inteligência aguda, não estava bem havia mais de cinco anos. Todavia, os pais creditavam sua falta de concentração a uma difícil e talvez invulgarmente prolongada adolescência.

Apesar da timidez e de períodos de mau humor, Keith sempre fora bom aluno. Também era muito apegado à mãe e adorava ficar com ela. E nos últimos meses, recusava-se a comer na cantina da escola. Sentia-se pouco à vontade na frente de gente que não conhecia. Então começou a sofrer ataques de ansiedade quando tinha de tomar o metrô ou um ônibus. Essa "covardia" o deixava louco consigo mesmo, mas Keith se sentia totalmente impotente quando a ansiedade tomava conta dele. E se preocupava um pouco mais a cada semana.

Logo, Keith passou a ter problemas para dormir, o que lhe dava cada vez menos energia durante o dia, e começou a ficar para trás na escola.

Como Keith sempre contara com sua produção escolar para ancorar sua frágil auto-estima, sentia-se perdido e cogitou a idéia de suicídio. Durante dois anos foi tratado sem sucesso com um vasto leque de medicamentos contra a depressão e a ansiedade. Quando eles não mais funcionavam, seus médicos tentaram usar antipsicóticos, normalmente recomendados para o tratamento de esquizofrenia. Adicionar lítio ao antidepressivo por um período de dois meses também não ajudou. Finalmente, a conselho do psiquiatra de Keith, sua mãe o levou a Basant Puri, M.D., Ph.D., um especialista em psicofarmacologia no Hospital Hammersmith em Londres.

O dr. Puri ficou muito preocupado com a gravidade dos sintomas de Keith. Seu índice na medida padrão da depressão era o mais elevado que ele já vira. E mais, o jovem já falava abertamente em cometer suicídio. E o fazia com tal desapego – como se fosse a única e mais óbvia solução para o seu sofrimento – que o dr. Puri tremeu ao ouvi-lo dizer "Eu vou morrer um dia de qualquer jeito, por que esperar mais? Por que devo sofrer assim muito mais tempo?". E quando o dr. Puri tentava contra-argumentar, Keith o interrompia: "Deixe-me morrer. Por favor. Por caridade".

Depois que todas as tentativas fracassaram, seu novo psiquiatra sabia que somente uma podia superar aquela crise prolongada e profunda de depressão: tratamentos de eletrochoque. Mas Keith e sua mãe se recusaram terminantemente a passar por isso.

O dr. Puri pesou a situação. Dada a severidade da condição de Keith, era perfeitamente justificado hospitalizá-lo contra a sua vontade e a de sua mãe, assim como submetê-lo a tratamentos de eletrochoque para seu próprio bem, uma vez que já tentara praticamente todos os outros tratamentos. O tempo urgia para salvá-lo de impulsos autodestrutivos. O dr. Puri estava preparando seu curso de ação quando uma nova possibilidade, distante, lhe veio à mente.

Como Keith não respondera a nenhum tratamento, o dr. Puri pensou que talvez houvesse algo defeituoso nos componentes do sistema nervoso dele. Lembrou-se então dos resultados intrigantes de um estudo, para o qual contribuíra, sobre o efeito dos ácidos graxos Ômega-3 na esquizofrenia. Naquele estudo, os sintomas depressivos dos pacientes melhoraram significativamente. Lembrou-se ainda de ter lido a respeito do livro do dr. Stoll e dos resultados com pacientes bipolares.

Com isso em mente, o dr. Puri fez uma proposta a seu jovem paciente. Explicou-lhe que tinha razões para crer que um novo tratamento, baseado em óleos purificados de peixe, talvez o ajudasse. Os benefícios eram incertos, pois ele acreditava que Keith seria o primeiro paciente com depressão crônica e severa a ser tratado com óleos de peixe. Entretanto, se o rapaz prometesse que não tentaria se machucar, sob qualquer circunstância, nos dois meses seguintes, e se aceitasse permanecer sob a constante supervisão de sua mãe, o dr. Puri estaria inclinado a deixar o eletrochoque de lado durante algum tempo e tentar um novo tratamento. Keith concordou.

O psiquiatra tirou toda a medicação de seu paciente, exceto o último antidepressivo que ele vinha tomando havia dez meses. Então adicionou alguns gramas diários de óleo de peixe purificado com o objetivo de regenerar as membranas neurais.

Os resultados foram espetaculares. Em algumas semanas, os pensamentos sobre suicídio que o assombraram continuamente durante meses desapareceram por completo. Seu desconforto em lugares públicos também, e ele conseguiu dormir profundamente. Nove meses depois, todos os sintomas de sua depressão de sete anos dissiparam-se. Sua marca na escala da severidade da depressão passou a ser *zero*.

Além de psiquiatra, o dr. Puri é matemático e pesquisador em imagens do funcionamento do cérebro. O Hospital Hammersmith de Londres também é um dos principais centros de pesquisa nesse campo. Antes de tratar Keith, ele obteve várias imagens – de scanner MRI – de seu cérebro. Repetidos nove meses mais tarde, os testes revelaram uma imagem completamente diferente. As membranas dos neurônios de Keith apareceram mais fortes, e não mais mostravam evidências da ausência de constituintes valiosos. A própria estrutura do cérebro de Keith fora modificada.

A mãe de Keith estava encantada. O filho que ela conhecera e cuja perda lamentava estava de volta, transformado. O próprio dr. Puri ficou tão impressionado com a transformação que publicou uma descrição minuciosa do caso nos *Archives of General Psychiatry*. Também iniciou um estudo multicêntrico – que ainda não estava pronto enquanto este livro estava sendo escrito – sobre o efeito do extrato de óleo de peixe em uma das doenças cerebrais mais severas e mortais: o mal de Huntington.[15]

Na medicina, é importante desconfiar daquilo que os cientistas chamam de "descrição de caso", a história do tratamento singular de um paciente específico. Devemos evitar construir uma teoria ou recomendar para todo mundo um tratamento baseado em um único caso, mesmo de alguns, por mais extraordinário que pareça. Para verdadeiramente provar sua eficácia, cada tratamento promissor precisa se submeter àquilo que é chamado de "estudo de controle de placebo aleatório" – isto é, deve ser comparado a um placebo em um estudo no qual nenhum paciente ou médico saiba quem está recebendo o tratamento ativo e quem está recebendo o placebo.

Felizmente, alguns meses após a publicação do caso de Keith pelo dr. Puri, um estudo foi publicado no *American Journal of Psychiatry*. Em Israel, Boris Nemets, M.D., e seus colegas na Universidade Ben Gurion do Neguev estudaram um grupo de pacientes que, exatamente como Keith, mostraram-se resistentes a um leque de tratamentos antidepressivos. O dr. Nemets comparou a eficácia do extrato de óleo purificado de peixe – ácido etileicosapentaenóico, ou AEP – a uma dose equivalente de óleo de oliva (que, apesar das propriedades antioxidantes, não contém ácidos graxos Ômega-3). Mais da metade dos pacientes, que até então não respondiam à sua medicação, viram a depressão diminuir drasticamente em menos de três semanas. Assim, a observação do dr. Puri foi confirmada. Depois disso, outro estudo, desta feita no Reino Unido, foi publicado, novamente no *Archives of General Psychiatry*, e chegou às mesmas conclusões. O estudo demonstra, ademais, que todo o leque de sintomas depressivos melhora com os ácidos graxos Ômega-3: a tristeza e a fadiga, a ansiedade e a insônia, baixa libido e pensamentos persistentes de que não vale a pena viver. Outro estudo, de Harvard, e de novo publicado no *American Journal of Psychiatry*, descobriu que, no caso de mulheres jovens que são "extremamente temperamentais", que "freqüentemente perdem o controle" e que acham os relacionamentos "difíceis e dolorosos", um suplemento de Ômega-3 ajudou a reduzir os sintomas de depressão, assim como as atitudes agressivas.[16]

Talvez necessitemos esperar alguns anos antes que um número suficiente de estudos desse tipo seja levado a cabo para convencer psiquiatras convencionais dos benefícios potenciais dos ácidos graxos Ômega-3. Um fator que confunde: óleos de peixe ou sementes de linho são produtos naturais, e por isso não podem ser patenteados. Devido a esse simples fator de ordem econômica, eles não são de muito interesse para as grandes indústrias farmacêuticas, que pagam pela maior parte dos estudos científicos realizados sobre a depressão.

Enquanto isso, uma série de outros artigos já sugeriu um elo importante entre os ácidos graxos Ômega-3 e a depressão. Por exemplo, pacientes deprimidos possuem quantidades menores de ácidos graxos Ômega-3 no organismo do que as pessoas normais.[17] E, quanto menores as reservas, mais severos os sintomas tendem a ser.[18] Mais formidável ainda, em pacientes que sofrem de depressão mas que têm mais ácidos graxos Ômega-3 incluídos em sua dieta, os sintomas tendem a ser menos danosos do que naqueles pacientes deprimidos cuja dieta é deles deficiente.[19] Isso está em consonância com os resultados de um estudo abrangente feito na Finlândia, publicado nos *Archives of General Psychiatry*, que mostra que entre a população em geral o consumo freqüente de peixe (mais de duas vezes por semana) está associado a um menor risco de depressão e a menos pensamentos de que não vale a pena viver.[20] E um estudo na Holanda, em 2003, também confirmou que as pessoas com mais de sessenta anos, cujos exames de sangue revelam a presença de níveis mais elevados de ácidos graxos Ômega-3 no organismo, estão menos propensas a ficar deprimidas.[21]

A primeira dieta do Homo sapiens

Para compreender o misterioso efeito dos ácidos graxos Ômega-3 sobre o cérebro e o equilíbrio emocional, talvez seja necessário voltar às origens da humanidade. Há dois tipos de "ácidos graxos essenciais": o Ômega-3s e Ômega-6s. O Ômega-3s vem das algas, do plâncton e de algumas folhas, incluindo grama. O Ômega-6s vem sobretudo de grãos e é encontrado em abundância na maioria dos óleos vegetais e na gordura animal, especialmente na carne de animais alimentados com grãos. Embora o Ômega-6s também seja um importante constituinte das células, quando presente em excesso provoca respostas inflamatórias em todo o corpo, o que pode levar a uma enorme quantidade de problemas (voltaremos ao assunto mais adiante).

Quando o cérebro humano moderno se desenvolveu, os primeiros humanóides viviam ao redor dos lagos da Grande Fenda na África Oriental. Os cientistas acreditam que seu fornecimento de alimento era perfeitamente equilibrado, com razão 1:1 de Ômega-3s e Ômega-6s. Essa proporção ideal teria fornecido ao corpo os blocos de construção perfeitos para novos tipos de neurônios, os quais desenvolveram novas habilidades, tais como autoconsciência, linguagem verbal e a capacidade de utilizar ferramentas.[22]

Hoje, o desenvolvimento difundido de certas práticas da criação de gado, incluindo a alimentação com grãos em vez de com grama, além da presença de óleo vegetal enriquecido com Ômega-6 em todos os tipos de ração, criou um desequilíbrio marcante entre o Ômega-6s e o Ômega-3s. A razão típica de 3s:6s na dieta ocidental é de 1:10 e de 1:20.[23] Alguns nutricionistas já descreveram nossos cérebros como motores de carros de corrida, sofisticados, feitos para correr movidos a um combustível de alta octanagem, mas que são obrigados a andar por aí movidos a óleo diesel.[24]

Esse descompasso entre o que o cérebro precisa e o que nós lhe damos de comer explicaria, em parte, a enorme diferença na porcentagem de casos de depressão entre os países ocidentais e os orientais. Em lugares como Taiwan, Hong Kong ou Japão – onde o consumo de peixe e marisco é maior –, as porcentagens de depressão são consideravelmente mais baixas do que nos Estados Unidos. Isso é verdade mesmo depois de levar em consideração diferenças culturais que podem afetar a auto-exposição a sintomas depressivos.[25] É possível que tal descompasso também tenha contribuído para o rápido crescimento da depressão no Ocidente nos últimos cinqüenta anos. Hoje, o consumo de ácidos graxos Ômega-3 na dieta ocidental talvez seja menos da metade do que era antes da Segunda Guerra Mundial.[26] E foi precisamente a partir daquele evento que as taxas de depressão subiram consideravelmente.[27]

O excesso de Ômega-6s no corpo acarreta reações inflamatórias.[28] Um dos desenvolvimentos mais fantásticos em pesquisas médicas recentes é a revelação de que todas as principais doenças do mundo ocidental são causadas, ou agravadas, por reações inflamatórias: doenças cardiovasculares – tais como a doença arterial coronária, infartos do miocárdio ou derrames –, mas também câncer, artrite e até o mal de Alzheimer.[29] E há uma incrível coincidência entre os países com as taxas mais elevadas de doenças cardiovasculares[30] e aqueles com as taxas mais elevadas de depressão.[31] Isso, na verdade, sugere a possibilidade de causas comuns para ambos. E, de fato, o Ômega-3s traz benefícios claramente estabelecidos para as doenças cardíacas, conhecidos há muito mais tempo do que aqueles que acabaram de ser estudados com respeito à depressão.

Um dos primeiros estudos sobre a relação entre o Ômega-3s e as doenças cardiovasculares foi realizado em Lyon, a capital da gastronomia francesa, pelos pesquisadores Serge Renaud, Ph.D., da Universidade de Bordeaux, e Michel de Lorgeril, M.D., da Universidade de Grenoble. Em um artigo publicado na revista *Lancet*, eles mostraram que pacientes cardíacos seguidores de uma dieta mediterrânea, rica em ácidos graxos Ômega-3, tinham uma chance 76% menor de morrer nos dois anos seguintes de infarto do miocárdio do que aqueles que seguiam uma dieta recomendada pela American Heart Association.[32] Vários outros estudos igualmente documentaram como os ácidos graxos Ômega-3 fortalecem a variabilidade do batimento cardíaco e protegem o coração contra arritmias.[33] Como vimos no capítulo 3, maior variabilidade no ritmo cardíaco também está associada a menos ansiedade e depressão. Portanto é concebível que a depressão e as doenças cardiovasculares aumentem, ambas, em sociedades com grandes desequilíbrios na taxa de Ômega-3 e Ômega-6 em sua dieta.

A depressão é uma inflamação?

A descoberta do papel importante dos ácidos graxos Ômega-3 na prevenção e no tratamento de depressão levanta novas questões sobre a natureza dessa desordem. E se a depressão for uma doença inflamatória, como agora sabemos ser o caso da doença arterial coronária, a principal causa de óbitos nas sociedades ocidentais? Uma teoria da depressão como inflamação poderia explicar uma série de observações enigmáticas sobre essa doença zelosamente ignoradas pelas principais teorias contemporâneas – inteiramente focadas em neurotransmissores, como a serotonina.

Vejamos a situação da Nancy, por exemplo. Ela estava com 65 anos quando enfrentou o primeiro episódio de depressão. Nada tinha mudado em sua vida e ela simplesmente não conseguia entender por que ficara deprimida de repente. No entanto, seu médico de família identificou sintomas de tristeza e desesperança, falta de energia, fadiga, falta de concentração, falta de apetite e perda de peso. Eram todos, insistiu ele, sintomas típicos de depressão e coincidiam com os diagnósticos para a maioria das desordens depressivas da Associação Psiquiátrica Americana.

Seis meses mais tarde, antes que tivesse ao menos concordado em começar o tratamento da depressão, Nancy notou uma dor persistente em seu estômago. O ultra-som que seu médico pedira revelou a existência de um enorme tumor perto do fígado. Nancy tinha câncer pancreático. Como em geral acontece nessa doença, o câncer se manifestou primeiro com a depressão mais do que com os sintomas físicos. Vários tipos de câncer induzem reações inflamatórias generalizadas bem antes que o tumor fique grande o suficiente para ser detectado. Esse estado inflamatório, que às vezes é sutil, pode muito bem ser responsável pelos sintomas de depressão que precedem o diagnóstico do câncer. De fato, a depressão é comum em todas as doenças físicas que têm um componente inflamatório difuso, tais como infecções (pneumonia, gripe, febre tifóide), acidentes cardiovasculares ("derrame"), infartos do miocárdio e desordens auto-imunes. Fico imaginando, portanto, até que ponto as depressões "clássicas" também poderiam ser geradas por processos inflamatórios. Não seria uma grande surpresa, já que sabemos que o stress por si só causa reações inflamatórias – e que é a razão pela qual pioram a acne, a artrite e a maioria das doenças auto-imunes.[34] Uma vez que longos períodos de stress com freqüência precedem a depressão, pode muito bem ser o caso de os sintomas depressivos serem causados diretamente por inflamações a ele relacionadas. Afinal, talvez a medicina tibetana esteja certa: a depressão é tanto uma doença física como uma desordem mental.

Onde podem ser encontrados os ácidos graxos Ômega-3?

As principais fontes de ácidos graxos Ômega-3 são as algas e o plâncton, os quais encontram seu caminho rumo à nossa cozinha e pratos por intermédio do peixe e do marisco, que acumulam os ácidos graxos no tecido gorduroso. Peixes de água doce – ricos em gordura – são, portanto, as melhores fontes de Ômega-3s. Peixes criados em cativeiro podem ser menos ricos em Ômega-3s do que os outros. O salmão pescado no oceano, por exemplo, é uma fonte excelente de Ômega-3, mas o criado em cativeiro não é confiável.*

As mais confiáveis fontes de Ômega-3s, e as menos contaminadas pelo mercúrio, a dioxina e os carcinógenos orgânicos, são os peixes menores porque se encontram na base da cadeia alimentar: a cavala (uma das fontes mais ricas de Ômega-3s), a anchova (inteira, não os pequenos filés salgados encontrados nas pizzas), a sardinha e o arenque. Outras ótimas fontes são o atum, o eglefim (hadoque) e a truta.** (Veja a tabela "Boas fontes de Ômega-3s" na página 155.)

Boas fontes vegetarianas de Ômega-3s também existem, apesar de exigirem um passo a mais no metabolismo para se tornarem verdadeiros constituintes das membranas neurais. São

* É difícil classificar com precisão o conteúdo de Ômega-3 em peixes criados em cativeiro porque cada fazenda usa sua própria mistura para a dieta do peixe, fonte dos ácidos graxos. Em seu abrangente livro a respeito dos ácidos graxos Ômega-3, o dr. Stoll sugere que as fazendas européias possuem padrões mais rígidos para a ração dos peixes do que as fazendas norte-americanas. De acordo com ele, o conteúdo de Ômega-3 dos peixes criados em cativeiro na Europa é comparável ao dos peixes que vivem na natureza. (A. Stoll, *The Ômega-3 Connection*, 2001.)

** O tubarão e o peixe-espada também são ricos em Ômega-3, mas estão, a maioria deles, contaminados pelo mercúrio a tal ponto que a FDA aconselha mulheres grávidas e crianças a evitá-los completamente. (FDA Consumer Advisory, www.cfsan.fda.gov/-dms/admehg.html.)

as sementes de linho (que podem ser comidas cruas ou ligeiramente assadas), o óleo de sementes de linho,* o óleo de canola (semente de colza), o óleo de cânhamo e as nozes inglesas. Todas as verduras de folhas verdes contêm precursores dos ácidos graxos Ômega-3, embora em quantidades menores. Uma das melhores fontes vegetais é a beldroega-pequena (que fazia parte da dieta diária da cozinha romana há dois mil anos e que ainda é usada na Grécia). O Ômega-3s pode ser igualmente derivado do espinafre, do agrião, das algas marinhas e da espirulina (ingrediente tradicional da dieta asteca).

A carne de animais selvagens ou criados em cativeiro que se alimentam de grama ou folhas naturais também contém Ômega-3s. Por essa razão, os animais selvagens são muito mais ricos em Ômega-3 do que o gado (pelo menos o gado não orgânico).[35] Quanto mais grãos come o gado, menor o conteúdo de Ômega-3 em sua carne. Um relatório publicado no *New England Journal of Medicine* mostra, por exemplo, que os ovos caipiras contêm vinte vezes mais Ômega-3 do quc aqueles de galinhas criadas em granja.[36] A carne do gado alimentado com grãos é igualmente mais rica em Ômega-6s, com suas propriedades pró-inflamatórias. Portanto, para manter o equilíbrio entre o Ômega-3s e o Ômega-6s, é importante limitar o consumo de carne ao máximo de três refeições por semana e evitar carne gordurosa, por ser rica em Ômega-6s e em gorduras saturadas que competem com o Ômega-3s.

Todos os óleos vegetais são ricos em Ômega-6s e nenhum contém Ômega-3s, exceto o óleo de sementes de linho, o óleo de canola e o óleo de cânhamo, cada um dos quais é composto, pelo menos, de um terço de Ômega-3. (O óleo de sementes de linho é mais de 50% Ômega-3s, o que o torna a melhor fonte vegetal dos ácidos graxos essenciais.) O óleo de oliva pode ser usado livremente; não contém muitos Ômega-3s nem Ômega-6s, e portanto não afeta essa proporção. Para tornar uma razão Ômega-3: Ômega-6 tão próxima quanto possível de 1:1, seria necessário estabelecer como meta eliminar quase todos os

BOAS FONTES DE ÔMEGA-3s

ALIMENTOS	QUANTIDADE DE ÔMEGA-3
100 g de cavala	2,5 g
100 g de arenque	1,7 g
100 g de atum (mesmo enlatado)	1,5 g*
100 g de anchovas inteiras	1,5 g
100 g de salmão	1,4 g
100 g de sardinhas	1 g
Sementes de linho (podem ser comidas cruas ou ligeiramente assadas), 1 colher de sopa	2,8 g
Óleo de sementes de linho, 1 colher de sopa	7,5 g
Óleo de canola (semente de colza), 1 colher de sopa	1,30g
Nozes inglesas, 1 xícara	2,3 g
Beldroega-pequena, 1 xícara	457 mg
Espinafre, 1 xícara	384 mg
Algas marinhas (secas), 1 colher de sopa	268 mg
Espirulina, 1 colher de sopa	260 mg
Agrião, 1 xícara	528 mg

* Exceto no caso de atum com baixa quantidade de gordura, do qual o Ômega-3 já foi eliminado.

óleos de cozinha, exceto o óleo de oliva e o óleo de canola. Evitar o óleo de fritura é particularmente importante – além do conteúdo de Ômega-6, ele tem muitos radicais livres que produzem reações oxidantes no organismo.

Manteiga, creme e laticínios derivados de leite integral devem ser consumidos com moderação porque competem com o Ômega-3s pela integração no interior das células. No entanto, Serge Renaud, que dirigiu uma pesquisa sobre queijos e iogurte na França, demonstrou que esses produtos – mesmo quando feitos de leite integral – são muito menos tóxicos do que outros à base de leite porque seu elevado conteúdo de cálcio e de magnésio reduz a absorção de gorduras saturadas.[37] Essa é a razão por que Artemis Simopoulos, M.D., ex-membro do Comitê Coordenador de Nutrição nos Institutos Nacionais de Saúde, considera que até trinta gramas de queijo por dia seja aceitável em seu "Plano de Dieta Ômega".[38] Ademais, alguns novos e intrigantes estudos sugerem que os laticínios, os ovos e até a carne derivada de animais alimentados com sementes de linho – cerca de 5% da dieta animal – podem reduzir o colesterol e a resistência à insulina no diabetes tipo 2.[39] Esses produtos podem se tornar fonte importante de Ômega-3 no futuro.

Tais descobertas sugerem que, para obter efeito antidepressivo, deve-se consumir entre um e dez gramas por dia da combinação ADH (ácido docosahexaenóico) e AEP (ácido eicosapentaenóico) – as duas formas de Ômega-3s comumente encontradas em óleo de peixe. Na prática, muitas pessoas optam pelo suplemento de Ômega-3s para ter certeza de que estão recebendo uma "dose" pura, confiável e qualitativa do nutriente. Vários produtos estão disponíveis na forma de cápsulas ou óleo. Os melhores são provavelmente aqueles com a mais alta concentração de AEP em relação ao ADH. Alguns autores, tais como o dr. Stoll e o dr. David Horrobin, M.D., Ph.D., ex-titular da cadeira de medicina na Universidade de Montreal, sugerem que o AEP é que tem efeito antidepressivo e que muito ADH pode, na verdade, bloquear esse efeito, por exigir doses mais altas do óleo combinado do que se o produto tiver maior concentração de AEP. Realmente, um estudo da Faculdade Baylor de Medicina descobriu que um suplemento de ADH puro não tem efeito contra a depressão, o que contrasta radicalmente com os resultados de estudos em que se usou o AEP.[40] Produtos com alta concentração de AEP (pelo menos sete vezes mais AEP do que ADH) podem exigir apenas um grama diário de AEP. Essa foi a dose usada em três estudos com pacientes com sintomas depressivos.

Produtos que contenham um pouco de vitamina E são mais bem protegidos contra a oxidação, o que poderia tornar o óleo ineficaz, ou mesmo, em casos raros, tóxico. Alguns médicos recomendam a combinação de um suplemento de Ômega-3 com um suplemento diário de vitaminas que contenham vitamina E (não mais do que oitocentas Unidades Internacionais por dia), vitamina C (não mais do que um grama ao dia) e selênio (não mais do que duzentos *micro*gramas ao dia) para prevenir a oxidação dos ácidos graxos do Ômega-3 no organismo. No entanto, não encontrei nenhuma evidência de que esse regime suplementar fosse realmente necessário.[41]

O óleo de fígado de bacalhau, um dos favoritos de nossos avós como fonte das vitaminas A e D, não é fonte confiável, a longo prazo, de ácidos graxos Ômega-3. Uma dose adequada de óleo de fígado de bacalhau exigiria quantias tão grandes que talvez resultasse em uma overdose de vitamina A.

Curiosamente, apesar do fato de alguns pacientes resistirem à idéia de tomar suplementos "gordurosos", óleos à base de Ômega-3 não parecem fazer as pessoas engordar. Em um estudo feito com pacientes com doença bipolar, o dr. Stoll notou que eles não engordaram, a despeito da ingestão diária de nove gramas de óleo de peixe. Com efeito, algumas até perderam peso.[42] Em um estudo realizado com camundongos, os animais alimentados com uma dieta particularmente rica em Ômega 3 estavam 25% mais magros do que aqueles que ingeriram exatamente a mesma quantidade de calorias, mas sem o Ômega-3s. Alguns autores já sugeriram que o modo como o corpo metaboliza o Ômega-3s reduz o acúmulo de tecido gorduroso.[43]

Os únicos efeitos colaterais dos suplementos de Ômega-3 são gosto de peixe na boca (geralmente eliminado se os suplementos forem ingeridos no início das refeições); intestino ocasionalmente solto ou diarréia ligeira (que pode exigir uma redução da dose durante alguns dias); e, em casos raros, hematomas ou aumento do período de sangramento. As pessoas que estejam tomando anticoagulantes, como Coumadin, ou mesmo aspirina (que também aumenta o período de sangramento), devem tomar cuidado para não ingerir mais do que um grama por dia de óleo de peixe, além de consultar seu médico.

O julgamento da história

No dia em que os historiadores começarem a analisar a história da medicina no século XX, acredito que irão apontar dois grandes acontecimentos. O primeiro, sem dúvida, foi a descoberta dos antibióticos, que praticamente erradicaram a pneumonia bacteriana, a maior causa de mortes no Ocidente até a Segunda Guerra Mundial. O segundo é a revolução que ainda está em curso: a demonstração científica de que a nutrição tem impacto em quase todas as causas de doenças nas sociedades ocidentais.

Cardiologistas e residentes foram os primeiros a integrar essa idéia fundamental a suas práticas (ainda que, até hoje, as dietas ou os suplementos de Ômega-3 sejam raramente recomendados, apesar da enorme quantidade de estudos publicados em revistas médicas respeitadas que já documentaram seus efeitos, e das recomendações explícitas da American Heart Association[44]). A maioria dos psiquiatras fica muito para trás. No entanto, é quase certo que o cérebro é tão sensível aos conteúdos da nossa dieta diária quanto o coração. Quando regularmente intoxicamos nosso cérebro com álcool ou drogas, ele sofre. Quando deixamos de nutri-lo com os nutrientes de que ele necessita, ele também sofre. Verdadeiramente incrível é ter se passado tanto tempo até a moderna ciência ocidental voltar-se para essa constatação tão básica. Todas as medicinas, quer a tibetana, a chinesa, a aiurvédica ou a greco-romana, já enfatizaram a importância da nutrição em seus textos primitivos. Hipócrates escreveu: “Que sua comida seja seu tratamento e seu tratamento sua comida”. Isso há 2400 anos.

Mas ainda há outra porta para o cérebro emocional que confia totalmente no corpo. Hipócrates a conhecia também, e ela vem sendo ignorada no Ocidente como a nutrição. Curiosamente, esse método é ainda mais desacreditado por aqueles que sofrem de stress e depressão, com a desculpa de que não têm tempo ou energia suficiente. Todavia, é uma das fontes mais abundantes de energia e tem sido satisfatoriamente comprovado por estudos de controle. Trata-se do exercício físico – mesmo que, como veremos, em baixas doses.

FIGURA 1: AS EMOÇÕES INFLUENCIAM PROFUNDAMENTE AS FUNÇÕES DO CORPO

Células "assassinas naturais" do sistema imunológico são a primeira linha de defesa do corpo. Como muitas outras funções fisiológicas, elas estão sob o controle do cérebro emocional. Emoções positivas, como a paz e o bem-estar, estimulam essas células. O estresse, a ansiedade e a depressão interferem com sua função. Aqui, células assassinas naturais (pequenas) estão atacando uma célula cancerígena (maior, no centro).

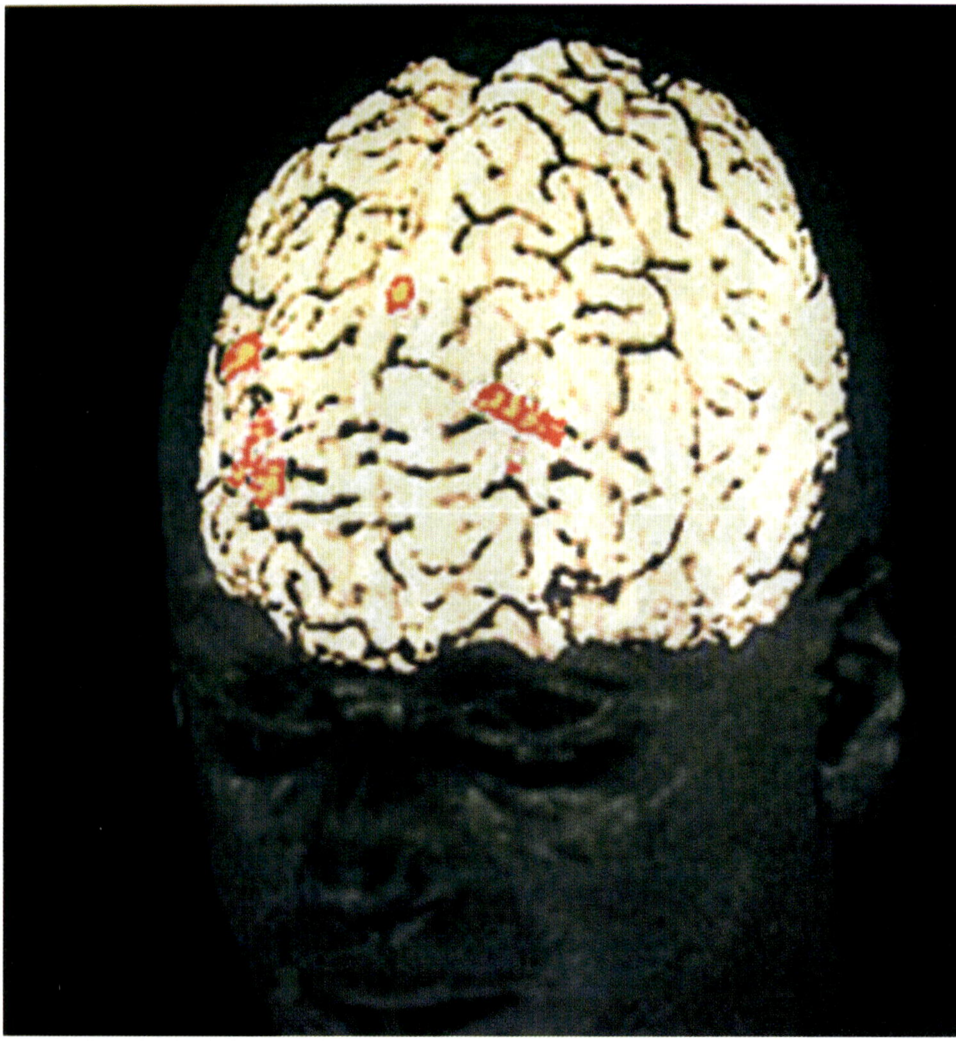

FIGURA 2: NA SUPERFÍCIE, O CÉREBRO COGNITIVO

O córtex recobre a superfície do cérebro. É a sede do pensamento e da linguagem. Nesta imagem, recolhida em nosso laboratório de Pittsburgh, vemos o córtex pré-frontal se ativar quando o indivíduo efetua uma tarefa mental complexa. (Cohen et al., 1994)

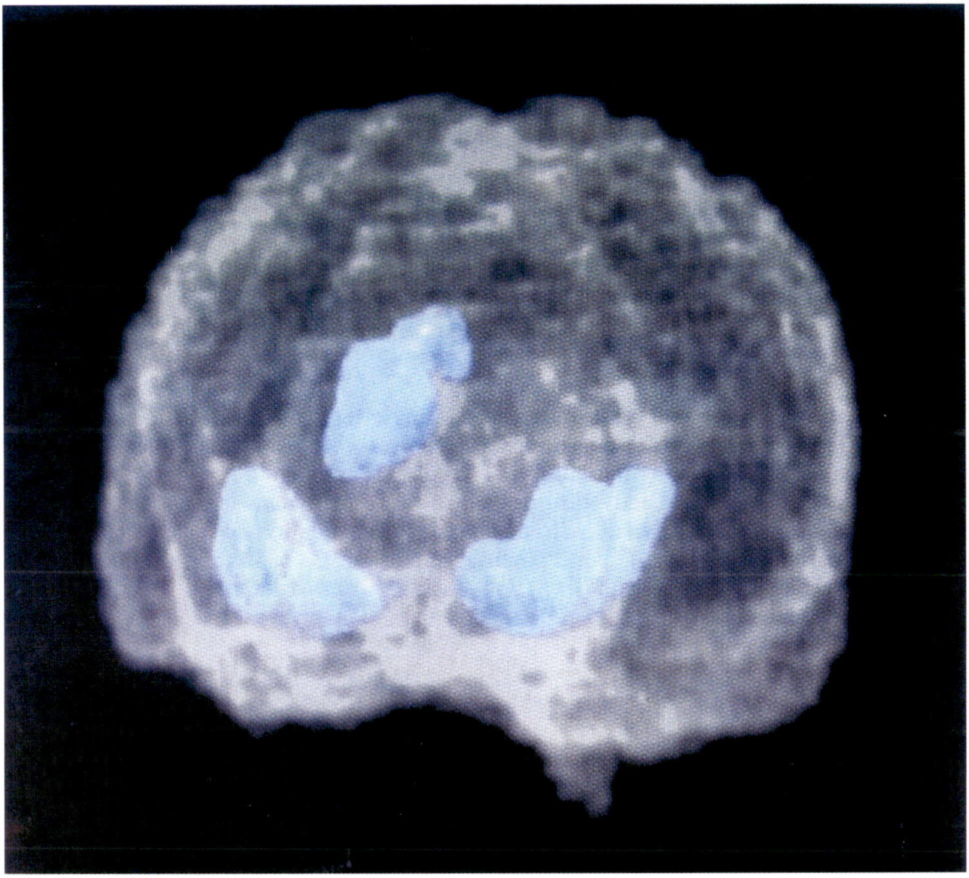

FIGURA 3: NA PROFUNDIDADE, O CÉREBRO EMOCIONAL

Verdadeiro cérebro no interior do cérebro, o cérebro emocional controla as funções fisiológicas do corpo, o ritmo cardíaco, a tensão arterial, o apetite, o sono, a libido, e até mesmo o sistema imunológico. É sobre ele que se deve agir para curar o stress, a ansiedade e a depressão. Nesta foto, tirada de uma outra experiência de nosso laboratório, vemos o cérebro emocional seletivamente ativado (em azul), quando a pessoa sente – repentinamente – um medo intenso.
(Servan-Schreiber et al.,1998)

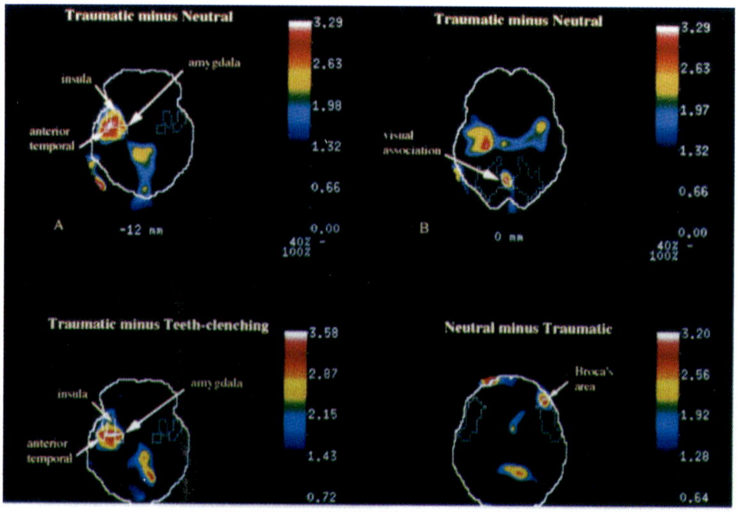

FIGURA 4: O CÉREBRO TRAUMATIZADO

Qualquer traumatismo emocional deixa uma cicatriz no cérebro. Esta imagem foi tirada de um estudo feito no laboratório do Prof. Rauch, da Universidade de Harvard, quando fizemos indivíduos traumatizados escutarem a descrição do pior momento que haviam vivido. No alto, à esquerda vemos a "sede" do medo no cérebro emocional em atividade (a região da amídala). No alto, à direita, observamos um estímulo no córtex visual, como se o indivíduo olhasse uma imagem de um acontecimento traumático. Embaixo, à direita, constatamos uma desativação (uma espécie de anestesia) da região do córtex responsável pela expressão da linguagem, como se o medo houvesse "quebrado" a palavra.
(Rauch et al., 1996)

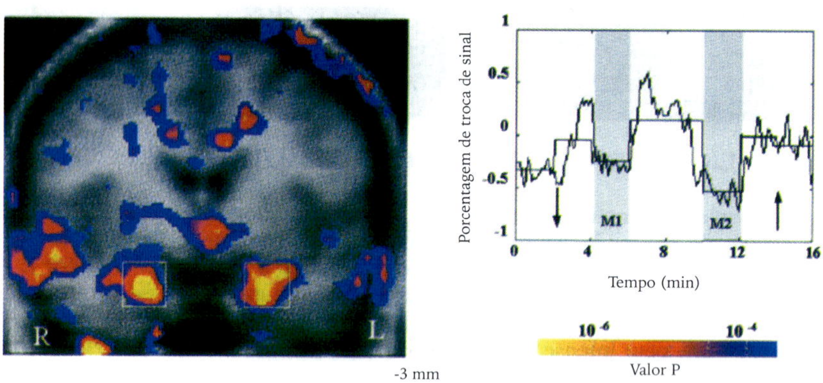

FIGURA 5: A ACUPUNTURA ACALMA O CÉREBRO EMOCIONAL

A acupuntura é praticada de forma contínua há mais de cinco mil anos. Nesta imagem, tirada de um estudo igualmente realizado em Harvard, a estimulação produzida por uma agulha de acupuntura sobre os dedos da mão desencadeia uma desativação das áreas de dor no cérebro emocional. Este efeito é acentuado quando a agulha é manipulada pelo acupunturista. (M1 et M2)
(Hui et al.,2000)

10

Mais exercício físico e menos antidepressivo

Bernard era um bem-sucedido produtor de cinema de quarenta e tantos anos. Alto e elegante, seu sorriso irresistível deve tê-lo ajudado a ganhar a confiança de todos em sua profissão. Quem poderia resistir ao charme dele? E, no entanto, Bernard estava no fim da linha. Ataques de ansiedade o atormentavam havia dois anos.

A primeira vez que ele teve um ataque foi num jantar importante em um restaurante lotado. Tudo estava indo bem, quando Bernard, de repente, se sentiu mal. Ele foi tomado por náuseas, seu coração batia loucamente e ele mal conseguia respirar. A imagem de um amigo de infância, que sofrera um infarto um ano antes, veio-lhe à mente. Dominado por esse pensamento, seu coração começou a bater ainda mais rápido e Bernard não conseguia concentrar-se de jeito nenhum. Sua visão ficou nublada e ele sentia que as pessoas e o ambiente iam se tornando estranhamente remotos e irreais. Em um "flash", compreendeu que tinha chegado a sua hora – ele estava morrendo.

Murmurou uma vaga desculpa a seus colegas e logo se dirigiu para a saída. Chamou um táxi e pediu para ser levado diretamente para o pronto-socorro do hospital mais próximo. Depois de dar entrada e de ter sido examinado, os médicos lhe asseguraram que ele não estava morrendo; Bernard sofrera um ataque de ansiedade – ou melhor, de "pânico".

Uma pessoa entre cinco que têm esse tipo de ataque primeiramente vai a um pronto-socorro e não a um psiquiatra (e quase metade delas chega de ambulância). De fato, nos dois últimos anos Bernard passou muito tempo em prontos-socorros, assim como em consultórios de vários cardiologistas. E reiteradamente lhe deram garantias de que seus sintomas nada tinham a ver com o coração. Um tranqüilizante, Xanax, foi até receitado, "para ajudá-lo a relaxar", disseram-lhe.

A medicação, com efeito, o ajudou de início. Os ataques pararam e Bernard começou a depender cada vez mais dessa pequena pílula. Ele passara a tomar quatro por dia, só para se certificar de que a ansiedade não o incomodaria no trabalho. Pouco a pouco, notou que, se atrasasse um pouco a dose, a ansiedade aumentava. Um dia, quando estava viajando, sua bagagem foi furtada e, com ela, o seu Xanax. Depois de algumas horas, sua ansiedade era tão grande, e seu coração estava batendo de tal maneira, que ele ainda descreve aquele dia como o pior de sua vida. Quando chegou em casa, fez uma promessa a si mesmo: iria superar sua dependência do Xanax e jamais tomá-lo de novo.

Alguns anos antes, Bernard tinha notado que, após nadar trinta minutos, sentia-se muito melhor durante uma hora ou duas. Então voltou a nadar, mas o sentimento de bem-estar não durava muito. A "febre da pedalada" – andar de bicicleta fixa dentro de um ambiente – estava em alta e um de seus amigos convenceu-o a tentar. Três vezes por semana, ele se juntou a um grupo de doze pessoas em uma academia, onde se exercitava em uma bicicleta estacionária ao passo frenético que o instrutor impunha. Ninguém tinha permissão para fazer corpo mole. O ritmo da música tecno e a rivalidade imposta pelo grupo de "ciclistas" encorajaram-no a continuar. Ao cabo de uma hora, ele estava tão exausto quanto exultante. Essa sensação intensa de bem-estar durava horas.

De fato, Bernard logo descobriu que era melhor não pedalar depois das sete ou oito da noite se quisesse dormir. Mas o resultado mais surpreendente foi que ele ganhou muito mais confiança em sua habilidade para lidar com os ataques de pânico. Passadas algumas semanas, os ataques cessaram. Hoje, dois anos mais tarde, Bernard ainda fala dos imensos benefícios desse exercício para qualquer pessoa que queira escutar. Ele continua a pedalar três vezes por semana, especialmente quando está mais estressado. E nunca mais teve nenhum ataque.

Bernard admite que está "vidrado em pedalar". Se ele pára de se exercitar, começa a se sentir estranho em alguns dias. Quando viaja, nunca se esquece de seus tênis de corrida, para "soltar o vapor", como ele costuma dizer. De qualquer maneira, o exercício é um hábito que não o faz apenas se sentir bem – também o ajuda a manter o peso, a aumentar a libido, a melhorar o sono, a reduzir a pressão sangüínea e a fortalecer seu sistema imunológico. Protege-o contra doenças cardíacas e até mesmo contra certos tipos de câncer. Bernard parece estar realmente "viciado", mas sua dependência do exercício o faz sentir que tem *mais* controle sobre sua vida – exatamente o oposto do que aconteceu com o Xanax.

Um tratamento para a ansiedade... e células imunitárias

Bernard não está sozinho. O que ele descobriu, Platão já tinha descrito há 2500 anos. E, no curso dos últimos vinte anos, a ciência ocidental já o demonstrou: o exercício é um tratamento tremendamente eficaz para a ansiedade.

Estudos a respeito do assunto são tão numerosos hoje que há até várias "metanálises", estudos sobre estudos.[1] Um deles lida, inclusive, com os benefícios do uso de uma bicicleta estacionária comum, que é muito menos intensa do que a "de disco", de que Bernard tanto gosta. Esse estudo mostra que a maioria dos participantes se sentia mais cheia de energia, e também mais relaxada, depois de pedalar em bicicletas estacionárias.[2] Os benefícios ainda eram evidentes um ano depois, como mostram os registros da pesquisa, uma vez que a grande maioria dos participantes, por vontade própria, continuava a se exercitar regularmente.

O curioso é que quanto menos em forma estamos – quanto mais ricas as nossas refeições, mais tempo passado na frente da TV ou atrás do volante de um carro –, mais rapidamente o exercício físico, mesmo em doses pequenas, nos fará sentir melhor.[3] Bernard estava certo em aumentar sua dose de exercícios em períodos de maior stress.

Na Universidade de Miami, Arthur LePerrière, Ph.D., examinou os efeitos protetores do exercício em situações difíceis. Para esse teste, ele escolheu um dos piores momentos pelo qual um ser humano pode passar – aquele no qual lhe é dito que é HIV positivo. Na época dessa pesquisa, muito antes da descoberta da tríplice terapia, o diagnóstico significava uma sentença de morte. E as pessoas eram deixadas sozinhas para lidar psicologicamente com esse fato devastador.

O dr. LaPerrière observou que pacientes que vinham se exercitando regularmente durante pelo menos cinco semanas pareciam estar "protegidos" contra o medo e o desespero. E mais, seu sistema imunológico, que invariavelmente desmorona em situações de stress, também resistiu melhor no momento em que receberam a terrível notícia. Células que são "assassinas naturais" (AN) são a primeira linha de defesa do corpo contra uma invasão externa – como o vírus da Aids – e a expansão de células cancerígenas. Altamente sensíveis às nossas emoções, quanto melhor nos sentimos, mais energia elas têm para fazer o seu trabalho. Por outro lado, em períodos de stress e depressão as células assassinas naturais tendem a ficar abatidas e a parar de se multiplicar. Esse foi o resultado observado pelo dr. LaPerrière em casos de pacientes que não se exercitavam. Suas células AN diminuíam abruptamente depois do diagnóstico – exatamente o oposto dos pacientes que se exercitavam com regularidade.[4]

A iniciação de Xaviera

Um pouco de jogging também é bom para pessoas com depressão. Em um dos primeiros artigos modernos sobre o assunto, John Greist, M.D., da Universidade de Wisconsin, Madison, conta a história de Xaviera.

Xaviera era uma aluna de 28 anos que estava em busca de um segundo mestrado na Universidade de Wisconsin. Morava sozinha, raramente saía, exceto para ir às aulas, e com freqüência se queixava de que jamais iria conhecer o homem de sua vida. Sua existência era vazia e ela já tinha perdido a esperança de que isso iria a mudar.

Seu único consolo eram três adorados maços de cigarro por dia. Ela passava o tempo vendo a fumaça subir em círculos, em vez de se concentrar nas notas do curso. Não ficou nem um pouco surpresa quando o médico na clínica da faculdade lhe disse que sua nota na escala da depressão a colocava no grupo dos 10% mais afetados da instituição. Sua depressão vinha se instalando havia dois anos e nenhum dos tratamentos sugeridos era aceitável para ela.

Xaviera não queria falar com um psicólogo sobre sua mãe e seu pai ou sobre seus problemas de infância. E recusava a medicação porque, como dizia, "Eu posso estar deprimida, mas não estou doente". Não obstante, ela concordou em fazer parte de um projeto de pesquisa que o médico estava dirigindo, talvez porque fosse um desafio.

Ela tinha que correr três vezes por semana durante vinte a trinta minutos, sozinha ou em um grupo, como quisesse. Na primeira reunião com seu instrutor de jogging, imaginou que se tratava de uma brincadeira. Como é que ele poderia esperar que uma pessoa com dez quilos acima do seu peso, que não se exercitava desde os catorze anos e que fumava três maços de cigarro por dia fosse um candidato adequado para um estudo sobre jogging? A última vez que ela fora pedalar tinha conseguido andar somente dez minutos e pensou que ia morrer. E jurou a si mesma: "Nunca mais". Então a idéia de que ela precisava de um *instrutor* para aprender a correr parecia ainda mais ridícula. O que havia para aprender? Andar rápido pondo um pé na frente do outro?

Ainda assim, Xaviera escutou os conselhos que seu instrutor lhe deu, e eles acabaram por ser absolutamente essenciais para seu sucesso futuro. Primeiro, foi-lhe dito que desse passos muito pequenos, que deveria trotar mais do que correr, que deveria inclinar seu corpo ligeiramente para a frente, e não deveria levantar muito os joelhos. Acima de tudo, ele a aconselhou a andar devagar a ponto de conseguir conversar ("Você terá que ser capaz de falar, mas não de cantar", seu instrutor insistiu). Se ela ficasse sem fôlego, deveria diminuir o ritmo e jamais sentir dor ou fadiga.

A meta, de saída, era simplesmente cobrir uma milha (1,6 quilômetro), levando quanto tempo desejasse, tentando correr ("jog") o máximo possível. Conseguir alcançar seu objetivo logo no primeiro dia foi uma fonte de satisfação para ela. Depois de três semanas, ao ritmo de três sessões semanais, Xaviera era capaz de manter seu ritmo de jogging durante uma milha e meia, depois duas milhas, sem grande dificuldade. Ela tinha que admitir que estava se sentindo um pouco melhor – sobretudo, estava dormindo mais profundamente, sentindo-se mais cheia de energia e passando menos tempo com pena de si mesma.

Pouco a pouco Xaviera fez mais progressos, e a cada dia, durante um período de cinco semanas, sentia-se melhor. Então, um dia, ela forçou um pouco demais no final da corrida e torceu o tornozelo – não o suficiente para que tivesse de ser totalmente imobilizado, mas o suficiente para ter de parar de correr durante três semanas. Alguns dias mais tarde, foi a primeira a se surpreender com o próprio desapontamento ao não poder mais praticar o jogging. Privada de sua corrida durante uma semana, notou que seus sintomas de depressão começavam a voltar. Pensamentos obscuros se instalaram e ela se sentia pessimista a respeito de tudo novamente.

No entanto, quando Xaviera afinal voltou ao que tinha se tornado o "seu" exercício, os sintomas diminuíram mais uma vez em algumas poucas semanas. Ela nunca se sentira tão bem. Mesmo seu período menstrual – que era geralmente doloroso – parecia menos desconfortável. Quando falou com o treinador após a primeira corrida depois de três semanas, Xaviera lhe disse: "Estou fora de forma, mas sei que ela voltará e me sinto definitivamente melhor do que da primeira vez que corri".

Embora jamais venhamos a saber se ela parou de fumar ou se encontrou o homem de seus sonhos, muito tempo depois desse projeto de pesquisa ter terminado, de acordo com o dr. Greist, Xaviera ainda era vista correndo ao redor do lago com um sorriso no rosto.[5]

O "barato" do corredor

A depressão é sempre associada a pensamentos obscuros, pessimistas, pensamentos que rodam incessantemente em nossa cabeça: "Jamais terei sucesso. De qualquer maneira, não vale a pena tentar. Não vai dar certo. Eu sou feia. Eu não sou inteligente. Eu sou azarada. Isso sempre acontece comigo. Eu não tenho energia, força, coragem, força de vontade, ambição suficiente. Eu estou no fundo do poço. As pessoas não gostam de mim. Eu não tenho nenhum talento. Eu não mereço atenção. Eu não mereço ser amada. Eu estou doente...".

Essas idéias podem ser não só excessivas como dolorosas (tais como "Eu sempre desaponto todo mundo", o que simplesmente não pode ser verdade). Mas, no momento em que elas se manifestam na depressão, esses pensamentos já se tornaram tão automáticos que não é mais óbvio quão anormais eles são, apenas o indício (externo) de um mal (interno). Por meio de seu trabalho, que começou nos anos 60 e 70, Aaron Beck, M.D., o inventor da terapia cognitiva, já mostrou que, apenas por repetirmos esses pensamentos em nossa mente, nós a mantemos deprimida. Ele também mostrou que pará-los deliberadamente em geral ajuda os pacientes a encontrar o caminho de volta ao bem-estar.[6]

Uma das características do esforço físico sustentado é precisamente que ele põe fim, pelo menos por algum tempo, a essa torrente de pensamentos depressivos, os quais raramente surgem de modo espontâneo durante o exercício. Se o fazem, o fato de desviar a atenção ao fixar seus pensamentos em sua respiração ou na sensação dos pés tocando o chão ou na concentração na sua coluna vertebral quase sempre é suficiente para nos livrar deles. A maioria das pessoas que pratica jogging, ou corre, afirma que depois de quinze ou vinte minutos de esforço contínuo atinge um estado no qual seus pensamentos são espontaneamente positivos e até mesmo criativos. Elas se tornam menos autoconscientes e se deixam guiar pelo ritmo de seu esforço. Alguns se referem a essa experiência como "o barato do corredor". Somente aqueles que perseveram durante várias semanas o experimentam. Trata-se de um estado sutil e (longe de ser uma heroína) costuma criar dependência. Depois de uma certa quantidade de exercícios consistentes, muitos praticantes de jogging não conseguem ficar sem a sua corrida de vinte minutos um dia sequer.

Um grande erro que os iniciantes cometem quando voltam de uma loja orgulhosamente estreando seus tênis novos é querer correr rápido demais e durante muito tempo. Para falar a verdade, não há uma velocidade ou uma distância mágica. O que leva a um estado de "fluxo" é a perseverança em um esforço que você é capaz de sustentar no limite de suas capacidades. *No limite*, mas nunca além. Mihaly Csikszentmihalyi, Ph.D., o pesquisador dos "estados de fluxo", já demonstrou isso brilhantemente. Para um iniciante, a distância será inevitavelmente curta e os passos, curtos. Mais tarde, o corredor terá que correr mais depressa e percorrer uma distância maior para conseguir manter o "fluxo", mas apenas depois que já tiver se tornado um viciado na corrida.

Ultrapassando o Zoloft

Pesquisadores da Universidade de Duke realizaram recentemente um estudo comparando os efeitos antidepressivos do jogging com os do Zoloft, um antidepressivo eficaz muito conhecido. Após quatro meses, pacientes tratados com as duas abordagens estavam indo igualmente bem. A medicação não oferecia nenhuma vantagem particular sobre a prática regular de jogging. Mesmo a combinação do remédio com o jogging não intensificou os efeitos. Por outro lado, um ano depois, houve uma diferença incrível entre os dois tipos de tratamento. Mais de um terço dos pacientes que estavam sendo tratados com o Zoloft tivera recaídas, ao passo que 92% daqueles que seguiram o programa de jogging ainda estavam indo bem.[7] Eles decidiram, por iniciativa própria, continuar se exercitando mesmo depois de o estudo ter sido concluído.

Outro projeto de pesquisa na Duke mostrou que juventude e boa saúde não são requisitos necessários para conseguir benefícios do exercício físico. Pacientes deprimidos com idades variando entre cinqüenta e setenta e sete anos se beneficiavam tanto de uma caminhada vigorosa de trinta minutos (sem correr) três vezes por semana como dos antidepressivos. O medicamento aliviava os sintomas um pouco mais rápido, mas não mais eficazmente. Essa era a única diferença.[8]

Exercícios físicos regulares podem ajudar não apenas a curar um episódio de depressão, como também provavelmente a preveni-lo. Em uma população de sujeitos normais, as pessoas que se exercitavam no início do estudo estavam muito menos propensas a ter depressão nos 25 anos seguintes.[9]

Eu já senti os efeitos tanto do tratamento como da prevenção do exercício em minha própria vida. Quando, aos 22 anos, cheguei aos Estados Unidos, não conhecia praticamente ninguém. Os primeiros meses foram tomados por todas essas atividades comuns entre os imigrantes. Além do curso de medicina, que ocupava muito do meu tempo, eu estava procurando um apartamento e fazendo a mudança. Começar tudo de novo sem os pais em volta para dizer o que fazer e como fazer foi divertido no início. Eu me lembro do prazer que senti com a simples compra de cortinas ou mesmo de uma frigideira. Mas depois de alguns meses, já estabelecido e preso à rotina de estudante, minha vida parecia especialmente vazia, desprazerosa.

Sem minha família, meus amigos, minha cultura, minhas "saídas" favoritas, de repente me dei conta de que me sentia como se estivesse murchando aos poucos. Lembro-me de uma noite em especial, na qual nada parecia importar ou fazer sentido exceto a música clássica. Fiquei escutando-a por toda a noite em vez de estudar. Lembro-me de dizer a mim mesmo até que reger uma orquestra era a única profissão que talvez valesse a pena praticar em um mundo tão frio e indiferente.

Como não tinha a mínima chance de ter sucesso nessa profissão, meu pessimismo como imigrante isolado só piorou. Depois de várias semanas nesse humor devastador, dei-me conta de que, se não reagisse, iria ser reprovado nos exames. Deixar a França para vir até aos Estados Unidos só para ser reprovado não seria um absurdo? Então, sim, eu teria motivo para ficar deprimido!

Eu não sabia por onde começar, mas sabia que tinha que sair daquele estupor que me deixava prostrado horas a fio, sem fazer nada além de escutar sempre as mesmas fitas. Pensei no squash, que praticava em Paris antes de partir. Felizmente eu trouxera minha raquete comigo – e ela me salvou.

Primeiro, tornei-me membro de um clube de squash. Durante as primeiras duas semanas de jogo nada mudou, exceto que afinal eu tinha alguma coisa prazerosa por que ansiar em minha vida. Eu sabia que, pelo menos três vezes por semana, me divertiria gastando minha energia física e depois tomando uma ducha longa e merecida.

Graças ao squash também conheci umas poucas pessoas que foram legais em me convidar para jantar. Pouco a pouco fiz amigos e descobri uma vida social gratificante. Durante muito tempo não soube se a maior ajuda tinha vindo do exercício ou dos meus novos amigos, mas, qualquer que fosse a explicação, não fazia a menor diferença. Eu me sentia melhor e estava no comando de novo.

Mais tarde aprendi que, mesmo nas horas mais difíceis, se eu corresse vinte minutos pelo menos dia sim dia não, geralmente sozinho, ficava mais bem preparado para lidar com desafios e me sentia capaz, de qualquer maneira, de evitar as angústias da depressão. E, apesar de todas as pesquisas e investigações, nada do que aprendi desde aquela época me levou a mudar de opinião: o exercício ainda é minha "primeira linha de defesa" contra as incertezas da vida.

Estimulando o prazer

Por quais processos misteriosos o exercício tem tamanho impacto no cérebro emocional? Naturalmente há, antes de tudo, um efeito sobre as endorfinas. Essas pequenas moléculas produzidas pelo cérebro parecem-se com o ópio e seus derivativos, tais como a morfina e a heroína. O cérebro emocional contém muitos receptores para as endorfinas,[10] e é por isso que ele é tão sensível ao ópio – ele imediatamente irradia uma sensação de bem-estar e satisfação ao seqüestrar um dos mecanismos intrínsecos do cérebro emocional. O ópio tem um efeito poderoso sobre as emoções – de fato, é o mais poderoso dos antídotos conhecidos para as dores da separação e do luto.[11]

Entretanto, quando derivados do ópio são usados com muita freqüência, podem viciar. Receptores cerebrais tornam-se insensíveis a ele e, então, a dose deve ser sistematicamente aumentada para produzir o mesmo efeito. Ademais, em razão de os receptores se tornarem cada vez menos sensíveis, os prazeres comuns perdem todo o seu poder e potência – incluindo o sexo, o prazer que é geralmente reduzido a zero pelos dependentes de drogas.

As endorfinas produzidas como conseqüência do exercício físico fazem exatamente o contrário. Quanto mais o mecanismo natural do prazer é suavemente estimulado pelo exercício, mais sensível o mecanismo em si se torna. Além de saborear o sexo e os outros grandes prazeres da vida, as pessoas que se exercitam com regularidade, na verdade, sentem *mais* prazer com as pequenas coisas da vida: suas amizades, seus animais de estimação, suas refeições, seus "hobbies" ou mesmo o sorriso dos transeuntes na rua. Essencialmente, torna-se mais fácil se satisfazerem. E, de fato, a experiência do prazer é o oposto da depressão. A depressão é definida, acima de tudo, pela *ausência de prazer*, mais do que pela tristeza, que é provavelmente a razão por que a liberação de endorfinas tem um efeito ansiolítico e antidepressivo tão potente.[12]

Estimular o cérebro emocional por meio de processos naturais também inflama o sistema imunológico. Ele promove a proliferação das assim chamadas células "assassinas naturais", tornando-as mais agressivas contra infecções e células cancerígenas.[13] (Veja no encarte a Figura 1: "As emoções influenciam profundamente as funções do corpo") O efeito oposto se dá com os dependentes de heroína, cujas defesas imunológicas desmoronam, em geral fazendo com que eles fiquem gravemente doentes.

O exercício pode também fortalecer outro mecanismo fisiológico relacionado à saúde emocional. Ele envolve o que já aprendemos sobre a variabilidade do ritmo cardíaco. As pessoas que se exercitam regularmente mostram maior variabilidade no ritmo cardíaco e mais coerência cardíaca do que as que não o fazem.[14] Isso significa que seu sistema parassimpático, o "breque" fisiológico que traz períodos de calma, é mais saudável e mais forte. Um bom equilíbrio entre os dois ramos do sistema nervoso autônomo é um dos melhores antídotos contra a ansiedade e os ataques de pânico. Todos os sintomas de ansiedade começam com um sistema simpático hiperativo – boca seca, coração acelerado, suadouro, tremedeira, aumento da pressão sangüínea. Os sistemas simpático e parassimpático estão sempre em oposição. Assim, quanto mais estímulo o ramo parassimpático receber, mais forte ele se torna – como um músculo em desenvolvimento. Quando está forte o suficiente, ele simplesmente bloqueia o sintoma de ansiedade.

Um novo tratamento para a depressão está sob experimentação em grandes centros de psiquiatria biológica em todo o mundo. Um dispositivo implantado sob a pele estimula o sistema parassimpático. Como aparelhos de musculação que contraem seus músculos abdominais enquanto você assiste à TV, usando uma ligeira descarga elétrica, esse tratamento do futuro não exige nenhum esforço do paciente. Alega-se que ele seja capaz de gerar os benefícios do sistema parassimpático. Vários estudos preliminares de pacientes cujos tratamentos anteriores fracassaram o fazem parecer promissor.[15] Eu pessoalmente penso que o exercício físico e a prática da coerência cardíaca podem produzir exatamente o mesmo resultado, desde que os pacientes ainda estejam suficientemente motivados para se submeter a eles.

As chaves para o sucesso

Mesmo quando estamos convencidos de que o exercício regular é importante, às vezes parece que nada pode ser mais difícil do que integrá-lo à nossa vida diária – muito mais se estamos deprimidos ou estressados. Entretanto, alguns segredos muito simples tornam mais fácil assumir o compromisso de ter uma vida física mais ativa.

Primeiro, não é preciso fazer muitos exercícios físicos; o que importa é a *regularidade*. Vários estudos mostram que a quantidade mínima necessária para afetar o cérebro emocional é vinte minutos de exercício três vezes por semana. A duração parece importante, mas não a distância, nem a intensidade do esforço. Se você mantiver o esforço a ponto de ainda conseguir falar, mas não cantar, é suficiente.

Como acontece com certos remédios, os benefícios, por outro lado, podem estar na proporção da "dose" de exercícios. Quanto mais severos os sintomas da depressão e da ansiedade, mais regulares e intensos devem ser os exercícios. Cinco sessões por semana é melhor que três. Uma hora de bicicleta com disco tem mais chance de ser eficaz do que vinte minutos de caminhada constante. Ainda assim, o pior cenário seria tentar pedalar em uma bicicleta de disco, por exemplo, até ficar cansado demais e sem fôlego, e depois desistir totalmente. Nesse caso, os vinte minutos de caminhada regular seriam imensamente mais eficazes.

Comece suavemente e deixe-se guiar pelo seu corpo. O objetivo é chegar ao estado de fluxo que o dr. Csikszentmihalyi descreve. Para tanto, você deve estar sempre no limite da sua capacidade e não além, pois o limite da sua capacidade é a porta do "fluxo". (Pense no princípio do fale-mas-não-cante.) Quando sua capacidade se expande como resultado de treinamento, você sempre terá tempo de correr mais depressa e ir mais longe. E, curiosamente, a pesquisa disponível não estabelece distinção entre exercício "aeróbico" (correr, nadar, andar de bicicleta e jogar tênis), que tende a produzir falta de fôlego, e o que é chamado de exercício "anaeróbico" (levantar peso). Um estudo crítico completo no *British Medical Journal* conclui que eles são igualmente eficazes, pelo menos no que diz respeito aos sintomas depressivos.[16]

Para aumentar os benefícios, a maioria dos estudos sugere que o exercício em grupo é mais eficaz do que a prática individual. Quando um grupo se dedica ao mesmo esporte, o suporte e o incentivo dos outros ou simplesmente o exemplo que as pessoas com a mesma mentalidade dão podem fazer enorme diferença. Pelo menos a dinâmica de grupo pode motivá-lo naqueles dias de chuva, quando está atrasado ou quando há um ótimo filme na TV... Resumindo: as pessoas que se exercitam em grupo o seguem mais prontamente pela necessidade de regularidade que é tão crucial para o sucesso.

Finalmente, você deve escolher um tipo de exercício que considere divertido. Quanto mais se parecer com um jogo, mais fácil será continuar a praticá-lo. Muitas empresas têm times de basquete ou clubes de caminhada que se encontram alguns dias na semana ou durante uma hora no fim do dia. Um time de vôlei ou um clube de tênis podem servir ao mesmo propósito, desde que a prática seja regular; mas, se você adora natação e odeia correr, não faça jogging. Você provavelmente irá parar logo.

Aqui vai uma dica que vários pacientes meus acharam útil: você pode se divertir mais na bicicleta ergométrica, no estepe ou na esteira – em casa – se assistir a filmes em DVD ou VHS. Escolha filmes de ação e mantenha-o rodando enquanto estiver fazendo o exercício; se você parar, desligue-o imediatamente. Esse método tem várias vantagens. Primeiro, filmes de ação, como música agitada, tendem a ativar a fisiologia do corpo e, por isso, fazem você querer se mexer. Segundo, um bom filme tem um efeito hipnótico que ajuda a esquecer o tempo. Os vinte minutos recomendados de exercícios passam muito mais depressa assim do que se seus olhos estiverem colados no relógio. Finalmente, uma vez que não é permitido assistir ao filme depois que o exercício é interrompido, o suspense o motiva a recomeçar no dia seguinte, nem que seja só para saber o que vai acontecer. (As máquinas fazem barulho e o exercício tende a nos tirar a concentração; por essa razão, é bom evitar dramas, que dependem muito da sutileza dos diálogos. Do mesmo modo, como o riso não é compatível com o exercício físico, é melhor evitar as comédias.) Ponha seu sangue para circular com filmes de ação, dentro e fora da tela.

Voltando-se para os outros

Até agora falamos apenas a respeito de abordagens ao cérebro emocional centradas no indivíduo. Coerência cardíaca, EMDR, simulação da aurora, acupuntura, nutrição e exercício, todos se concentraram no indivíduo e em seu corpo. Porém, o papel do cérebro emocional não é simplesmente governar a fisiologia interna do corpo. Há outra função igualmente importante: regular o equilíbrio das conexões emocionais e assegurar que sempre tenhamos lugar no grupo, na tribo, na família. A ansiedade e a depressão são, com freqüência, sinais de tristeza que nosso cérebro emocional envia quando detecta uma ameaça ao equilíbrio em nossas relações sociais. Para pacificá-lo e viver em harmonia com ele, precisamos governar nossas relações com os outros mais graciosamente. De fato, o que precisamos é de uns poucos princípios de higiene emocional. Esses princípios são tão simples e eficazes quanto ignorados pela maioria de nós.

11

O amor é uma necessidade biológica

A mãe de Michelle devolve seu boletim. "Como você pode ser tão burra? Você nunca vai conseguir ser nada na vida. Ainda bem que eu tenho a sua irmã!"

A esposa de Jack quebra um prato na borda da pia da cozinha. "Você vai finalmente me escutar? Eu estou farta de gritar com você! Como alguém pode ser tão egoísta?"

Alguns dias depois de começar um novo emprego, Edgar busca uma informação em outro departamento. Um colega que Edgar ainda não conhecia vem até ele e diz: "Eu não sei quem você é, mas sei que não é daqui; portanto, dê o fora!".

Pela terceira vez na mesma semana, os vizinhos de Sofia estão festejando até as duas da manhã. Em retaliação, ela leva o lixo para fora às sete da manhã, fazendo o maior barulho possível. "Isso vai lhes servir de lição", diz.

Nada faz nosso cérebro emocional se retrair mais do que conflitos com as pessoas que nos rodeiam. Quer gostemos disso ou não, até os conflitos com os vizinhos – que são, afinal de contas, "intrusos" – podem contaminar nosso dia com ressentimento e raiva.

Por outro lado, nosso coração se derrete ao ver uma criança sorrindo enquanto segura a mão do pai e, olhando-o nos olhos, diz: "Eu amo você, papai". Ou de uma senhora idosa em seu leito de morte, olhando para seu marido e dizendo-lhe: "Fui muito feliz com você. Não levo mágoas. Posso partir em paz. E quando você sentir a brisa em seu rosto, saberá que serei eu lhe fazendo um carinho". Ou ver uma refugiada abraçar um médico de um grupo de socorro e lhe dizer: "Você foi enviado por Deus. Eu estava tão assustada e você salvou a minha filha".

Tanto nos casos negativos como nos positivos, reagimos ao elo emocional entre as pessoas. Quando elas são "emocionalmente violentas" umas com as outras – quando se tratam de modo agressivo e cruel –, todos sofremos, mesmo quando somos simples testemunhas. Quando, em vez disso, elas dizem o que estão sentindo ("Eu te amo", "Estou tão feliz", "Eu estava assustada") e usam esse sentimento para se aproximar e tocar o coração uns dos outros, em vez de retaliar e punir, não podemos deixar de nos sentir tocados.

Diretores de cinema e os profissionais de propaganda sabem como ninguém o que nos toca profundamente. Eles tentam nos persuadir a comprar um tipo específico de café, por exemplo, ao sugerir que seu aroma aproxima as pessoas – amigos, casais, uma mãe e sua filha. As mensagens de propaganda podem ser um tipo elementar de exortação, mas os mais sentimentais freqüentemente confessam que lágrimas lhes vêm aos olhos durante comerciais de TV. Em geral eles não sabem por quê, mas é porque acabaram de testemunhar uma demonstração de afeto. Esse sentimento de ligação, de intimidade, é precisamente o que mais necessitam em suas próprias vidas.

Nos últimos trinta anos, os índices de depressão vêm aumentando incessantemente nas sociedades ocidentais. Nos últimos dez anos, o consumo de antidepressivos dobrou na maioria dos países do Ocidente.[1] Hoje, mais de 11 milhões de norte-americanos tomam antidepressivos.[2] São dados tão desoladores que a maioria de nós e de nossas instituições prefere nem pensar nisso. Lá vamos nós vivendo em ditosa negação e estocando Prozac. Dizemos a nós mesmos que um dia tudo isso se resolverá, mas as coisas não estão se resolvendo. Estão ficando piores. Se alguém me perguntasse por onde começar a reverter essa tendência, responderia que precisamos enfrentar a violência em relacionamentos diários, entre casais, com nossos filhos ou nossos vizinhos, e no local de trabalho.[3] Precisamos respeitar as necessidades que nosso cérebro emocional tem de harmonia e ligação. Não há como reverter o que a evolução nos fez querer e sentir nos relacionamentos.

A fisiologia do amor

Uma parte do cérebro emocional distingue os mamíferos dos répteis. Do ponto de vista da evolução, a diferença básica é que os mamíferos recém-nascidos são vulneráveis. Esses jovens frágeis são incapazes de sobreviver vários dias, semanas, ou anos sem a atenção constante dos pais.

Seres humanos representam o exemplo mais extremo. Nutrir nossos filhos exige o investimento paterno mais longo entre todas as criaturas. Em seres humanos, como no caso de outros mamíferos, a evolução criou estruturas límbicas no cérebro que nos tornam particularmente sensíveis às necessidades dos filhos.*

* Embora sejam ovíparos, os pássaros têm algumas das estruturas límbicas dos mamíferos. É provavelmente por isso que, ao nascer, seus filhotes sejam igualmente dependentes do cuidado dos pais.

A evolução instalou em nosso cérebro o instinto de responder a elas – alimentar nossos filhos, mantê-los aquecidos, dar-lhes carinho, protegê-los, ensinar-lhes como caçar, colher e a se defender. Nosso cérebro foi projetado para assegurar um relacionamento que é indispensável à sobrevivência da espécie. É a base da nossa capacidade inata de criar relações, no âmbito social, com os outros – em um grupo, uma tribo ou uma família.

Uma região específica do cérebro emocional é responsável até pelo choro de tristeza que soltamos – quando bebês – quando somos separados daqueles a quem estamos ligados.[4] E a mesma região também é responsável por nossa reação instintiva a esse choro. Já ao nascer, o cérebro emocional do bebê chama por sua mãe: "Você está aí?", e novamente o cérebro emocional da mãe é compelido a responder: "Sim, eu estou aqui!". O choro e nossa resposta instintiva a ele criam o "circuito reflexo" dos relacionamentos entre os seres – humanos ou não humanos. Esse circuito é a base para toda a comunicação vocal – o canto dos pássaros, o mugido, o miado, o grunhido, toda a poesia e as canções. A impressionante atração que a música exerce em nossos corações – sobretudo o canto da voz humana – provavelmente tem suas raízes nisso. A música age diretamente no cérebro emocional e é muito mais eficaz do que a linguagem verbal ou a matemática.

A comunicação límbica não existe nos répteis – melhor para eles, de certo modo. Se os lagartos, os crocodilos e as cobras recém-nascidos fossem capazes de deixar que seus pais soubessem onde estão, logo seriam comidos. O mesmo vale para os tubarões. Em contraste, golfinhos e baleias usam constantemente o som para se comunicar com seus filhotes, e esses mamíferos marinhos cantam de um jeito que os cientistas, sem hesitação, comparam à comunicação humana. De fato, nós humanos somos capazes de experimentar relacionamentos amorosos com virtualmente todos os mamíferos e com muitos tipos de aves (papagaios e periquitos são animais domésticos incrivelmente afetuosos). Mas nem jibóias nem iguanas responderão com afeto ao amor que você pode sentir por eles.

O cérebro emocional é, assim, feito para enviar e receber mensagens no canal do afeto, a expressão exterior de nossas emoções. Tal comunicação desempenha papel-chave na sobrevivência do organismo e não apenas na procura de alimento e calor. Nós já sabemos que o contato emocional é uma *necessidade biológica* real para os mamíferos, ao lado do alimento e do oxigênio. A moderna ciência biológica já redescobriu isso, apesar dela mesma.

Protegida contra o toque

Na década de 1980, o progresso em terapia intensiva possibilitou que recém-nascidos prematuros cada vez mais novos sobrevivessem. Em incubadoras hermeticamente fechadas, equipadas com luz ultravioleta, as condições podem ser artificialmente reguladas com precisão suficiente para sustentar a vida desses pequenos corpos humanos. Tão pequenos eles são que os residentes os chamam afetuosamente de "pequenos camarões".

Mas o frágil sistema nervoso desses bebês enfrentava problemas enormes na lida necessária para o seu cuidado, e então especialistas inventaram modos de cuidar deles sem a necessidade de contato físico. Avisos em incubadoras diziam "NÃO TOQUE".

O choro de tristeza que vinha das incubadoras, apesar de serem à prova de som, era de cortar o coração, mesmo para as enfermeiras mais endurecidas. Mas elas conscienciosamente ignoravam o choro e seguiam cumprindo o seu dever. No entanto, a despeito das condições ideais de temperatura, umidade e oxigênio, do alimento meticulosamente medido até o último miligrama e da suavizante luz ultravioleta, os bebês não cresciam. Em termos científicos, o congelamento de seu crescimento era um mistério, quase um tapa na cara. Sob condições tão perfeitas, como poderia a natureza se recusar a cooperar?

Médicos e pesquisadores meneavam a cabeça – o que mais podiam fazer? Eles se consolavam com a observação de que, quando os bebês – aqueles que sobreviviam – saíam da incubadora, rapidamente recuperavam o peso.

Mas um dia, em uma maternidade, os médicos observaram que alguns bebês pareciam estar crescendo normalmente, enquanto ainda estavam na incubadora. Entretanto, nada tinha mudado em seu protocolo de tratamento – quase nada.

Para enorme surpresa dos médicos, uma investigação revelou que os bebês que estavam crescendo eram os observados pela enfermeira da noite, uma mulher que começara a trabalhar no departamento havia pouco tempo.

Quando questionada, a jovem ficou reticente – pois não queria ser mandada embora –, mas acabou confessando. Ela não conseguia resistir ao choro de seus pequenos pacientes. De início com relutância, visto que era proibido, depois com confiança crescente, havia várias semanas que massageava as costas de cada bebê para acalmar seu choro. Como nenhum dos temíveis efeitos previstos tinha de fato ocorrido, e porque os bebês realmente pareciam se acalmar, a enfermeira continuou a fazê-lo – furtivamente, é claro.

Desde então, na Universidade de Duke, o professor Saul Schonberg, M.D., Ph.D., e sua equipe já confirmaram esse resultado em uma série de experimentos com filhotes de rato isolados ao nascer. Sua pesquisa descobriu que, sem contato físico, cada célula no organismo do animal literalmente se recusa a se desenvolver. Em todas as células dos filhotes de rato, a parte do genoma que produz as enzimas necessárias para o crescimento não mais se expressa; com efeito, todo o corpo entra em um estado semelhante à hibernação. Porém, se uma escova úmida é suavemente passada nas costas do filhote de rato – como se sua mãe o estivesse lambendo, em resposta ao choro –, a produção de enzimas imediatamente recomeça e, portanto, também o seu crescimento. O contato emocional é inegavelmente necessário para o crescimento – e para a sobrevivência.[5]

Nos primeiros orfanatos modernos, em meados do século XX, as enfermeiras recebiam ordens expressas de não tocar nas crianças e de não brincar com elas, com medo de que pudessem contrair ou espalhar doenças contagiosas. Apesar do excelente cuidado físico e da alimentação que recebiam, 40% dos órfãos que pegavam sarampo morriam. Fora dos orfanatos "higiênicos", menos de *uma em cada cem crianças* – menos de 1% – morria dessa doença que, em geral, não pode ser considerada grave.[6]

Em 1981, David Hubel, M.D., e Torsten Wiesel, M.D., dois pesquisadores de Harvard, receberam o Prêmio Nobel de Medicina por sua investigação fundamental sobre o modo como o sistema visual se desenvolve. Entre suas descobertas estava a demonstração de que o córtex visual se desenvolve normalmente apenas se receber estímulo adequado durante um período crítico – logo no início da vida.[7] Hoje estamos descobrindo que isso também se aplica ao cérebro emocional.

Experiências em vários orfanatos romenos medonhos, onde até recentemente as crianças eram amarradas às camas e alimentadas como animais, confirmaram essa necessidade. Observações da agonia que enfrentavam mostraram o que acontece com pequenos membros de nossa espécie quando não recebem alimento emocional – a maioria deles morre. Desde então, pesquisadores de Detroit, na Universidade Estadual de Wayne, já demonstraram que o cérebro emocional de jovens sobreviventes dos orfanatos romenos em geral se atrofia – talvez irreversivelmente.[8]

Por acaso, Myron Hofer, M.D., Ph.D., da Universidade Cornell, descobriu como o dano aos relacionamentos emocionais em mamíferos desorganiza sua fisiologia. Ele estava estudando a fisiologia de filhotes de rato quando, certa manhã, notou que uma das mães deixara a gaiola durante a noite. Os filhotes abandonados tinham um batimento cardíaco 50% abaixo do normal. Hofer primeiro pensou que esse ritmo se devia à falta de calor. Para checar essa hipótese, cobriu um pequeno aquecedor elétrico com uma meia e o colocou no meio dos pequenos ratos. Para sua enorme surpresa, nada mudou. De experimento em experimento, Hofer pôde mostrar que não apenas o ritmo cardíaco, mas outras quinze funções fisiológicas dependiam da presença da mãe-rato – na verdade, de suas demonstrações de cuidado materno. Entre as principais estavam o controle dos períodos de sono e o despertar noturno, a pressão sangüínea, a temperatura corporal e até mesmo a atividade das células imunológicas como os linfócitos B e T – sua defesa contra infecções. (Veja "O amor materno e a fisiologia do recém-nascido", na página 185)[9] Hofer chegou a esta surpreendente conclusão: a principal fonte dos controles biológicos dos ratinhos era... o amor materno.

Em seres humanos, a pesquisa já estabeleceu que a qualidade do relacionamento entre pais e filhos – definida pela empatia dos pais e sua resposta às necessidades emocionais da criança – determinará o equilíbrio do sistema parassimpático da criança anos depois. E o sistema parassimpático é o fator preciso que promove a coerência cardíaca e a resistência ao stress e à depressão.[10]

"Sua mulher demonstra amor por você?"

Hoje já sabemos que em todos os mamíferos, incluindo os seres humanos, o equilíbrio fisiológico dos bebês depende do amor que eles recebem. É realmente surpreendente que isso valha também para os adultos.

Um estudo no *British Medical Journal* mostrou que a média de tempo de sobrevivência de idosos viúvos é muito mais curta do que a de homens da mesma idade cuja esposa ainda está viva.[11] Outro estudo demonstra que homens com doenças cardiovasculares que responderam "sim" à pergunta "Sua mulher demonstra amor por você?" apresentavam metade dos sintomas dos demais. E quanto maiores são os fatores de risco (colesterol, pressão alta, stress) que esses homens acumulam, mais o

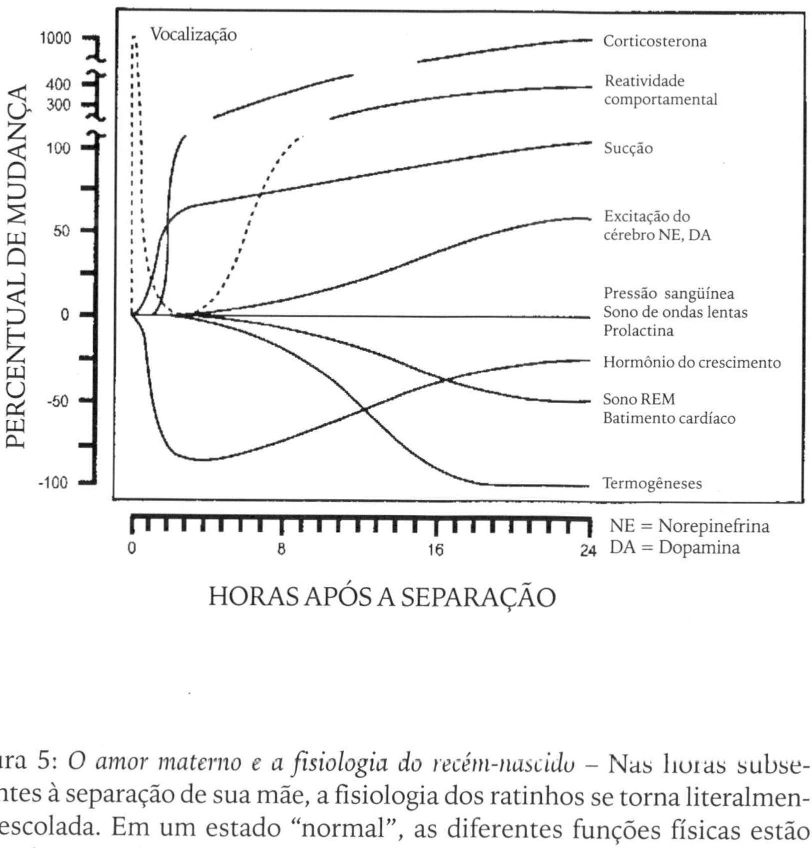

Figura 5: *O amor materno e a fisiologia do recém-nascido* – Nas horas subseqüentes à separação de sua mãe, a fisiologia dos ratinhos se torna literalmente descolada. Em um estado "normal", as diferentes funções físicas estão alinhadas umas às outras, dentro de alcances específicos. Depois da separação, tudo é rompido, como se a fisiologia impecável do recém-nascido tivesse se desassociado. (M. A. Hofer, "Early social relationships: a psychologist view", *Child Development*, vol. 58. Ilustração de Hofer.)

amor de suas esposas os protege.[12] O fenômeno inverso foi demonstrado quando 8500 homens saudáveis foram estudados durante cinco anos. Aqueles que no início da pesquisa se reconheceram na frase "Minha mulher não me ama" desenvolveram três vezes mais úlceras do que os demais. De acordo com essa pesquisa, é melhor ser fumante, sofrer de pressão alta ou estar submetido a stress contínuo do que não ser amado pela esposa.[13]

Os benefícios do suporte emocional são igualmente grandes entre as mulheres. Entre mil mulheres diagnosticadas com câncer na mama, aquelas que disseram que lhes faltava afeto morreram em número duas vezes maior no prazo de cinco anos.[14] Mesmo entre mulheres saudáveis, aquelas que freqüentemente se sentem "desprezadas" pelo marido têm mais resfriados e mais problemas de cistite e distúrbios intestinais do que aquelas cuja vida marital é harmoniosa.[15] Mulheres que vivem sob o mesmo teto ou que simplesmente dividem um escritório não raro têm ciclos menstruais sincronizados,[16] mas o fenômeno é ainda mais forte quando há um elo emocional real entre elas – quando são amigas mais do que simples colegas ou companheiras de quarto.

A lição de toda essa pesquisa é simples: a fisiologia dos mamíferos sociais não está separada do restante. O tempo todo, seu bom funcionamento depende de nossos relacionamentos com os outros, em especial com aqueles com quem estamos intimamente envolvidos emocionalmente. Em *A General Theory of Love* [Uma teoria geral do amor], um livro maravilhoso sobre o cérebro emocional e seu funcionamento, três psiquiatras da Universidade de San Francisco, Tom Lewis, M.D., Fari Amini, M.D., e Richard Lannon, M.D., denominaram esse fenômeno "regulagem límbica". Para eles, "um relacionamento é um processo fisiológico, tão real e tão forte quanto qualquer pílula ou procedimento cirúrgico".[17] Mas decerto se trata de uma idéia que ainda tem dificuldade em ser aceita – embora seja totalmente validada pela ciência –, talvez porque a união entre seres humanos não possa ser patenteada e, portanto, não contribua para a venda de remédios.

Os animais podem nos curar, também

No hospital em que trabalho, em Pittsburgh, com freqüência outros médicos me pedem conselhos antes de dar alta a um paciente idoso deprimido depois de uma cirurgia de ponte de safena ou de uma hospitalização por fratura na bacia. Geralmente sou a última pessoa a ser consultada. Antes disso, uma longa lista de remédios já foi receitada: antiarrítmicos, anti-hipertensivos, antiinflamatórios, antiácidos. A expectativa dos meus colegas era que eu mantivesse a norma e adicionasse meu próprio "anti" à lista – um antidepressivo ou um ansiolítico (medicação antiansiedade).

Entretanto, muitas vezes a causa da depressão era clara. O idoso vivia sozinho há anos e não saía mais por causa da saúde frágil. Não mais jogava bingo com os amigos. Não era mais visitado por seus filhos ou netos, que partiram para a Califórnia, para Boston ou para Nova York. Aqueles homens e mulheres matavam o tempo na frente da televisão. Eles, porventura, estariam a fim de olhar por si mesmos, honestamente? Mesmo que os antidepressivos pudessem lhes fazer bem, eles o tomariam todos os dias? Provavelmente não mais do que aquelas outras pílulas, já tão difíceis de distinguir uma da outra e de tomá-las como prescrito na receita.

Realmente eu não tinha nenhuma vontade de contribuir com essa confusão. Remédios não são "reguladores límbicos". Assim, reunindo toda a coragem possível, eu adicionava minha recomendação ao registro do paciente: "Quanto à sua depressão, a melhor coisa a fazer seria arrumar um cachorro (pequeno, obviamente, para minimizar o risco de queda). Se o paciente considera que isso dá trabalho demais, um gato serve, uma vez que não precisa ser levado para passear. E se um gato ainda parecer demais, um pássaro ou um peixe servirão. Finalmente, se o paciente ainda os recusar, recomendo uma planta".

No início dessa campanha, recebi chamadas ligeiramente irritadas dos estagiários de cirurgia ortopédica e cardiovascular: "Nós lhe pedimos que recomendasse um antidepressivo, não um zoológico. O que vamos escrever no receituário de alta? Não há bichinhos de estimação na farmácia".

Não importava a resposta que eu desse, minhas explicações pareciam convincentes apenas para mim. Meus colegas invariavelmente acabavam por receitar um antidepressivo eles mesmos, resmungando o quão inúteis são todos os psiquiatras. Eles estavam indubitavelmente convencidos de que assim defendiam a causa da medicina científica moderna contra o espectro sempre ameaçador e obscuro das "receitas caseiras do tempo da vovó".

Logo me dei conta de que minha abordagem não estava dando certo e que eu estava acabando com minha reputação como chefe da divisão psiquiátrica do hospital. Em vez de recuar, preparei um documento resumindo vários estudos científicos a respeito da questão. Daquele dia em diante, anexei o documento às minhas recomendações no registro dos pacientes.

Esperava informar meus colegas de alguns incríveis resultados com os quais não pareciam estar familiarizados, tais como um estudo do *American Journal of Cardiology* sobre homens e mulheres cujos infartos foram acompanhados de arritmias perigosas. Os pacientes foram pesquisados durante mais de um ano, e aqueles que tinham um animal de estimação em casa apresentaram somente um sexto da propensão a morrer durante o ano, comparados com todos os demais.[18] Ou ainda outro estudo, no qual idosos com animais de estimação em casa mostraram melhor resistência psicológica às dificuldades da vida e foram muito menos vezes ao médico.[19] Eu também chamei a atenção para um estudo feito por um grupo de Harvard segundo o qual cuidar de uma planta diminuía em 50% a taxa de mortalidade dos moradores de um conjunto residencial para idosos.[20] Citei pesquisas realizadas com aidéticos comprovando que donos de gatos ou cachorros estavam mais protegidos da depressão.[21] Finalmente, mencionei a menina-dos-olhos de meus colegas – o *Journal of the American Medical Association* –, que, em 1996, publicou um estudo sobre pessoas com deficiência física que eram virtualmente incapazes de se locomover sem ajuda, um caso muito parecido com o dos pacientes idosos que tinham me pedido para ver. Esse estudo mostrou que aquelas pessoas eram mais felizes e tinham maior auto-estima e uma rede muito maior de amigos e relações se desfrutavam a companhia de um cachorro.[22] De fato, outro estudo descobriu que a simples presença de um animal ao seu lado já faz você parecer "mais atraente" aos olhos dos outros.[23]

Mesmo corretores da Bolsa de Valores se sentem melhor se têm um animal de estimação em casa. Com uma das mais estressantes profissões imagináveis, eles são vítimas constantes dos altos e baixos do mercado, sobre o qual não têm nenhum controle mas onde têm de atingir suas metas de vendas. Não é de admirar que muitos sofram, desde cedo, de pressão alta. Karen Allen, Ph.D., da Universidade de Buffalo, realizou um estudo muito pouco convencional em um grupo de corretores em sua cidade. A medicação anti-hipertensiva diminuía a pressão deles abaixo da alarmante média inicial de 16/10. Todavia, em momentos de stress, eles ainda mostravam súbitos picos de pressão acima desse nível.

Para a metade de um grupo de corretores da Bolsa aleatoriamente selecionados, a dra. Allen deu um gato ou um cachorro (eles tiveram a oportunidade de escolher um ou outro). Seis meses mais tarde os resultados falaram por si mesmos: aqueles que receberam animais de estimação não estavam mais reagindo ao stress como antes. Não apenas sua pressão tinha se estabilizado, mesmo em períodos estressantes, como sua performance, quando tinham de realizar tarefas que levam ao stress, estava significativamente melhor. Cometiam menos erros, sugerindo que tinham mais controle sobre suas emoções e, portanto, sobre seu poder de concentração.[24] Em outro estudo, a dra. Allen pôde mostrar que mulheres idosas (acima dos setenta anos) que viviam sozinhas, mas com animais de estimação, tinham a mesma pressão que as de 25 com vida social ativa.[25]

Meu "anexo" comprovou-se eficaz. Depois disso ninguém mais fez nenhum comentário. Nunca mais ouvi os residentes darem risada pelas minhas costas quando eu deixava uma das minhas recomendações "zoológicas" em seus arquivos de pacientes. Por outro lado, ai de nós, não acho que um só paciente alguma vez tenha ido para casa com um gato ou *sem* a sua receita de Prozac. A idéia de que um relacionamento amoroso é, *em si*, um remédio fisiológico, comparável ao remédio, está respaldada em dados científicos sólidos – mas ainda não está enraizada no *establishment* médico.

Os animais de estimação de Sarajevo

Donos de um animal de estimação não precisam de que alguém comprove cientificamente o que eles vivenciam em suas vidas diárias, mesmo que essas circunstâncias sejam extremamente adversas.[26] Em 1993 Sarajevo estava sob bombardeio e constante ameaça de atiradores. Exceto por umas poucas rações "humanitárias", pouco havia para comer durante quase um ano. Todas as lojas tinham sido saqueadas. Nenhuma janela estava intacta. Os parques nas cidades foram transformados em cemitérios. Não era seguro se aventurar na rua por causa da possibilidade uma bala perdida ou algo parecido.

Entretanto, naquela cidade exaurida e agonizante, onde a única coisa que podia acontecer era um embate de armas, ainda se viam homens, mulheres e crianças levando seus cachorros para passear. "Você precisa sair com ele", disse um homem na rua, "e então a gente esquece a guerra por um momento. Quando dedica seu tempo a alguma outra coisa, você se esquece um pouco do que está acontecendo."

No único quarto não danificado que havia sobrado no apartamento em que viviam, um velho casal mantinha um cachorro e um gato que encontraram feridos na rua no início do cerco. Achavam que, passadas algumas semanas, quando os animais estivessem bem, eles os deixariam ir embora. Um ano depois, eles ainda estavam lá.

Nadja e Thomaslow dividiam a magra ração que conseguiam receber de tempos em tempos com os animais. O gato preferia o leite em pó da cesta básica francesa. "Ele é aristocrático", diziam rindo. Mas quando estava faminto, comia a ração americana, que era mais fácil de obter.

A cadela teve sete filhotes em frente de um prédio e cinco sobreviveram porque os moradores lhes davam as sobras quando podiam. "Nós cuidamos deles porque sentíamos que precisávamos de alguma coisa vivendo à nossa volta", disse Nadja. "Nós estamos alimentando os pássaros também, porque precisamos deles à nossa volta. Não somos maus. Isso nos faz lembrar da paz, sabe? Paz diária é o que costumávamos ter. Temos que acreditar que vamos sobreviver."

Isso era Sarajevo em 1993. No meio daquele pesadelo, em que quase nada sobrara, ainda havia amor, mesmo que por um cachorro. Ser capaz de dar algo, para se sentir humano, para se sentir útil para alguém, é um impulso mais forte do que a fome e o medo. Quando esses relacionamentos são perturbados, nossa fisiologia também é danificada. Nós a experimentamos como dor. O sofrimento é emocional, mas ainda é dor, e com freqüência é mais intensa, na verdade, do que o sofrimento físico.

Felizmente, essa valiosa chave para o nosso cérebro emocional não depende apenas do amor do parceiro. Na verdade, ela depende da qualidade de todas as nossas ligações emocionais – com os filhos, os pais, os irmãos e irmãs, os amigos e os animais. O que é importante é o sentimento de estar totalmente com outra pessoa. Ser capaz de mostrar que somos fracos e vulneráveis, mas igualmente fortes e radiantes. Ser capaz de rir, mas também de chorar. Sentir que nossas emoções são compreendidas. Saber que somos úteis e importantes para alguém. E receber um pouco de contato físico afetuoso. Em poucas palavras, ser amado.

Como todas as plantas que se viram para a luz solar, precisamos da luz do amor e da amizade. Sem ela, afundamos na ansiedade e na depressão. Em nossa sociedade, forças centrífugas estão constantemente trabalhando para nos separar uns dos outros. E quando não nos separam, freqüentemente nos levam a viver com violência verbal em vez de com amor. Para governar nossa fisiologia rumo ao melhor, temos de aprender a governar nossas relações com os outros da maneira mais eficiente possível. E isso só pode ser feito se nos dermos o trabalho de aprender os fundamentos do que talvez possa ser chamado de "comunicação emocional", só se decidirmos aprender como conseguir o máximo de nossas relações com as outras pessoas. Esse é o tópico dos próximos três capítulos.

12

Favorecendo a comunicação emocional

> Aqueles que encontram as palavras certas nunca ofendem ninguém. E, no entanto, eles falam a verdade. Suas palavras são claras, mas jamais ásperas. Eles não recebem ofensas e não as dão.
>
> O BUDA

Tive um amigo maravilhoso em Pittsburgh cuja situação familiar era quase uma parábola. Na família havia cerca de trinta primos e um dos assuntos favoritos durante as reuniões era a "terrível" tia Esther.

Aos 85 anos, ela continuava a inspirar terror – agora misturado com pena – em suas irmãs, seus filhos e mesmo em seus netos. Sempre fora perversa e difícil, mas era dona de uma inteligência vivaz e herdeira da imensa fortuna de seu marido e, graças a esses dois atributos, quase sempre conseguia impor seus pontos de vista. Ela continuamente telefonava para todo mundo para saber notícias da família ou para pedir ajuda; insistindo que alguém deveria levá-la de carro para cima e para baixo; queixando-se de que não a visitavam com freqüência. Ademais, quando lhe dava na veneta, convidava-se para jantar ou mesmo para passar um fim de semana na casa de algum deles. Era óbvio que tia Esther buscava afeição e gratidão, mas seu jeito agressivo afastava todas as pessoas de quem ela tentava se aproximar.

Os trinta primos se dividiam em três categorias distintas em sua relação com a tia. De longe, o grupo maior era composto por aqueles que nunca diziam "não" para a tia Esther diretamente; eles sempre achavam uma desculpa ou outra para evitá-la. Entretanto, quando não tinham saída, depois de toda a insistência e argumentação, acabavam por dizer "sim". Mas o faziam com arrependimento, apenas para evitar suas longas ameaças, suas intermináveis ligações telefônicas e suas recriminações. Por outro lado, nunca ligavam de volta, mesmo quando prometiam fazê-lo. Esqueciam seus compromissos com ela ou chegavam tarde. Por trás de suas costas, faziam piadas. Até tentavam tirar dinheiro dela com lisonjas e agrados, às vezes desonestamente. Pareciam pensar que a personalidade difícil de tia Esther, e tudo o mais que tinham de fazer contra a vontade, lhes dava o direito de tratá-la dessa maneira.

Esse tipo de comportamento é chamado "passivo" ou "passivo agressivo". Em sociedades tradicionais, constitui a reação humana mais comum diante de um indivíduo em posição de autoridade, de quem ninguém gosta. Estranhamente, é a mais comum em famílias e em empresas modernas.[1] É, com freqüência, o comportamento de pessoas que se vêem como "sensíveis", "que respeitam os outros", "que não querem fazer onda", ou que "preferem receber do que dar". Ele não funcionou melhor na família de George do que em sociedades ou empresas tradicionais. Por um lado, aqueles primos se sentiam "usados" pela tia e ficavam indignados. Pelo outro, tia Esther, que estava bem consciente da má vontade deles e suspeitava de sua desonestidade, desprezava-os. Possuidora de contatos com pessoas influentes na sociedade, eles não raro sentiam a fúria da tia manifestada em complicações em outros departamentos de suas vidas.

Alguns poucos primos faziam parte do segundo grupo. Uma noite, tia Esther acordou um dos primos à meia-noite. Larry, que não sentia medo dela, disse-lhe que já tinha se enchido de seu jeito antipático. Então, levado por anos de irritação acumulada, despejou algumas verdades.

Tia Esther ficou profundamente magoada, mas, como nunca deixava de dizer o que achava, respondeu-lhe com dois ou três comentários que o feriram igualmente. Larry nunca se arrependia de falar o que lhe vinha à cabeça, contudo sabia que daquele dia em diante a tia usaria o menor pretexto para se opor a ele. E, de fato, nos anos seguintes ela jamais perdeu a ocasião de fazê-lo sentir sua hostilidade, como fazia com os outros membros da família que agiam do mesmo jeito. Devido aos amigos influentes de tia Esther, o escritório de advocacia de Larry perdeu diversos clientes.

Tia Esther não mais atormentou Larry, e até fez de tudo para evitá-lo. Pelo menos ele não tinha de lidar com ela diretamente. E sentia satisfação por tê-la enfrentado, depois de todos aqueles anos engolindo sapos.

Larry e os primos que reagiram como ele demonstraram o que é chamado de "comportamento agressivo". Menos comum do que o primeiro tipo e tipicamente mais masculino, não é porém mais eficaz na solução de problemas e geralmente leva a danos irreparáveis no final (divorciar-se por exemplo ou ser mandado embora do emprego, entre outros efeitos colaterais desagradáveis). Além disso, esse tipo de comportamento já foi reconhecido por clínicos e cardiologistas como causa considerável de pressão alta e doenças cardiovasculares.[2]

Então, havia o meu amigo George, que fazia parte do terceiro grupo. George estava totalmente consciente dos defeitos da tia Esther. Ainda assim, não apenas a via com regularidade, como essas visitas não pareciam importuná-lo. Ele parecia ter afeição genuína por ela, o que era recíproco. De fato, tia Esther com freqüência lhe fazia favores, cuidando de seus filhos ou levando seu carro para o mecânico. Ela até lhe emprestara dinheiro para a construção de um novo cômodo em sua casa e lhe dera valiosos conselhos quanto à redecoração de seu consultório.

Eu conhecia George porque trabalhávamos no mesmo hospital. Sempre admirara sua habilidade em se relacionar com os colegas e os subordinados. Eu me maravilhava, também, com seu jeito de lidar com os momentos de tensão que surgiam no curso de nossa amizade de vários anos.

Levei muito tempo para compreender o que o tornava diferente dos seus outros primos, algo que inquestionavelmente o capacitava a manter um relacionamento de valor com alguém tão difícil quanto tia Esther: George era um mestre do terceiro tipo de comportamento, o tipo que não é nem passivo nem agressivo. Sozinho, ele descobriu os princípios da boa comunicação emocional – o que costuma ser chamado de "comunicação assertiva não violenta". Essa é a única forma que nos possibilita dar e receber aquilo de que precisamos enquanto permanecemos respeitosamente dentro de nossos limites e das necessidades dos outros.

Uma noite George me convidou à sua casa para jantar e tive a oportunidade de observá-lo em ação enquanto lidava com tia Esther. Ela ia acompanhá-lo em uma viagem que ele ia fazer pela universidade a uma cidade onde ela tinha muitos contatos. Naquela noite, ela telefonou para George pela terceira vez em dois dias. Queria adicionar várias outras pessoas à sua já repleta lista de compromissos.

George enfrentara um dia daqueles no hospital. Era tarde. Eu sabia que ele gostava de jantar em paz, especialmente quando tinha convidado um amigo. Imaginei como ele ia lidar com a situação. Primeiro respirou fundo, depois falou: "Esther, você sabe quanto esta viagem que vamos fazer juntos significa para mim e quão grato estou por tudo o que você já fez por mim". Era verdade; eu sabia que George não estava exagerando. Não sei o que Esther lhe disse, mas senti imediatamente que a tensão na outra ponta da linha tinha diminuído.

Então ele prosseguiu: "Mas quando você me liga três vezes para falar sobre uma coisa, a respeito da qual já conversamos uma hora e já chegamos a um consenso, eu me sinto frustrado. Preciso sentir que somos uma equipe e que você respeita minhas necessidades, assim como respeito as suas. Podemos concordar agora que não voltaremos atrás nas decisões que já tomamos?".

Em dois minutos a conversa tinha acabado e ele pôde se concentrar no jantar. Estava perfeitamente sereno, como se tivessem simplesmente conversado sobre o horário de vôo. Pensei em todos os pacientes ao longo dos anos que ligaram para o meu pager nas horas mais impróprias. Se ao menos eu tivesse sabido como falar com eles assim. Só muito mais tarde descobri a lógica e o mecanismo bem elaborado sob a força serena de meu amigo George.

O laboratório de amor de Seattle

Na Universidade de Washington em Seattle, em um lugar chamado "Laboratório do Amor", casais concordam em ser examinados sob o microscópio das emoções do psicólogo John Gottman, Ph.D. Enquanto um casal interage, câmeras de vídeo captam o mínimo esgar que surja em seus rostos, mesmo que dure apenas alguns décimos de segundo. Sensores registram variações no ritmo cardíaco e na pressão arterial. Desde que o dr. Gottman, o autor do livro *The Relationship Cure* [A cura do relacionamento], abriu seu Laboratório do Amor, mais de cem casais já concordaram em falar a respeito de seus temas de conflito crônico – a divisão de afazeres domésticos, decisões a respeito dos filhos, o gerenciamento das finanças familiares, o relacionamento com os sogros, divergências quanto ao fumo e à bebida, e assim por diante.

A primeira descoberta do dr. Gottman é que não há casais felizes – na verdade, não há relacionamentos emocionais duradouros – sem que haja conflitos crônicos. Muito pelo contrário: casais que não tenham assuntos crônicos de disputa deveriam se preocupar. A ausência de conflito é sinal de um distanciamento emocional muito grande, a ponto de impedir um relacionamento autêntico. A segunda – e surpreendente – descoberta é que o dr. Gottman pode analisar em cinco minutos apenas – cinco minutos! – uma discussão entre marido e mulher e prever, com mais de 90% de acerto, quem ficará casado e quem se divorciará dentro de poucos anos – mesmo se o casal ainda estiver na lua-de-mel.[3]

Nada afeta mais nosso cérebro emocional e nossa fisiologia do que nos sentirmos emocionalmente desligados daqueles a quem somos mais apegados – a esposa, os filhos, os pais. No Laboratório do Amor, uma palavra áspera, ou uma pequena contorção facial de desprezo ou nojo – quase imperceptível a um observador comum –, é suficiente para acelerar o batimento cardíaco da pessoa a quem o comentário é dirigido. Depois de um soco bem dado, combinado com um quê de desdém, o ritmo cardíaco imediatamente subirá a mais de 110.[4]*

Quando o cérebro emocional é atingido desse jeito, ele desliga a habilidade que o cérebro cognitivo tem de raciocinar. Como já vimos, o córtex pré-frontal é "desligado". Os homens, em particular, são muito sensíveis ao que o dr. Gottman chama de "inundação emocional". Uma vez despertada sua fisiologia, eles são "inundados" pelas emoções e agem apenas em termos de defesa e ataque – não mais procuram respostas capazes de acalmar a situação. Muitas mulheres também reagem do mesmo modo.

Esta troca – de um dos estudos do dr. Gottman – nos soa tremendamente familiar:

* Para os homens, o ritmo cardíaco normal é de cerca de setenta batimentos por minuto; para as mulheres, de aproximadamente oitenta.

Fred: Você pegou minha roupa na lavanderia?

Ingrid (com tom de gozação): "Você pegou minha roupa na lavanderia?" Pegue você sua maldita roupa na lavanderia. O que é que eu sou? Sua empregada?

Fred: De jeito nenhum. Se você fosse uma empregada, pelo menos saberia lavar roupa.[5]

Durante a troca, as fisiologias de Fred e Ingrid rapidamente se desorganizaram (imagino que a variabilidade de seus ritmos cardíacos também deva ter se tornado caótica, embora isso não fosse medido pelo Laboratório do Amor). Os efeitos no relacionamento são desastrosos.

Com argumentos inquestionáveis, Gottman define esse tipo de situação negativa como característica dos "quatro cavaleiros do Apocalipse", quatro atitudes com as quais as pessoas dão cabo de todos os relacionamentos que encontram pelo caminho. Essas atitudes carregadas ativam o cérebro emocional do outro a ponto de ele responder com maldade ou se retrair como um animal ferido. Se respondermos como os quatro cavaleiros, podemos ter certeza de que não vamos conseguir o que queremos do relacionamento, no entanto quase sempre invocamos esses guerreiros para a linha de frente de nossas batalhas emocionais.

1. Crítica. O primeiro cavaleiro é a *crítica*; desaprova-se o caráter de alguém em vez de simplesmente dizer o motivo da queixa. Eis um exemplo de crítica: "Você está atrasado de novo. Você só pensa em você". Uma queixa seria: "São nove horas. Você disse que estaria aqui às oito. É a segunda vez esta semana. Eu me sinto sozinha e fico chateada quando fico esperando por você assim".

Crítica: "Eu estou cheia de pegar suas roupas. Sua bagunça é de enlouquecer!". Queixa: "Quando você deixa suas coisas espalhadas na cozinha, isso me incomoda. De manhã, quando estou tomando café, preciso de tudo organizado à minha volta para me sentir bem. Você poderia tentar pegar tudo à noite antes de ir para a cama?".

O dr. Gottman dá uma receita infalível para transformar uma queixa legítima, com boas chances de ser ouvida, em uma crítica que certamente trará ressentimento, má vontade e um violento contra-ataque. Tudo o que você precisa fazer é acrescentar um desdenhoso "O que está acontecendo com você?".

O que surpreende nessas observações é que elas são óbvias. Todos nós sabemos exatamente como *não* gostamos de ser tratados. É duro, por outro lado, dizer exatamente como *gostaríamos* de ser tratados. Todavia, nossa gratidão transborda de imediato quando alguém se dirige a nós de um jeito emocionalmente inteligente.

Lembro-me de uma lição inesperada que recebi um dia pelo telefone. Eu estava na espera havia vinte minutos enquanto uma funcionária de uma companhia aérea verificava minha reserva. O vôo era para aquela tarde e eu estava impaciente e preocupado. Quando ela finalmente admitiu que não conseguiu encontrar minha reserva, explodi: "O quê? Mas isso é uma loucura! Para que você serve, se não é capaz de achar uma reserva?".

No momento em que proferi essas palavras, já me arrependi. Eu sabia muito bem que estava alienando a pessoa de quem eu mais precisava para resolver meu problema. Mas não sabia como sair daquela enrascada. Pensei que seria ridículo pedir desculpas. (E, na verdade, nunca é cedo ou tarde demais para pedir desculpas, mas eu ainda não tinha aprendido isso.) Para minha enorme surpresa, foi ela quem me salvou: "Quando o senhor levanta a voz, não consigo me concentrar em ajudá-lo".

Eu tive sorte; ela me dera a oportunidade perfeita para pedir desculpas sem ficar com a cara no chão. Fiz isso imediatamente. Alguns instantes mais tarde, estávamos novamente falando como dois adultos tentando resolver um problema. Quando lhe expliquei quão importante a viagem era para mim, ela até mudou meu assento para o corredor – quebrou a regra me dando uma cadeira em um vôo que estava teoricamente lotado.

O psiquiatra era eu, mas ela é quem já tinha se tornado mestra das emoções. Naquela noite, eu a imaginei a caminho de casa, indubitavelmente mais relaxada que eu. Essa experiência me levou a aprender sobre a não-violência na comunicação emocional. De fato, em meus anos de estudo, ninguém considerara importante ou útil me ensinar isso.

2. Desprezo. O segundo cavaleiro do dr. Gottman, o mais violento e perigoso para o nosso equilíbrio límbico, é o *desprezo*. O desprezo mostra seu rosto em insultos, claro. Do mais suave – algumas pessoas diriam "sorrateiro" –, como "Queridinha", ao mais convencional e violento, como "Coitado, você é mesmo burro", ou o comum "Você é um idiota", ou o simples, mas não menos mortífero, "Deixe de ser ridículo".

O sarcasmo também é capaz de magoar muito. Ouça a resposta de Fred a Ingrid: "Se você fosse uma empregada, pelo menos saberia lavar roupa". Pode até ser algo engraçado no cinema (e mesmo lá, depende), mas não tem graça nenhuma em um relacionamento real. Porém, quando tentamos dar uma de espertos – freqüentemente à custa dos outros –, o sarcasmo é precisamente a ferramenta a que recorremos, às vezes com requintes de prazer.

Conheço uma importante jornalista francesa de língua ferina que passou mais de quinze anos fazendo o que considera um curso muito bem-sucedido de psicanálise. Um dia, logo após o fim de sua análise, estávamos falando sobre jeitos de lidar com conflitos. Ela me disse: "Quando me sinto atacada, tento destruir meu adversário. E se o reduzo a estilhaços, fico feliz".

Expressões faciais com freqüência bastam para comunicar desprezo: olhos que se voltam para o teto em resposta ao que acabou de ser dito, os cantos da boca virados para baixo, com os olhos se fechando em reação à outra pessoa. Quando o depreciador que nos envia tais sinais é alguém com quem vivemos ou trabalhamos, eles vão direto para o coração. E isso praticamente impossibilita a solução pacífica da situação. Como podemos raciocinar ou falar com doçura quando a mensagem que recebemos é de que inspiramos desdém?

3. Contra-ataque e 4. Apedrejamento. O terceiro e o quarto cavaleiro são o *contra-ataque* e o *apedrejamento*. Quando so-

mos atacados, as duas respostas que o cérebro emocional nos oferece são luta ou fuga (são as famosas alternativas dadas pelo grande fisiologista norte-americano Walter B. Cannon, em uma descrição clássica, em 1929). Essas respostas foram gravadas em nossos genes durante milhões de anos de evolução, e são, realmente, as escolhas mais eficazes para os insetos e os lagartos.

Entretanto, em todos os conflitos, o problema do contra-ataque é que ele leva, por sua vez, a apenas dois resultados possíveis. Magoada pelo meu contra-ataque, a outra pessoa vai aumentar as apostas. Este cavaleiro está em grande atividade no Oriente Médio, mas também em todas as cozinhas do mundo onde os casais se enfrentam. A escalada geralmente prossegue até que haja uma separação física permanente entre as facções em guerra – a destruição do relacionamento pela rejeição, pelo divórcio... ou pelo assassinato.

Na melhor das hipóteses, o contra-ataque "é bem-sucedido" e a outra parte é derrotada por nossa verve. Ou a vitória é obtida – como os pais freqüentemente fazem com os filhos e os homens, às vezes, com as mulheres – com um tapa. A lei da selva falou e o réptil em nós está satisfeito, mas esse tipo de vitória inevitavelmente deixa o outro ferido e ofendido; a ferida só aumentará a distância emocional e tornará o convívio mais difícil. Um contra-ataque violento jamais inspira um adversário a pedir desculpas ou a tomar o agressor nos braços. Todavia, mesmo em relacionamentos lacerados, esse é, precisamente, o resultado pelo qual ansiamos.

A outra opção – o apedrejamento – é uma especialidade masculina que desagrada demais às mulheres. O apedrejamento em geral prenuncia a fase final de um relacionamento em desintegração, seja o casamento, seja uma sociedade.

Depois de semanas ou meses de críticas, de ataques e contra-ataques, um dos protagonistas escolherá a "fuga" e abandonará o campo de batalha, pelo menos emocionalmente. Enquanto uma das partes busca fazer contato e se oferece para conversar, a outra fica de cara amarrada, olha para os pés, ou se esconde por trás do jornal "à espera do ciclone". O antagonista, exasperado pela tática que supõe ignorá-lo completamente, fala cada vez mais alto e, por fim, começa a gritar.

O apedrejamento é o estágio do prato que voa ou – quando é a mulher que vira "um muro de pedra" – da mulher que apanha. A violência física é uma tentativa desesperada de se unir novamente ao outro que deixou a cena, para tentar fazê-lo ouvir o que se está vivenciando emocionalmente, para fazê-lo sentir a dor que se está experimentando. Obviamente, isso nunca funciona. Em *O corcunda de Notre-Dame,* Victor Hugo ilustra magnificamente essa busca violenta e vã do objeto de amor que ignora seu perseguidor. Para se sentir reconhecido por Esmeralda, que insistia em ignorá-lo e rejeitava seus avanços, Frollo acaba por torturá-la e enviá-la para a morte.

A retração emocional não é um modo eficaz de lidar com conflitos. Como o dr. Gottman já demonstrou em seu laboratório, e Victor Hugo descreveu antes dele, o apedrejamento com freqüência leva a um triste final.

Dizendo tudo, mas sem fazer mal nenhum

Graças ao Laboratório do Amor de Seattle, já compreendemos o que é que se passa na mente e no coração das pessoas em conflito e como freqüentemente elas batem a cabeça direto na parede. Naturalmente, temos todas as razões para acreditar que os mesmos reflexos e os mesmos erros também minam o curso de nossos conflitos fora do casamento.

Esses conflitos podem envolver nossos filhos, nossos pais, nossos sogros ou, com mais freqüência, nosso patrão e nossos colegas no trabalho. Mas quais são, então, os princípios da comunicação eficaz? A comunicação que consegue transmitir sem alienar aquele que a recebe? A comunicação que, ao contrário, incita o respeito e faz essa pessoa querer nos ajudar?

Um dos mestres da verdadeira comunicação emocional é o psicólogo Marshall Rosenberg, Ph.D., autor do livro *Nonviolent Communication* [Comunicação não violenta]. Nascido em um bairro pobre e violento de Detroit, ele era muito jovem quando se tornou apaixonadamente interessado pelos modos inteligentes de resolver conflitos sem violência. Ele já os ensinou e pôs em prática em muitas circunstâncias e em várias partes do mundo – do Oriente Médio à África do Sul[6] – onde o gerenciamento de conflitos é indispensável, o que inclui escolas em bairros difíceis e grandes empresas que estão passando por reorganização.

O primeiro princípio da comunicação não violenta é substituir o julgamento – ou seja, a crítica – por uma afirmação objetiva dos fatos. Dizer "Você está indo de mal a pior", ou mesmo "Este relatório não está nada, nada bom", imediatamente coloca o outro na defensiva. Ser objetivo e específico é muito melhor: "Neste relatório são necessárias três idéias para comunicar nossa mensagem e você é capaz de colocá-las aqui".

Quanto mais específicos e objetivos somos, maiores as chances de que a outra pessoa reaja às nossas palavras como uma tentativa legítima de comunicar e não de atacar. Rosenberg cita um estudo que examina o relacionamento entre a literatura de um país e a violência de seus cidadãos. De acordo com essa pesquisa, quanto mais as obras literárias do país contêm frases rotulando as pessoas como "boas" ou "más", mais regularmente são registrados atos de violência em seu sistema judiciário.[7]

O segundo princípio é evitar qualquer julgamento do outro enquanto estivermos nos concentrando inteiramente no que estamos sentindo. A suspensão do julgamento é a chave mestra da comunicação emocional. Se falo sobre o que sinto, ninguém pode discutir comigo. Se digo "Você nunca pensa em mim; é seu egoísmo costumeiro", a pessoa com quem estou falando só pode contestar minhas palavras. Se, por outro lado, eu disser "Hoje foi meu aniversário e você não se lembrou. Quando faz isso, me sinto sozinha", meus sentimentos não podem ser questionados pelo outro. Ele talvez pense que eu não deveria senti-los, mas isso não cabe a ele decidir; eles são aquilo que eu sou.

A questão é que devemos descrever a situação com frases começando com "Eu" em vez de "Você". Ao falar de mim, e só de mim, não critico nem ataco o outro. Estou expressando meus sentimentos e, portanto, sendo autêntico e aberto. Se eu for habilidoso e realmente honesto comigo mesmo, posso chegar até a expor minha vulnerabilidade ao mostrar como o outro me magoou. Posso ser vulnerável porque expus uma de minhas fraquezas, mas, na maior parte dos casos, é precisamente essa honestidade que desarma o adversário. Minha franqueza fará a outra pessoa querer cooperar – desde que, claro, ela esteja envolvida no relacionamento.

Essa técnica é exatamente a que George empregou com tia Esther ("... quando você me liga... eu me sinto frustrado") e que a moça da companhia aérea utilizou comigo ("Quando o senhor levanta a voz, não consigo me concentrar em ajudá-lo"). Eles falaram apenas sobre duas coisas: o que tinha acabado de acontecer – objetivamente, e portanto algo além do julgamento – e os sentimentos que vivenciaram em resposta. Nem uma palavra sequer foi dita sobre o que eles acharam de seu "oponente" porque isso teria sido inútil.

De acordo com o dr. Rosenberg, ainda mais eficaz é não apenas dizer o que sentimos, mas também expressar nosso desapontamento pessoal. "Quando você chega tarde para irmos ao cinema, eu me sinto frustrada porque realmente gosto de ver o início do filme. É importante para mim ver todo o espetáculo para poder me divertir". Ou "Quando você espera uma semana inteira para me ligar e me dizer que está bem, fico com medo de que alguma coisa ruim possa ter acontecido a você. Preciso me certificar mais vezes de que tudo está bem". Ou no trabalho: "Quando você deixa um documento circular com erros de ortografia, eu me sinto constrangido. Minha imagem e a imagem de toda a equipe é afetada. Nossa reputação é muito importante para mim, especialmente porque demos um duro danado para ganhar o respeito das pessoas".

Ensino essa abordagem em comunicação a jovens médicos que estão precisando aprender um método para lidar com pacientes difíceis. Eu na verdade dou-lhes o procedimento "passo a passo", e eles geralmente o anotam em um cartão que mantém no bolso, caso tenham de se preparar para um encontro difícil.

O dr. Rosenberg fala sobre um participante em seu workshop que lhe contou a seguinte história: "Um homem tinha começado a fazer uso de um cartão (como o que meus alunos usam) com seus filhos. No início, é claro, era um tanto constrangedor, às vezes até ridículo. Seus filhos imediatamente notaram quão artificial era sua abordagem, mas ele não deixou a peteca cair e disse: 'Quando vocês me dizem que sou ridículo, exatamente quando estou tentando melhorar nosso relacionamento e ser um pai melhor, vocês me fazem ficar triste. Preciso sentir que também é importante para vocês que eu mude o jeito com que estamos falando uns com os outros'".

A nova abordagem funcionou; as crianças começaram a escutá-lo e o relacionamento estava melhorando. Ele seguiu nessa toada durante semanas – o tempo suficiente para dispensar o cartão. Então, um dia, enquanto discutia com os filhos a respeito da TV, perdeu a cabeça e esqueceu sua resolução sobre a não-violência. Seu filho de quatro anos gritou: "Papai, vá pegar o seu cartão!".

O cartão de seis sugestões para lidar com conflitos

O cartão que uso e dou aos jovens médicos traz o seguinte acróstico: FTACEN. Essas iniciais resumem os seis pontos-chave de uma abordagem não violenta e eficaz e podem lhe oferecer a melhor oportunidade de conseguir o que você quer em casa, no trabalho, com a polícia, e até com o seu mecânico. Elas representam:

• F de FONTE: certifique-se, para começo de conversa, de que está lidando com a pessoa que é a fonte do problema e que tem os meios de resolvê-lo. Isso pode parecer terrivelmente óbvio, mas em geral não é a nossa primeira reação.

Imagine que, na frente de toda a equipe, um colega me diga alguma coisa desagradável sobre o meu trabalho (ou meu parceiro, em frente de meus amigos, sobre meu salmão). Será totalmente inútil me queixar disso mais tarde para outros colegas ou para minha mãe ao telefone; no entanto, é precisamente isso que terei a tentação de fazer. Se o fizer, na melhor das hipóteses, meu depreciador jamais saberá o que penso. Na pior, outros repetirão o que eu disse com as distorções e exageros comuns e vou ficar parecendo um covarde choramingas.

Para ganhar o respeito e mudar o comportamento de meu colega ou sócio, devo falar diretamente com ele. E sou a única pessoa que pode fazê-lo. Naturalmente, encará-lo é muito mais difícil e não tenho nenhum desejo de fazê-lo, mas é a única abordagem que tem alguma chance de melhorar o relacionamento. Tenho de ir à fonte do problema.

• T de TEMPO e LUGAR: certifique-se de que a discussão ocorra em hora e lugar adequados. Confrontar seu agressor em público ou em um corredor não é uma boa idéia, mesmo que sua queixa seja não violenta. Tampouco é sábio começar a conversa imediatamente, quando a ferida ainda está aberta ou a outra parte está estressada. O melhor é escolher um lugar onde possam falar em paz e com a certeza de que a pessoa está totalmente disponível.

• A de ABORDAGEM AMIGÁVEL: se você quer que a outra parte escute o que você tem a dizer, primeiro tem de ter certeza de que a pessoa está escutando. Nada redundará mais em fracasso do que adotar um tom ameaçador ou autoritário logo de cara. Como o dr. Gottman demonstrou no Laboratório do Amor, se um dos protagonistas se sente atacado, tenderá a ficar "inundado" por suas emoções, mesmo antes de a conversa começar. Depois disso, nada mais vai ajudar.

Certifique-se, portanto, de que o outro se sente à vontade durante suas primeiras palavras. Faça seu antagonista ouvi-lo, não se fechar. Você sabe qual é a palavra mais atraente que você pode ouvir? É o seu próprio nome. Os psicólogos chamam-no de "o fenômeno do coquetel". Imagine que você está em um coquetel, rodeado por uma multidão que conversa. Você está, não obstante, totalmente absorvido pela conversa que mantém com outra pessoa. Não escuta nada dos diálogos que estão ocorrendo à sua volta, uma vez que eles são filtrados e eliminados pela sua atenção focada.

Mas, de repente, em outro grupo, alguém diz o seu nome. Imediatamente você o ouve e vira a cabeça. Seu nome – esta palavra, mais do que qualquer outra – tem o poder de atrair a sua atenção, exatamente como o seu nome salta aos olhos em uma página de texto denso.

Somos mais receptivos ao nosso nome do que a qualquer outro. Assim, o que quer que você tenha a intenção de dizer a seu depreciador, comece por se dirigir a ele pelo nome. Depois diga algo positivo, mesmo que seja uma frase de efeito, mas que seja verdade. Essa perspectiva positiva pode ser, às vezes, difícil de encontrar, porém é muito importante. Por exemplo, se tenciona se queixar porque seu patrão o criticou em público, você poderia dizer: "David, aprecio todas as chances que tenho de ouvir seu feedback. Isso me ajuda a melhorar o meu trabalho". Lembre-se de como George começou sua conversa com tia Esther: "Esther, você sabe quanto esta viagem que vamos fazer juntos significa para mim e quão grato estou por tudo o que você já fez por mim". Começar com uma nota positiva nem sempre é fácil. As primeiras palavras talvez até fiquem um pouco presas em sua garganta. Ainda assim, o esforço vale a pena. A porta da comunicação agora está aberta.

• C de COMPORTAMENTO OBJETIVO: a seguir, você deve ir direto à questão. Explique o comportamento que motiva sua queixa, mas limite sua descrição ao que aconteceu e nada mais, sem a mais ligeira alusão a um julgamento moral. Você deve dizer, por exemplo, "Quando você fez isso ou aquilo...", apenas isso. Não diga, por exemplo, "Quando você agiu feito um depravado" mas sim "Quando você se referiu às minhas calcinhas em público...".

• E de EMOÇÃO: após a descrição dos fatos, deve surgir a emoção que você sentiu como resultado deles. Evite então a armadilha de falar sobre sua raiva, que é com freqüência a emoção mais óbvia. Por exemplo, não diga "Quando gritou na frente de todo mundo que meu vestido era ridículo (comportamento objetivo), você me deixou com raiva".

A raiva já é uma emoção dirigida ao outro, não uma expressão de mágoa interna, e tem tudo para colocar a pessoa na defensiva. Certamente é muito mais forte e eficaz falar sobre você: "Eu fiquei magoada" ou "A experiência foi humilhante para mim".

• N de NECESSIDADE: você pode parar depois de já ter expressado sua verdadeira emoção, mas é muito mais eficaz mencionar a decepção de suas esperanças, ou a necessidade que sente não ter sido reconhecida: "Preciso me sentir seguro no trabalho, saber que não serei humilhado ou ferido por observações cáusticas, especialmente de alguém tão importante quanto você". Ou, se seu marido a ignorou desdenhosamente durante um jantar, "Preciso me sentir em contato com você, sentir que sou importante para você, mesmo quando estamos rodeados de amigos".

Sei muito bem que há algo ligeiramente artificial nesses procedimentos, sobretudo quando há tão poucas pessoas à nossa volta que podem nos servir de modelo. Você talvez pense: "Seria legal se eu tivesse a coragem de falar assim. Mas é impossível. Não com o *meu* patrão", ou "Não com o *meu* marido", ou "Não com os *meus* filhos", ou "Não com a *minha* sogra".

O problema é simples. Você só tem três maneiras de reagir a um conflito: passivamente (como passivo-agressivo), a reação mais comum e menos satisfatória; agressivamente, que não é muito mais eficaz e sem dúvida mais perigosa; ou com "assertividade não agressiva" – em outras palavras, utilizando a comunicação emocional não violenta.

Não obstante, há circunstâncias em que é melhor ser passivo ou agressivo do que submeter-se a um processo mais exigente de comunicação assertiva. Um caso pode ser trivial a ponto de não merecer nosso tempo ou atenção. É então perfeitamente legítimo ser "passivo" e aceitar um insulto ou ser manipulado sem reagir. Escolho essa opção, por exemplo, quando alguém buzina no trânsito ou quando o vendedor na loja é rude. Por outro lado, em emergências ou em momentos de perigo é normal ser "agressivo" e dar ordens sem mais explicações. É assim que o exército faz, precisamente porque o objetivo é agir em meio ao perigo imediato. Pais fazem isso, também, quando gritam com um filho que está atravessando a rua sem prestar atenção no trânsito.

Mas não importa a situação, há somente três maneiras de reagir. A cada instante, cabe a nós escolher: vamos aceitar a briga, fugir ou ficar com o desafio da comunicação emocional efetiva? Nada gera mais stress, ansiedade e depressão do que relacionamentos mal gerenciados e mal sucedidos com aqueles que são importantes para nós. E está totalmente em nossas mãos mudar isso. O processo FTACEN é o primeiro passo solidamente dado nessa direção.

Felizmente, nem todos os relacionamentos envolvem conflitos. Há um aspecto da comunicação que com freqüência é também negligenciado é quase tão importante: saber como tirar o máximo partido de todas as oportunidades para aprofundar nosso relacionamento com os outros. Um dos modos mais simples é aprender a estar totalmente presente quando alguém está sofrendo e precisa de nossa ajuda. Aí, mais uma vez, o que vale é achar as palavras certas para que a corrente da emoção possa passar de um cérebro ao outro, eficaz e imediatamente. Essa troca exige outra técnica, que é, na verdade, mais fácil de usar, decerto porque apresenta menos riscos para nós.

13

Escutando com o coração

No primeiro ano em que me pediram para dar aulas de "como escutar os pacientes" aos médicos em meu hospital, lembro-me de ter pensado que não tinha muito a lhes oferecer. Sabia qual era o problema mais comum que enfrentavam: o paciente que ia vê-los por causa de uma "dor de cabeça" e começava a chorar no consultório. Sabia que esses jovens médicos podiam se sentir muito mal quando uma mãe de cinco filhos, inesperadamente, anunciava, lavada em lágrimas, que seu marido a tinha deixado. Naquele momento, a preocupação do médico estava centrada em quanto tempo isso ia levar e como iria afetar a sala de espera lotada. Eles diziam para si mesmos: "Lá se vai a minha agenda da tarde!".

Para mim, como psiquiatra, era exatamente o oposto. Quando um paciente começava a chorar, sabia que estava no rumo certo. Por ele estar tomado de emoção, sabia que estávamos chegando à verdade – tudo o que tínhamos a fazer era seguir a trilha que o paciente acabara de abrir.

Mas, de novo, como psiquiatra, eu estava em uma situação inteiramente diferente da de meus colegas. As consultas deles duravam de dez a quinze minutos; as minhas não terminavam antes de trinta minutos e, geralmente, duravam uma hora ou mais. Os métodos de comunicação que eu tinha aprendido – escuta atenta e passiva, pontuada de "Hmm... hmm..." ou "Fale-me mais a respeito de sua mãe" – extraíam considerações profusas. Isso era bom para mim, mas era incompatível com a agenda apertada de um cirurgião, de um cardiologista ou de um clínico geral ocupado.

Escalaram-me para dar o curso "Gerenciando pacientes difíceis" como parte de minha carga acadêmica. Tinha de descobrir alguma coisa mais útil para ensinar a meus colegas do que o "Hmm... hmm...", ou um inclinar de cabeça. Também queria que fosse algo mais humano do que mandar rapidinho os pacientes para casa com uma receita de Prozac no bolso. E não poderia durar mais do que dez minutos.

Nunca se aprende tanto sobre um assunto como quando se tem de ensiná-lo a alguém. Enquanto pesquisava, descobri o trabalho de Marian R. Stuart, Ph.D., e Joseph A. Lieberman, III, M.D., M.P.H., psicólogo e clínico geral que lecionava na Universidade de Medicina e Odontologia da Escola de Medicina Robert Wood Johnson em Nova Jersey. Eles filmaram dezenas de consultas com médicos que eram muito apreciados por seus pacientes, assim como outras com médicos que eram muito menos valorizados. Com base nesses filmes, destilaram a essência do que ajudava a transformar um elo humano forte numa técnica fácil de aprender.[1]

Como muitos outros, ensinei esse método durante anos. Minha maior surpresa foi descobrir que ele era bom para todo mundo – para a minha família, para os meus amigos e até para os meus colegas, quando eles estavam passando por uma fase ruim. Aquelas pessoas não estavam me consultando como psiquiatra. Eu não estava necessariamente disponível – nem sempre tinha o desejo de – para passar uma hora relembrando os detalhes minuciosos de sua história. Com eles, eu também tinha de descobrir o jeito mais humano e eficaz de "fazer contato" e de ajudá-los a se sentir melhor... em dez minutos. O método da dra. Stuart e do dr. Lieberman pode melhorar nossa capacidade de nos relacionar uns com os outros – e, assim, de nos sentirmos melhor em relação a nós mesmos – sem que precisemos ser psiquiatras. Podemos usá-lo para nos aproximar das pessoas que são importantes para nós – o cônjuge, os pais, os filhos. Ao fazê-lo, fortalecemos nossos relacionamentos. Uma vez que os relacionamentos têm o poder de controlar o cérebro emocional, isso se traduz diretamente em proteção contra a ansiedade e a depressão – ou, em outras palavras, em bem-estar.

HAPeLE para o coração

A técnica consiste em cinco passos que você pode seguir em uma sucessão relativamente rápida. Um recurso mnemônico para ajudá-lo a lembrar-se dela é pensar que o que importa é que se HAPeLE para o coração do outro.*

H de HISTÓRICO: ara se ligar a alguém que esteja sofrendo, você deve, obviamente, descobrir primeiro o que aconteceu, o que acarretou tamanha dor. Isso será descrito na resposta à sua pergunta "*O que lhe aconteceu?*".

* Esta técnica – **BATHE** em inglês (**B**ackground, **A**ffect, **T**rouble, **H**andling & **E**mpathy) – é tirada de M.R. Stuart, e J. A. Lieberman III, *The Fifteen Minute Hour: Practical Therapeutic Interventions in Primary Care*, 3ª ed., Filadélfia: Saunders, 2002.

O que a dra. Stuart e o dr. Lieberman descobriram é que não é preciso entrar em detalhes; de fato, deve-se fazer exatamente o oposto. O importante é pegar o espírito do que aconteceu ao escutar com o mínimo de interrupções possível durante dois minutos, mas não muito mais. Se dois minutos não lhe parecem muito, você se surpreenderá ao saber que, em média, um médico interrompe seu paciente depois de apenas dezoito segundos.[2]

Ainda assim, conceder "apenas" dois minutos também tem um propósito. Se você deixar que a pessoa fale durante muito tempo, ela poderá se perder em detalhes e você corre o risco de nunca chegar ao xis da questão.

Essenciais, afinal de contas, não são os fatos – mas os sentimentos. Assim, você tem de ir logo para o segundo passo, que é muito mais importante.

A de AFETAR: a questão que você deve levantar rapidamente é: *"E como isso faz você se sentir?"*. Pode parecer artificial ou constrangedoramente óbvio, mas você vai se espantar com o que aprenderá. Ensinei esse método a clínicos gerais em Kosovo, depois dos horrores da guerra de 1999. Um dia, um de meus "estagiários" estava atendendo a uma mulher que se queixava de constantes dores de cabeça, nas costas e nas mãos, assim como de falta de sono e perda de peso. O pobre coitado correu os olhos pela longa lista de todos os diagnósticos possíveis que podem ser achados em uma enciclopédia médica, de sífilis a esclerose múltipla. Soprei em seu ouvido para que ele simplesmente lhe perguntasse "O que aconteceu com você?".

Em poucos segundos ela explicou que não tinha notícias do marido, raptado pela milícia sérvia meses antes. Ela achava que ele estava morto. Provavelmente não tinha mais ninguém a quem contar isso, uma vez que histórias assim se tornaram triviais. Podemos muito bem imaginar o que ela devia estar sentindo. O médico estagiário hesitou em dar o próximo passo. Parecia óbvio demais. Perguntar sobre os sentimentos daquela mulher parecia quase um insulto. Apesar disso, dei-lhe a maior força: "E como você se sente a respeito disso agora?".

Naquele momento, a mulher finalmente soltou as lágrimas: "Estou aterrorizada, doutor, aterrorizada". Ele pegou em seu braço e deixou que ela chorasse um pouco. Ela tinha muito a chorar. Então o jovem prosseguiu para o passo mais importante de todos.

P de PROBLEMA: a melhor maneira de evitar se afogar na emoção é mergulhar fundo, até o fundo, até o pior lugar, até a raiz do sofrimento. É o único lugar do qual podemos dar aquele impulso que nos trará de volta à superfície.

Novamente, a questão parece até "indecente", considerando o sofrimento que tal experiência implica. Porém, é a mais eficaz de todas as perguntas: *"E o que a incomoda mais agora?"*.

"Não saber o que dizer às crianças", respondeu a mulher sem hesitar. "Eu sabia há muito tempo que isso podia acontecer. Meu marido e eu falávamos disso freqüentemente. Mas as crianças... o que posso fazer pelas crianças?" Ela foi tomada de soluços ainda mais fortes. Sua resposta não era exatamente a que eu esperava, quando ela falou de seu terror depois de ter perdido o marido. Mas era óbvio que todas as suas emoções estavam centradas nos filhos. Se não tivéssemos perguntado, jamais teríamos adivinhado.

Essa pergunta é mágica porque ajuda a concentrar a mente da pessoa que está sofrendo. Ela pode começar a pôr as idéias em ordem ao redor daquilo que dói mais. Senão, deixada por si só, sua mente – nossa mente – teria uma tendência à fragmentar-se e a se sentir esmagada.

Já senti o poderoso efeito dessa interação eu mesmo. Estava vivendo um período difícil após o fim de um relacionamento muito importante em minha vida. Passava todas as noites sozinho, tomado de uma tristeza profunda em todo o meu corpo. Mas não chorei, eu nunca chorava. Como muitos homens aprenderam a fazer, eu rangia os dentes e seguia em frente. A vida não tinha acabado porque meu coração estava partido; sempre havia muito que fazer.

Uma noite, uma amiga telefonou para saber como eu estava. Eu não gostava de ficar me estendendo sobre um assunto porque, isso não resolve nada. Mas essa amiga era professora de pediatria e estava familiarizada com a importância do "HAPeLE" ao coração de alguém que estivesse sofrendo. Quando ela perguntou o que mais me preocupava, de repente vi a imagem do meu filho ante meus olhos – meu filho, que tinha vindo me ajudar na mudança para o meu novo apartamento. Eu o vi em casa, triste e vulnerável, provavelmente rangendo os dentes também. E eu não estava lá para ajudá-lo.

Naquele momento, me dissolvi em lágrimas, literalmente. Toda aquela tristeza não expressa tinha, de repente, sido canalizada para onde deveria ter sido, desde o início: para as lágrimas e os soluços que tomaram conta de mim. A represa tinha estourado. Depois de alguns minutos, já me sentia bem melhor. Nada foi resolvido, mas eu tomei conhecimento do que estava causando minha dor; o desenvolvimento de meu filho – o seu futuro estava diante de mim.

L de LIDAR: depois de ter dado voz às emoções, você deve capitalizar a energia que está concentrada na principal fonte do problema no momento e se perguntar: *"E o que pode ajudá-lo a lidar melhor com isto?"*. Essa pergunta volve a atenção do ouvinte na direção dos recursos à sua volta para algo que possa, de fato, ajudá-lo a lidar com o problema, a assumi-lo.

Mesmo quando vemos as pessoas que amamos em seus momentos de maior fraqueza, não devemos subestimar sua capacidade de lidar com as situações mais difíceis. O que as pessoas precisam mais é de ajuda para voltar a se pôr em pé, a acessar seus próprios recursos. Em geral não precisam que nós resolvamos os problemas para elas.

Todos temos dificuldade de compreender e admitir que os homens e as mulheres à nossa volta são mais fortes e mais resistentes do que costumamos crer. Que *nós mesmos* somos mais fortes e mais resistentes do que pensamos. O que tinha para ensinar aos meus médicos estagiários – com alguma dificuldade – é que todos nós precisamos aprender alguma coisa em nossos relacionamentos emocionais também. Em vez de nos dizermos "Não fique aí parado! Faça alguma coisa!" quando alguém expressa seus sentimentos e sua dor, melhor seria que pensássemos "Não faça nada! Apenas fique aí!", porque em geral esse é o papel mais útil que podemos desempenhar. Nosso papel consiste em simplesmente estar lá, estar presente, e não oferecer uma panóplia de soluções e desajeitadamente assumir para nós os problemas dos outros.

A albanesa de Kosovo se pôs a pensar por um momento. "Minha irmã e minhas vizinhas estão todas mais ou menos na mesma situação", disse ela, "e nós estamos juntas o tempo todo. Elas são maravilhosas com as crianças." Aquela circunstância em comum não ia resolver nada, obviamente; mas ela viu, com um pouco mais de clareza, para onde podia se voltar para atender a suas necessidades mais imediatas. E o simples fato de se dar conta de que aquele recurso estava lá, à mão, significava que ela se sentia menos perdida. Em meu caso, o que me ajudou foi perceber que eu podia começar um novo relacionamento com meu filho se assumisse as rédeas da minha vida. Eu sabia, também, que tinha um amigo com quem podia contar, mesmo que ele morasse longe. Então comecei por ligar para ele várias vezes por semana, especialmente à noite, quando, de fato, a solidão batia mais forte.

E de EMPATIA: médicos que aprendem este método são capazes de se sintonizar com – e ajudar – seus pacientes rapidamente. Parte dessa ajuda consiste em deixá-los partir cheios de confiança em alguém que realmente se preocupa com eles e, portanto, com a sensação de que têm um aliado em sua luta. Claro, esse é igualmente seu objetivo quando tenta ajudar um amigo ou uma pessoa querida.

Para terminar essa troca quase sempre breve, é útil expressar sinceramente os sentimentos que você vivenciou conforme escutava a outra pessoa. A dor é como uma mó que carregamos em volta do pescoço. Ao dizer o que você sente enquanto ouve o paciente, faz com que ele saiba que você o está aliviando de seu fardo, pelo menos durante alguns minutos. No final, ele irá partir sozinho, novamente com seu fardo pesado, mas, por causa daqueles poucos minutos em que o carregamos com ele, se sentirá um pouco menos solitário em sua jornada e um pouco menos desanimado.

Geralmente, umas poucas palavras simples bastam: "Isso deve ser difícil para você", ou "Eu também me senti triste, enquanto o escutava. Eu sinto muito que isso tenha lhe acontecido".[3]

As crianças que correm para a mãe quando se machucam sabem como essas palavras são importantes, muito mais do que os adultos. Obviamente, sua mãe não pode fazer nada para sua dor sumir. Ela não é médica nem enfermeira. Mas não é só a dor que precisa ser aliviada, é a solidão, mais do que qualquer outra coisa. Adultos também precisam se sentir menos solitários quando sofrem.*

Nossa paciente em Kosovo não se curou depois de quinze minutos no consultório médico, mas se sentiu mais forte e muito menos solitária. Quanto ao seu médico, sentiu-se mais eficaz do que se simplesmente tivesse exigido uma bateria de testes e receitado uma batelada de remédios inúteis. Ele, como todos os kosovares que conheci lá – quer albanianos, quer sérvios –, tinha sofrido muito e suas emoções estavam quase tão em frangalhos quanto aquelas da mulher que deixava seu consultório. Contudo, enquanto o observava, tive a impressão de que ele estava se sentindo melhor também. Parecia mais relaxado, mais seguro de si. Era como se aquela breve troca tivesse ajudado os dois a crescer; como se tivesse dado de volta a ambos um pouco de dignidade. Ao se relacionar com ela, ao lhe

* Gostaria de agradecer a Rachel Naomi, M.D., por chamar a atenção para esta distinção entre dor e solidão em seu maravilhoso livro, *Kitchen Table Wisdom* (Riverside Books, 1997).

mostrar um pouco de sua humanidade, ele cuidara de si mesmo. É assim que nosso cérebro emocional se desenvolve, em trocas bem-sucedidas como esta, mesmo que elas não nos "curem" instantaneamente. O cérebro emocional ganha confiança em nossa habilidade de nos relacionar com outros e de sermos "regulados" por ela, como deve ser. E essa confiança nos protege da ansiedade e da depressão.

Angela fala com sua mãe

Psiquiatras e psicanalistas geralmente não se dão conta das técnicas de comunicação que vimos discutindo. Eles acham que se trata apenas de "bom senso", nada que valha a pena ser pesquisado ou ensinado.

É verdade, elas deveriam ser decorrentes do bom senso, mas como estudos feitos com médicos praticantes demonstram, e ao contrário da opinião de Descartes a respeito do assunto, o bom senso não costuma ser muito bom; amiúde, ele não é um atributo tão bem distribuído assim. Se os pais sempre falassem a seus filhos desta maneira; se casais soubessem como trocar críticas construtivas e escutar um ao outro; se patrões soubessem como respeitar seus funcionários; se o bom senso fosse, de fato, bom, não precisaríamos ensiná-lo. Descobri que em psicoterapia é importante complementar o tratamento com instruções muito detalhadas aos pacientes. Todos precisamos de orientação sobre como calibrar nossos relacionamentos emocionais com aquelas pessoas que são importantes para nós. Tenho dificuldade em compreender por que não ensinamos isso mais sistematicamente.

Longe de Kosovo, em uma confortável cidade norte-americana, uma de minhas pacientes teve de aprender os fundamentos da comunicação emocional eficaz muito depressa para lidar com aquele relacionamento que em geral é o mais difícil de todos – o relacionamento com a mãe.

Angela tinha 55 anos. À primeira vista, parecia ter tudo: um marido de trinta anos que a adorava; dois filhos lindos que eram brilhantes e, carinhosos; uma casa bonita no melhor bairro da cidade. Ela viera da Itália para os Estados Unidos aos catorze anos e até se dera muito bem financeiramente ao abrir e depois vender uma agência de empregos temporários.

Angela jogava tênis uma ou duas vezes por semana em um clube de campo e ainda apreciava quando um homem olhava suas belas formas. Mas, sob aquela superfície, seu eu interior estava um caos. Vítima de ataques de ansiedade, acordava várias vezes no meio da noite em quase-pânico. Durante o dia, às vezes se escondia e chorava. Ela se sentia a ponto de sufocar.

Seu médico finalmente lhe receitou um ansiolítico e um antidepressivo. Angela nunca tinha tomado remédios na vida. A idéia de ter de tomar remédios psiquiátricos era inconcebível para ela. Queria experimentar alguma coisa diferente.

Quando veio me ver, eu tinha confiança de que, com sua inteligência e força de vontade, poderíamos controlar os sintomas. Sessões de biofeedback ajudaram-na a dominar a coerência cardíaca. Várias sessões de EMDR capacitaram-na a eliminar uma grande dose da bagagem emocional que vinha carregando desde sua infância difícil – nos dois continentes. Ela deu vários passos para melhorar seus hábitos alimentares. E, realmente, em poucas semanas já tinha feito progresso substancial. No entanto, Angela continuava a ter ataques de ansiedade de vez em quando, sobretudo à noite. Ela não conseguira se livrar de todo da sensação de sufocamento que ainda a perseguia ocasionalmente, quando ela acordava de manhã.

Quando revimos o problema, dei-me conta de que ela não tinha contado toda a verdade sobre a violência de seu relacionamento emocional com sua mãe, Marcella. Após a morte de seu terceiro marido, a velha senhora tinha deixado Nápoles e viera viver com Angela nos Estados Unidos.

Por mais que queiramos encontrar uma saída fácil para gerenciá-los, não podemos agir como se relacionamentos emocionais extremamente dolorosos não existissem. Não podemos eliminá-los com Prozac ou com os tratamentos naturais mais eficazes. Angela não tinha escolha. Ela tinha de enfrentar a situação.

Desde que chegara aos Estados Unidos, Marcella tinha se recusado a aprender inglês ou tirar a carteira de motorista. Era óbvio que estava totalmente entediada. Interferir na vida da filha parecia ser seu passatempo favorito. Com notável inteligência, sabia exatamente como fazer Angela se sentir culpada enquanto dizia, o tempo todo, que não estava pedindo nada para si. E, o que quer que Angela fizesse – ou seja, quase tudo o que Marcella pedisse –, nunca era o bastante ou nunca era o de que ela precisava.

Uma vez que estava fora de questão enviá-la de volta para a Itália ou colocá-la em uma instituição para aposentados, onde ela não poderia falar com ninguém, Marcella gozava de uma condição de poder extraordinário na casa. Era preciso cuidar dela. Caso não o fizessem, tornava a vida de todo mundo difícil pelo simples fato de ficar emburrada. Angela já era capaz de dominar seu ritmo cardíaco quando sua mãe ameaçava dar um de seus golpes nela. E, graças ao EMDR, as disputas atuais não mais reacendiam a dor e a humilhação de punições físicas suportadas na infância. Ainda assim, continuou a agüentar insultos verbais e emocionais em sua própria casa. Sua cultura mediterrânea, que enfatizava a submissão aos pais, não a preparara para lidar com uma mãe tão difícil assim.

Angela só começou a se sentir melhor quando concordou em, sistematicamente, assumir a responsabilidade pelo relacionamento emocionalmente volátil com sua mãe. Nós elaboramos uma lista das concessões que ela estaria disposta a fazer e os limites que queria estabelecer. Angela estava preparada para levar a mãe para almoçar e fazer compras três vezes por semana. (Isso parecia demais para mim, mas cabia a ela definir o que achava aceitável.)

Angela queria paz em casa – durante uma hora, todas as manhãs – depois que seu marido tivesse saído para trabalhar.

Também queria uma hora à tarde, depois que ele voltasse para casa. Ela não achava que sua mãe fosse parar de reclamar. Marcella sempre tinha falado daquela maneira e, aos 85 anos, era tarde demais para mudar. Por outro lado, Angela não mais toleraria as ameaças de violência física que sua mãe – por incrível que possa parecer – continuava a fazer.

Com seu cartão de dicas FTACEN, ensaiamos a cena na qual ela explicaria suas necessidades à mãe. Com minha ajuda, Angela escolhera um lugar e uma hora adequados para aquela conversa e a melhor maneira de introduzir o assunto: "Mamãe, você sabe como é importante para mim que você seja feliz lá em casa e como respeito meu papel como sua filha. Há certas coisas sobre as quais precisamos conversar para ter certeza de que podemos viver em maior harmonia". Ela não conseguira encontrar as palavras seguintes. Por fim, achou um jeito de descrever o comportamento que a incomodava, assim como suas próprias emoções e necessidades: "Três coisas me perturbam em sua atitude. Elas fazem com que eu não me sinta confortável com você como gostaria. Primeiro, quando você me interrompe em minhas atividades de manhã, logo depois que Luca sai; eu não me sinto capaz de fazer tudo de uma vez. É o momento em que organizo o meu dia. Preciso ficar sozinha uma hora. Depois, quando você fica com a gente assim que Luca volta do escritório. Sinto-me frustrada por não ter um momento sequer antes que a família se reúna novamente à noite. Preciso de uma hora sozinha com meu marido, quando ele chega em casa. Finalmente, quando você me diz coisas como 'Eu vou lhe dar uma lição'. Mesmo que eu saiba que não é verdade, isso me assusta e é muito desagradável. Preciso me sentir segura em casa e preciso saber que jamais haverá qualquer violência aqui".

O primeiro dia foi duro. Angela nunca tinha enfrentado sua mãe assim! Como a realidade pode ser mais difícil do que um ensaio, a discussão não foi tão direta como havíamos planejado. No entanto, Angela conseguiu que Marcella soubesse o que ela queria fazer – as saídas planejadas – e também do que ela necessitava. Angela pediu a mãe que cooperasse. Disse-lhe ainda que daquele momento em diante, se alguma vez se sentisse ameaçada, ela se recusaria a sair com Marcella durante dois dias.

As primeiras duas semanas após essa conversa foram as mais difíceis. Naturalmente, Marcella testou os limites sempre que pôde. Encontrou inúmeras razões para ir à cidade, além das três ocasiões por semana com que parecia ter concordado. Ela, naturalmente, também testou sua filha no que tange às ameaças, logo no terceiro dia. Angela me telefonava praticamente dia sim, dia não, mas conseguiu suportar. Embora seus sintomas tivessem, de alguma maneira, piorado, compreendeu muito bem por quê, e portanto isso a incomodava menos.

Depois de um mês, a atmosfera na casa tinha melhorado consideravelmente. Os sintomas de Angela também. Foi então que ela finalmente se sentiu capaz de maior disponibilidade emocional em relação à mãe, que, afinal de contas, tivera uma vida igualmente difícil. Ela utilizou o método "HAPeLE" para ter certeza de que estava realmente percebendo os sentimentos velados sob as palavras de Marcella e que estava disposta a ajudá-la a expressar o que mais a incomodava. Sua mãe ficou surpresa com essa atitude, mas logo adorou se sentir ouvida. Conforme se sentia mais confortável com o fato de Angela escutá-la, abriu-se quanto à sua própria vida, longa e cheia de tumultos. Marcella contou histórias sobre a sua infância, em uma vila pobre da Sicília. Falou de seu primeiro casamento – aos quinze anos – com um alcoólatra violento. Descreveu como escapou de Nápoles escondida no compartimento de um barco. Dava um romance. Angela a apoiou o tempo todo enquanto ela lhe contava as histórias, fazendo sempre as mesmas perguntas:

"E como você se sentiu quando isso aconteceu?"

"E qual foi a coisa mais difícil nisso tudo?"

"E o que a ajudou a lidar com isso?"

Ela também disse "Isso deve ter sido duro para você, mamãe", e Marcella continuou falando. Angela sentiu que, pela primeira vez na vida, sua mãe lhe impunha os aspectos mais importantes de seu passado. Ela jamais tinha falado a respeito desse assunto com tantos detalhes e emoção. De certa maneira, elas se sentiram mais unidas como havia muito tempo não acontecia – talvez como nunca acontecera.

Ainda assim, a personalidade de Marcella, a despeito de toda aquela ligação, não tinha realmente mudado e talvez jamais mudasse. A diferença era que Angela agora tinha a sensação de que estava no controle da própria vida novamente. Ela tinha um novo respeito por si mesma e era capaz de perceber que a mãe já a via com outros olhos.

Faixa preta e além

A maestria na comunicação emocional não é alcançada em um dia ou em um mês. Nem em um ano. Um iniciante em artes marciais começa com a faixa branca e termina com a faixa preta. Depois vêm os infindáveis refinamentos que levam aos títulos mais elevados chamados "dans" ou "mestres". Mas não há "mestre final". Você sempre pode melhorar.

Para mim, a arte da comunicação emocional também é assim. Ela exige a maestria de uma energia interna que é provável leve uma vida inteira para ser perfeitamente refinada. Depois de anos analisando a questão – sem nenhum treinamento sistemático, é verdade –, tenho a sensação de ser apenas um "faixa marrom". Não obstante, já tenho experiência suficiente para me convencer de que é trágico passar pela vida sem se dedicar à tarefa fundamental de melhorar de forma contínua a própria comunicação emocional, mesmo que esse treinamento se prolongue indefinidamente. Mais uma razão para pormos a mão na massa agora.

Adoro aquela história que uma vez ouvi sobre Colbert, o grande ministro de Luís XVI. A França estava precisando muito de barcos para enfrentar o poderio crescente da Inglaterra. Não havia faias suficientes para fazer mastros. Colbert mandou chamar os administradores florestais do rei e pediu-lhes que plantassem faiais. "Mas, Vossa Excelência", responderam-lhe, "são necessários cem anos para que uma faia atinja a altura de um mastro."

"Oh", disse Colbert, "nesse caso... temos de começar imediatamente!"

Felizmente, os benefícios da comunicação emocional podem ser sentidos muito antes disso. Jovens médicos que aprenderam este método perceberam uma diferença quase imediata em seu relacionamento com os pacientes e também na energia que economizavam no decurso de seu dia, geralmente longo e difícil. Desenvolver essa maestria é ainda mais fácil quando é combinada com o ideal da coerência do batimento cardíaco. A coerência do ritmo cardíaco estabiliza o cérebro emocional, e isso parece nos tornar mais receptivos a nossos sentimentos, assim como aos sentimentos dos outros; nos ajuda a encontrar as palavras mais facilmente e a permanecer centrados em nossas intenções mais autênticas.

Já discuti longamente sobre a importância de regular nossas emoções e da influência que exercemos nos sentimentos uns dos outros. Depois de nos tornarmos mestres de nossa fisiologia, usando os métodos focados no corpo que são descritos na primeira parte deste livro, o gerenciamento da comunicação é o próximo estágio fundamental para curar o cérebro emocional. Ainda assim, há outro passo na cura que vem sendo muito negligenciado no Ocidente nos últimos cinqüenta anos: o que fazemos, não para nós mesmos, mas para os outros. Cada um de nós tem um papel na comunidade na qual vive, além de nós mesmos e até além das nossas relações mais próximas. Os humanos são animais profundamente sociais. Não podemos ser felizes sem encontrar significados em nossas ligações com o mundo ao redor – isto é, no que damos aos outros.

14

A grande conexão

Se eu não for por mim, quem será por mim?
E se eu for só por mim, então o que sou?
E se não agora, então quando?
HILLEL, *ÉTICA DE NOSSOS PAIS*

A vida é uma luta. E é uma luta que não vale a pena ser travada se for apenas pelo nosso próprio bem.

Estamos sempre procurando algum significado para além do tédio de sermos nós mesmos. Precisamos de uma razão para além da mera sobrevivência para podermos continuar vivendo. Em *Terre des hommes* ["Terra dos homens"], Saint-Exupéry conta a história do piloto Henri Guillaumet, cujo avião aterrissou nos Andes. Durante três dias, ele caminhou em linha reta em um frio de congelar. Então, caiu de rosto na neve. A pausa foi inesperada, porém muito bem-vinda. Mas Henri se deu conta de que, se não se levantasse imediatamente, jamais se levantaria. Ele se sentiu atraído por uma morte delicada, indolor, tranqüila. Em sua mente, disse adeus à mulher e aos filhos. Em seu coração, sentiu seu amor por eles pela última vez. Então, um novo pensamento lhe veio à mente: se ninguém encontrasse o corpo, sua mulher teria de esperar quatro anos para receber o seguro de vida.

Ao abrir os olhos, percebeu uma rocha que emergia da neve noventa metros à sua frente. Se ele se arrastasse até lá e a escalasse, seu corpo ficaria um pouco mais visível. Talvez alguém o visse mais depressa. Movido pelo amor por sua família, Henri se levantou e começou a caminhar novamente. Levado adiante por esse sentimento, ele não parou mais. E percorreu quase cem quilômetros na neve até chegar a uma aldeia. Mais tarde ele declarou: "O que fiz nenhum animal no planeta teria feito". Quando a própria sobrevivência não era motivação suficiente, sua consciência a respeito dos outros – seu amor pela família – lhe deu a força necessária para prosseguir.

Hoje vivemos em meio a uma tendência mundial centrada no ego, no "desenvolvimento individual", na "psicologia individual". Os valores-chave são autonomia, independência, liberdade individual e auto-expressão, os quais já se tornaram tão básicos que até os profissionais de propaganda os usam para nos fazer comprar os mesmíssimos itens que nossos vizinhos já possuem, enquanto nos convencem de que isso nos tornará únicos. "Seja você mesmo", exclamam os comerciais de roupas e perfumes. "Expresse-se!", incita o comercial de uma marca de café. "Pense diferente", proclama um fabricante de computadores. Mesmo o Exército – raramente um modelo de liberdade de pensamento – adotou a mensagem para atrair jovens recrutas. "Seja tudo o que você pode ser", lê-se no cartaz de recrutamento.

Tais valores encontram-se em ascensão desde as revoluções Americana e Francesa no final do século XVIII. Naturalmente, contribuíram para que muitos aspectos da vida mudassem para melhor. Esses princípios são o núcleo da própria idéia de "liberdade', tão importante para todos nós, mas, quanto mais caminhamos nessa direção, mais claramente vemos que a liberdade individual tem um preço.

O custo dessa busca sem trégua pela autonomia é o isolamento, o sofrimento e a perda de significado. Nunca tivemos tanta liberdade de nos separarmos de nosso cônjuge ou de sócios que não nos servem mais. O índice de divórcio está chegando aos 50% em nossa sociedade. É ainda mais alto em áreas urbanas, onde há mais oportunidades de encontrar novos parceiros.[1] Nunca antes mudamos tanto de casa. (Nos Estados Unidos, de acordo com algumas estimativas, as famílias mudam em média a cada cinco anos.)

Libertos de elos familiares, deveres, obrigações em relação aos outros, jamais fomos tão livres para buscar nosso próprio caminho. Mas por isso mesmo podemos nos perder e acabar sozinhos. Essa alienação crescente é provavelmente uma das razões por que a depressão vem aumentando sem parar no Ocidente há cinqüenta anos.[2]

Um de meus amigos tinha 37 anos. Era um médico que emigrara de seu país de nascimento e que vivera sozinho até recentemente. Durante um bom tempo esteve em busca do significado que faltava em sua vida. Ele voltou-se para a psicanálise, para uma série de workshops em psicologia pessoal e depois para os antidepressivos. Experimentou praticamente todas as variedades. Então, um dia, ele me disse: "No fim, a única hora em que eu paro de me fazer perguntas existenciais é quando meu filho de dois anos coloca a sua mão na minha e nós vamos dar um passeio a pé, mesmo que seja só para pegar o jornal!".

Como aconteceu com o meu amigo, a fonte mais óbvia de significado na nossa vida é provavelmente o amor que sentimos por nosso parceiro e por nossos filhos. Mas a influência dos outros sobre e a sua contribuição para nosso próprio equilíbrio emocional não se limita à família nuclear. De fato, quanto mais bem integrados estamos na comunidade da qual queremos cuidar – e mais forte o nosso sentimento de desempenhar um papel nela que seja importante para os outros –, mais facilmente superamos nossos sentimentos de ansiedade, desespero e inutilidade.

Lembro-me de uma senhora idosa que eu costumava ver em sua casa porque ela tinha medo de sair à rua. Ela tinha enfisema e precisava ficar presa à sua garrafa de oxigênio o tempo todo, mas seu problema principal era a depressão. Aos 75 anos, nada mais lhe interessava. Sentindo-se vazia e ansiosa, estava só à espera da morte. Naturalmente, dormia mal, não tinha apetite e passava a maior parte do tempo reclamando de tudo. Fiquei admirado com a inteligência vivaz e a óbvia competência que demonstrava. Ela tinha sido assistente administrativa de um executivo importante. Havia um ar de precisão e autoridade natural que ainda lhe era patente, apesar da depressão. Um dia eu lhe disse: "Sei que a senhora não se sente nada bem e que precisa de ajuda, mas a senhora também é alguém cujas habilidades poderiam ser extremamente úteis a outras pessoas necessitadas. O que está fazendo para ajudar os outros?". Ela ficou surpresa com o fato de um psiquiatra – que supostamente estava ali para ajudá-*la* – fazer tal pergunta. Assim mesmo, pude ver um brilho se acender em seus olhos. Ela achou a idéia imediatamente atraente e decidiu dedicar um pouco de seu tempo para ajudar crianças desvalidas a aprender a ler. Não foi fácil, muito mais porque sair de casa era muito complicado para ela. Além disso, nem todos os alunos eram gratos – longe disso – e alguns eram duros de lidar. Mas esse trabalho teve um papel importante em sua vida: deu-lhe uma meta, o sentimento de que era útil. Ele a ancorou, novamente, na comunidade da qual ela tinha se desmembrado pela idade e pela enfermidade.

Camus compreendeu esse aspecto da alma, mesmo que não tenha falado sobre isso em seus ensaios filosóficos. Em *O mito de Sísifo*, a descrição que faz da condição humana é sombria. De acordo com ele, nossa vida consiste, basicamente, em empurrar uma pedra do pé até o alto de uma montanha, de onde ela rolará de volta, e então começaremos tudo outra vez. Seria uma ilusão buscar qualquer significado na existência, além da noção de que a pedra é nossa, que é única e que somos responsáveis por ela. Do mesmo modo, Camus diz, como Sísifo volta ao pé da montanha, devemos pensar que ele é feliz. Mas essa filosofia do "absurdo" não fez com que o escritor francês deixasse de servir na Resistência durante a Segunda Guerra Mundial. Ele lutou e foi feliz na Resistência. Como muitos homens e mulheres, descobriu certo ânimo de espírito em arriscar sua vida por uma causa muito maior do que ele mesmo – o prazer fundamental de oferecer a própria vida pela vida dos outros. Esse significado que achamos em nossa ligação com os outros não é ditado culturalmente, tampouco se trata de uma regra de conduta imposta pela sociedade. É uma necessidade que emana do cérebro.

Nos últimos trinta anos, a sociobiologia demonstrou que nossos genes são altruístas. Nossa preocupação para com os outros e a paz interior que ela traz são parte de nossa feitura genética.[3] Assim, não há nada surpreendente no fato de o altruísmo estar no centro de todas as grandes tradições espirituais.[4] Realmente, em sua discussão sobre as origens neurais da ética, o dr. Damásio enfatizou que o altruísmo é, em primeiro lugar, uma *experiência* no corpo.[5] O prazer em ajudar os outros é uma emoção sentida não apenas pelos sábios hindus e taoístas e pelos profetas hebreus, cristãos e muçulmanos, mas também por milhões de seres humanos anônimos, muitos deles ateus.

Estudos a respeito das pessoas que são mais felizes apontam sistematicamente para dois fatores: elas têm relacionamentos emocionais estáveis e íntimos com os outros e estão envolvidas na comunidade em que vivem.[6] Nós já falamos longamente sobre relacionamentos emocionais, mas e os elos sociais mais abrangentes?

Estar envolvido na comunidade significa dar de si e de seu tempo por uma causa que não oferece nenhum benefício material. Essa busca é uma das atividades mais eficazes quando procuramos mitigar o sentimento de vazio que em geral anda de mãos dadas com a depressão. E, felizmente para nós, não temos de arriscar nossa vida ou participar da Resistência para colher esses benefícios.

Levar um pouco de luz para a vida de idosos que estão enclausurados; trabalhar em um abrigo para animais; ser voluntário na escola do bairro; participar de grupos comunitários ou de sindicatos – todas essas atividades nos retiram de nossas pequenas esferas pessoais e nos fazem sentir unidos às esferas dos outros. E, no fim, nós nos sentimos menos ansiosos e menos deprimidos. O fundador da sociologia moderna, Émile Durkheim, foi o primeiro a demonstrar isso. Há cem anos, em sua obra-prima *Suicídio,* ele mostrou que as pessoas menos "integradas" em suas comunidades são, na maioria das vezes, aquelas que cometem suicídio.[7] Mais recentemente, sociólogos modernos concluíram que as pessoas que participam em atividades comunitárias não apenas são mais felizes, como também gozam de melhor saúde e vivem mais. Um estudo publicado no *American Journal of Cardiology* confirma tal descoberta. A pesquisa diz respeito a um grupo de idosos pobres. Descobriu-se que, nas mesmas condições de saúde, a taxa de mortalidade daqueles que fazem trabalho voluntário dedicado aos outros é 60 % menor do que a dos que o não fazem.[8]

Os efeitos do trabalho voluntário sobre a saúde também foram analisados em *Science,* a revista científica mais conhecida, em um estudo que revela que atividades voluntárias podem ser uma salvaguarda ainda melhor do que o desafio de manter a pressão arterial baixa, o colesterol baixo ou deixar de fumar.[9] O prazer de estar ligado aos outros, o sentimento de envolvimento em um grupo social, é um remédio notável para o cérebro emocional e, em decorrência, para o corpo.

O psiquiatra austríaco Victor Frankl sobreviveu aos campos de concentração nazistas. Em seu tocante livro *Man's Search for Meaning* ["Em busca de sentido"], baseado em sua experiência, ele explica o que possibilitou a alguns prisioneiros se manterem vivos, apesar de tudo.[10] Suas observações não têm nenhum valor científico; entretanto, suas conclusões são similares às descobertas feitas por estudiosos do assunto. A sobrevivência em um mundo frio e indiferente nos força a encontrar significado na existência, a nos ligarmos a algo. Trata-se de um conselho muito parecido com aquele dado pelo presidente Kennedy; o famoso conselho dele é que, em circunstâncias desesperadoras, devemos perguntar não o que a vida pode fazer por nós, mas sempre, ao contrário, o que nós podemos fazer pela vida. Esse ponto de vista pode simplesmente significar fazer a nossa parte com mais generosidade, mantendo em mente como isso contribui para melhorar a vida dos outros. Ou pode significar, ainda, dar um pouco mais de nosso tempo, uma vez por semana, a uma causa, um grupo, a uma pessoa ou mesmo a um animal de que gostamos.

Madre Teresa foi provavelmente a inconteste campeã da caridade no século XX. Ela disse: "Não procure ações espetaculares. O importante é a doação pessoal. O importante é a qualidade do amor envolvido em suas ações".[11] Nem é necessário estar perfeitamente à vontade para ser capaz de se doar. O psicólogo Abraham Maslow foi o fundador de uma nova escola de psicologia conhecida como "Movimento de Potencial Humano". No fim de seu estudo sobre indivíduos saudáveis, psicologicamente equilibrados, ele concluiu que o último estágio do desenvolvimento pessoal é alcançado quando o sujeito "realizado" começa a se voltar para os outros. Ele fala até em se tornar um "servo" e insiste na importância do autopreenchimento. "A melhor maneira de se tornar um melhor auxiliar é se tornando uma pessoa melhor. Mas um aspecto necessário para se tornar uma pessoa melhor é ajudando outras pessoas. Assim, uma pessoa pode e deve fazer as duas coisas simultaneamente."[12]

Um século depois de Durkheim, trinta anos depois de Frankl e Maslow, estudos modernos em fisiologia já confirmaram seus insights e observações. Quando um computador mede a coerência cardíaca, observamos que o modo mais simples e mais rápido de o corpo estabelecer coerência é vivenciando sentimentos de gratidão e carinho pelos outros.[13]

Quando sentimos de um jeito visceral – emocionalmente – a conexão com aqueles à nossa volta, nossa fisiologia automaticamente atinge a coerência. Ao mesmo tempo, quando ajudamos nossa fisiologia a alcançá-la, abrimos a porta para novas maneiras de compreender o mundo que nos cerca. Este círculo virtuoso descrito por Maslow é o portal para a realização do self – sem stress, sem ansiedade e sem depressão.

15

Dando a partida

Em pé na Pont Neuf, no coração de Paris, olho o rio Sena fluir entre imensas pedras brancas. Na margem, um homem está pescando com seu filho. O garoto acabou de pescar um peixe e seus olhos estão cintilando de alegria. Eu me lembro de uma longa caminhada com meu pai à margem do mesmo rio, quando eu era da idade daquele menino. Ele estava me contando sobre meu avô, que costumava nadar no Sena. Mas, acrescentou, o rio era, agora, tão poluído que ninguém mais podia nadar nele. Mesmo os peixes tinham desaparecido.

Hoje, apenas 35 anos depois, os peixes estão de volta. Talvez até seja possível nadar no Sena novamente. Foi necessário apenas parar de poluí-lo e o rio cuidou de si mesmo. Dada a oportunidade e tempo suficiente, ele purificou as próprias águas. Rios e riachos estão vivos. Como nós, tendem à "homeostase", ao equilíbrio. Eles têm, de fato, um instinto para se curar.

Como todas as coisas vivas, os rios estão em troca contínua com seu meio ambiente: ar, chuva, terra, árvores, algas, peixes e o homem. E essa troca cria mais ordem, mais organização e, no fim, mais pureza. Somente águas paradas se tornam salobres. Elas tendem ao caos. A morte é, realmente, o oposto da vida: não há mais troca com o exterior. Na morte, a criação de equilíbrio e a constante reconstrução da ordem, que define a vida, se rendem à decomposição.

Mas, enquanto as forças naturais estão ativas, elas protegem contra a decomposição, lutam pela ordem, pela coerência e até mesmo pela pureza. Aristóteles pensava que cada forma de vida tinha uma energia, uma força, a que chamou de "enteléquia" ou auto-realização.[1] Ele falou, inclusive, do "dever" que todas as coisas vivas têm de alcançar a auto-realização. Uma semente ou um ovo contêm, dentro de si, a força que irá transformá-los em um organismo muito mais complexo, quer seja uma flor, uma árvore, um frango ou um ser humano. O processo de auto-realização não é apenas físico – em seres humanos, ele se estende até a maturidade e a sabedoria. Carl Gustav Jung e Abraham Maslow fizeram a mesma observação. Jung estava fascinado pelo processo de "individuação", que impele os seres humanos a uma maior maturidade e serenidade. Maslow chamava-o "auto-realização". Eles se referiam à autocura e à auto-complementação como a finalidade natural da vida.[2]

Os métodos de tratamento descritos neste livro têm todos o mesmo objetivo, qual seja, fortalecer os mecanismos relacionados às formas vivas – das unicelulares a todo o ecossistema, seres humanos inclusive. Cada método, a seu modo, sustenta a tentativa constante do corpo em promover coerência e recuperar seu equilíbrio. Por isso, os mais diversos métodos funcionam em sinergia: não é necessário escolher um à custa dos demais. Ao contrário, todos se fortalecem. Por exemplo, como descobri enquanto estava pesquisando a literatura científica ao escrever este livro, cada um deles acaba por fortalecer o equilíbrio do sistema nervoso parassimpático. Esse ramo do sistema nervoso autônomo suaviza e acalma muitas funções diferentes no corpo e na mente. É, portanto, mais fácil vivenciar os benefícios que favorecem o humor e o alívio do stress ao praticar a coerência do batimento cardíaco se você também se exercitar, ingerir mais ácidos graxos Ômega-3 ou eliminar os vestígios de velhos traumas emocionais por meio do EMDR porque tudo isso ajuda a restaurar o equilíbrio entre os sistemas nervosos simpático e parassimpático. Ao fazer isso, eles ajudam a restabelecer o cérebro emocional e a mantê-lo em funcionamento otimizado.[3]

A medicina moderna perdeu o conceito de sinergia. A maior de todas as transformações na história da medicina ocorreu na década de 1940. Pela primeira vez, doenças terríveis e mortais podiam ser debeladas por meio de um tratamento específico e confiável. A pneumonia, a sífilis, a gangrena, a tuberculose, todas cederam ao antibiótico. Esse novo remédio era tão eficaz que tudo o que tinha sido essencial à medicina até então de repente parecia irrelevante: com o antibiótico, desde que o paciente o tomasse, a cura ocorria. Não importavam os cuidados médicos, o que o paciente comesse, ou se ele queria melhorar ou não. Ele tomava o antibiótico e a doença retrocedia.

Os velhos pilares da medicina – o relacionamento médico-paciente, a nutrição saudável, a atitude do paciente, e assim por diante – pareciam conceitos antiquados e mal orientados. A partir daquele avanço fantástico, uma nova medicina nasceu no mundo ocidental, uma medicina que não levava mais em conta a história do paciente ou seu mecanismo de autocura. A nova e puramente mecânica perspectiva a respeito de pacientes e doenças imediatamente encampou toda a medicina, muito além do território das doenças infecciosas. Hoje, a maior parte do conhecimento ensinado nas faculdades de medicina no Ocidente está focalizado no diagnóstico de doenças específicas para escolher um tratamento específico. Essa abordagem funciona notavelmente bem para condições agudas: a remoção cirúrgica do apêndice no caso de uma apendicite, a penicilina para uma pneumonia, um corticosteróide para um ataque de asma, e assim sucessivamente. Todavia, a abordagem do "tratamento específico" deixa de curar verdadeiramente as doenças crônicas. Nas condições crônicas, a abordagem ocidental moderna em geral ajuda apenas nas crises, tais como em um ataque de asma ou um ataque cardíaco; ela não ajuda nas condições subjacentes.

Tomemos o exemplo do ataque cardíaco. Uma paciente entra em um pronto-socorro à beira da morte – pálida, nauseada, sufocando, com uma dor esmagadora no peito. Os médicos sabem exatamente o que fazer: em questão de minutos, o oxigênio flui através da tubulação inserida em suas narinas, a nitroglicerina dilata suas veias e artérias, o betabloqueador diminui seu ritmo cardíaco, a aspirina previne a coagulação adicional e a morfina alivia sua dor. Ela consegue respirar normalmente, é capaz de conversar com sua família, e consegue até sorrir. Em diversos sentidos, essa é a medicina no que ela tem de melhor.

Porém, apesar do drama dessa intervenção poderosa, a doença subjacente – a coagulação progressiva das artérias da paciente devido à inflamação causada pelas placas de colesterol – não foi sequer tocada. Até hoje, as intervenções mais eficazes para tratar das doenças subjacentes são decepcionantemente não técnicas. Eu quase diria "não modernas". Elas consistem em uma combinação de gerenciamento do stress, exercícios e melhor nutrição. A sinergia entre essas mudanças de estilo de vida pode induzir uma limpeza profunda das artérias, muito parecida com a limpeza de um rio poluído.

E isso também vale para a ansiedade e a depressão. Elas são doenças *crônicas*, nada parecidas com as infecções agudas ou com braços quebrados. Uma doença crônica surge em face de interações complexas entre sistemas físicos que estão funcionando mal. Ela também é alimentada por um certo tipo de "poluição" vinda de fora, quer na forma de nutrição, de eventos traumáticos ou de relacionamentos dolorosos crônicos. Após anos de funcionamento mal adaptado e do envenenamento vindo de fora, seria ingênuo pensar que uma simples intervenção ou um único tipo de intervenção poderia sistematicamente reequilibrar o sistema e colocá-lo no rumo da autocura. Todos os clínicos que trabalham com doenças crônicas, quaisquer que sejam, concordam neste ponto. Uma sinergia entre várias intervenções é a única maneira de reverter uma condição que perdura há muito tempo no corpo onde se estabeleceu. Mesmo os psicoterapeutas mais entrincheirados e os psiquiatras biológicos são forçados a admitir que combinar psicoterapia e medicação é mais eficaz do que só utilizar uma delas no caso de formas crônicas de depressão. Isso foi recentemente confirmado por um longo e impressionante estudo em centros universitários, publicado no *New England Journal of Medicine*.[4]

Para superar uma doença crônica, precisamos capitalizar todos os mecanismos de autocura a que temos acesso. Precisamos construir, por meio de várias intervenções, uma sinergia de tratamento maior do que o *momentum* da própria doença. Foi de acordo com esse espírito que apresentei os diferentes métodos discutidos neste livro. Mesmo que cada um deles já tenha sido estudado individualmente e tido como eficaz, o tratamento mais eficiente é descobrir a combinação que melhor se adapta a cada pessoa e que tem maior chance de transformar sua dor e dar à vida sua energia de volta.

Elaborando seu próprio plano

Já revimos muitos meios capazes de chegar ao cérebro emocional e auxiliar no restabelecimento da coerência. Então, concretamente, como começar? Em nosso Centro de Medicina Complementar na Universidade de Pittsburgh, estabelecemos regras simples para ajudar a escolher a melhor combinação para cada paciente. Conduzimos cada um deles em meio a um processo gradual, em que cada tratamento se ajusta perfeitamente ao seguinte. Os princípios são:

1. PRÁTICA DA COERÊNCIA CARDÍACA

A prioridade é aprender a controlar nosso ser emocional. Ao longo da vida, desenvolvemos nosso método preferencial de auto-alívio em épocas de stress crescente. A maior parte do tempo somos encorajados a praticar um ou outro porque alguém está ganhando dinheiro com sua venda, e não porque seja particularmente eficaz ou nutritivo para nosso equilíbrio emocional. Talvez tenhamos aprendido a confiar no chocolate, no sorvete, na cerveja, no uísque ou no cigarro assim que sentimos os primeiros sinais de stress, ou talvez tenhamos aprendido a nos refugiar nos efeitos anestesiantes da televisão. Estas são, de longe, as opções mais comumente utilizadas quando a vida não está mais fornecendo o que desejamos ou esperamos.

Se nos voltamos para a medicina convencional em busca de ajuda, esses pequenos assistentes diários têm grandes chances de se transformar em remédios ansiolíticos como Valium, Ativan ou Xanax ou antidepressivos. Nos anos 60, quase todas as revistas de medicina nos Estados Unidos traziam um anúncio sobre o Librium, predecessor do Valium. Ele dizia, em letras garrafais: "Librium: qualquer que seja o problema!". Hoje, é mais provável que nos digam para tomar Prozac, Zoloft ou Paxil, mas o espírito é, de muitas maneiras, o mesmo. A mensagem que acompanha tais medicamentos ainda é que eles presumivelmente funcionam "qualquer que seja o problema". Essa crença tenaz é uma das razões para que estejam entre os remédios mais receitados e lucrativos da atualidade.

No lugar de um médico, você – ou seus filhos – pode receber aconselhamento de um grupo de amigos um tanto confusos e perdidos, que podem levar a alternativas muito mais drásticas do que os métodos de auto-alívio preferidos: maconha, cocaína ou heroína são as versões de rua do "leitinho da mamãe".

Obviamente, quando possível, uma pessoa estaria em muito melhor forma se capitalizasse as habilidades de autocura do cérebro emocional e do corpo para chegar ao equilíbrio entre cognição, emoções e uma sensação de confiança no que a vida pode nos dar. Em Pittsburgh, encorajamos nossos pacientes a descobrir sua habilidade para controlar a coerência cardíaca a fim de usá-la quando confrontados com as mudanças inevitáveis da existência em vez de se voltar para o cigarro e o chocolate. Aprender a entrar na coerência pode substituir métodos de autocura menos saudáveis e freqüentemente menos eficazes para gerenciar o stress. Para aprender a maximizar sua coerência cardíaca:

• Comece por reler a descrição do treinamento da coerência cardíaca na página 63 e a praticar a técnica da concentração respiratória e mental por pelo menos dez a quinze minutos todas as noites antes de ir para a cama. Esse é um bom momento para praticar porque a maioria das pessoas pode se preparar para a transição do dia (ambiente exterior) agitado para a noite (ambiente interior) calma. É uma ótima oportunidade para se reconectar ao núcleo de seu próprio ser e se permitir vivenciar a gratidão e o acolhimento pelo corpo, esse coração que nos carregou em meio a todos os altos e baixos do dia, como faz diariamente desde o primeiro dia.

Exercitar tal prática antes de ir para a cama, numa hora em que não há outras necessidades, só pode melhorar a qualidade de seu sono e, por conseguinte, mais do que compensar os poucos minutos necessários para fazer a conexão e apreciar a vivência. Ademais, isso ajuda a lembrar o que você pode sentir interiormente quando faz um esforço para estar conectado com o seu próprio coração. E é a prática desse sentimento que torna mais fácil evocá-lo quando ele é mais necessário – em situações de stress!

• O passo mais importante é praticar a coerência quando as coisas em sua vida não estão dando certo e levando sua fisiologia ao caos. O que fará a diferença em como você se sente é sua habilidade em gerar coerência no seu coração e na sua mente precisamente quando as circunstâncias são adversas: quando você está preso no trânsito, quando gritam com você, quando seus filhos chegam em casa com um boletim escolar ruim ou quando um colega de trabalho zomba da idéia que você acabou de dar. Em todas essas situações, temos apenas duas escolhas: nos aferramos a ela *e* nos sentimos mal interiormente ou nos prendemos a ela e vivenciamos a coerência.

• Muitas pessoas podem vivenciar o sentimento leve do relaxamento ou o aconchego e a leveza dentro do peito decorrentes da coerência sem um sistema de biofeedback computadorizado. Entretanto, há quem se sinta mais confortável com o exercício se puder provar a si mesmo que está realmente produzindo coerência em seu ritmo cardíaco. Se esse for o caso, é possível comprar programas de computador que podem ser utilizados na maioria dos PCs para testar e verificar se progressos estão sendo alcançados e quão facilmente é possível gerar coerência semana a semana, mês a mês.

2. DIALOGUE COM SUAS MEMÓRIAS DOLOROSAS

O próximo passo, quando possível, é identificar os eventos passados que continuam a acionar emoções dolorosas quando você pensa nelas no presente. Se falar ou pensar sobre algo que aconteceu no passado a faz chorar ou emergirem fortes sentimentos de raiva, então isso significa que ainda não foram resolvidos. E as memórias nas quais tentamos *não* pensar costumam ser aquelas que deixaram uma cicatriz dolorosa no cérebro emocional.

Muitos pacientes tendem a subestimar a importância de mágoas passadas. Eles não percebem como velhas feridas continuam a condicionar seu modo de viver no presente, constantemente atiçando o ferrão – ou talvez simplesmente reduzindo a habilidade de vivenciar o prazer. Porém, algumas sessões de EMDR são suficientes para eliminar as conseqüências de antigos sofrimentos e fazer surgir uma nova e mais harmoniosa perspectiva de vida.

• Pensando nisso, você deve aventar a hipótese de entrar em contato com um psicoterapeuta competente nessa área. Pergunte ao seu clínico geral sobre quem ele recomendaria como um bom terapeuta. Como ocorre com todas as outras formas de psicoterapia, o EMDR funciona melhor nas mãos de um terapeuta bem preparado e acolhedor em quem você possa confiar.

3. GERENCIAR CONFLITOS E 4. ENRIQUECER RELACIONAMENTOS

Após trabalhar sobre o passado, é importante identificar os conflitos crônicos nas relações mais importantes do presente: tanto em casa, com os pais, filhos, sócios, irmãos e irmãs, como no trabalho, com o patrão, colegas e funcionários. Esses relacionamentos condicionam nosso ecossistema emocional. Se continuamente poluírem o fluxo de nossa vida emocional, acabarão por bloquear nossos mecanismos de adaptação e autocura.

Por outro lado, se eles forem purificados, podemos pôr o pé na estrada do equilíbrio e da harmonia interna. Ocasionalmente, a resolução de velhas feridas traumáticas é suficiente para permitir que nossos relacionamentos encontrem uma nova vida. Livres dos fantasmas do passado, é possível achar maneiras completamente novas – e mais saudáveis – de nos relacionar com aqueles que são importantes em nossa vida.

Aprender a ser um comunicador emocional mais eficaz – por meio da comunicação assertiva não violenta – é um modo direto e poderoso de agregar mais equilíbrio a nossos relacionamentos. Devemos constantemente lutar para conseguir meios mais efetivos de nos comunicar. Além de praticar as técnicas descritas neste livro, há workshops úteis para melhorar as técnicas de comunicação. Quando os conflitos mais importantes estão na esfera dos relacionamentos pessoais mais íntimos, o problema exige a intervenção de um terapeuta de casais ou familiar.

Para começar a aprender a se impor com eficácia por intermédio da comunicação emocional saudável, releia a seção "O cartão de seis sugestões para lidar com conflitos", na página 206. Copie o método FTACEN em um cartão e pratique-o regularmente: primeiro com as pessoas em que você confia e em seguida para outros relacionamentos, depois que já tiver ganhado confiança. Assim como funcionou com o pai que o usou para lidar melhor com os filhos, no fim ele se tornará uma segunda natureza.

• Para enriquecer e fortalecer ainda mais os seus relacionamentos, releia a seção "HAPeLE para o coração" na página 213 e copie os dados em um cartão. Comece com um relacionamento no qual diminuir o ritmo e escutar se constitui em um desafio para você; é provável que os maiores benefícios sejam vislumbrados rapidamente. Talvez seja melhor praticar a primeira vez no telefone – ninguém vai notar que você está usando um cartão.

5. MAXIMIZE O ÔMEGA-3

Quase todo mundo pode se beneficiar de uma mudança na dieta capaz de restabelecer o equilíbrio necessário entre os ácidos graxos Ômega-3 e outras fontes de gordura. Sabemos hoje que a "dieta cretense" – particularmente rica em ácidos graxos Ômega-3 – pode restaurar a saudável função cardíaca. Uma nova pesquisa revela que ela pode influenciar positivamente a variabilidade cardíaca e também combater o stress e a depressão.

Deveríamos ao menos pensar em reequilibrar a dieta aumentando o conteúdo de peixe (ou fontes de ácidos graxos Ômega-3 vegetarianas) e reduzindo gorduras não saudáveis. Antes de tomar um antidepressivo receitado casualmente, devem-se levar em conta os benefícios de tomar suplementos Ômega-3, acima e além das mudanças na dieta.

• Comece por adicionar alimentos com alto teor de Ômega-3s, incluídos na lista da página 155.

• Avente a possibilidade de adicionar um suplemento de óleo de peixe ao seu regime. Comece com um grama diário de AEP (ácido eicosapentaenóico) – provavelmente o mais importante dos Ômega-3s para a depressão. Provoca muito poucos efeitos colaterais, além de ocasionais solturas intestinais ou mal-estar gástrico se você começar com uma dose que seja muito alta para o seu estômago suportar. Se ficar com gosto de peixe na boca, tome o suplemento no início da refeição ou à noite, quando estiver indo para a cama.

• Verifique com o seu médico se você está tomando Coumadin (ou seu equivalente genérico, warfarina), aspirina ou qualquer outra medicação que afete a coagulação do sangue, uma vez que o Ômega-3s também pode reduzir a coagulação. Isso pode exigir uma redução na medicação.

• Dados existentes sugerem que o Ômega-3s é importante para o desenvolvimento fetal e que ajuda a prevenir a depressão pós-parto. Porém, é sempre importante tomar mais cuidado com o que se toma durante a gravidez (especialmente nos primeiros três meses) e a amamentação. Assim, se você planeja engravidar ou se está amamentando, busque o conselho de seu médico quanto ao suplemento Ômega-3 e sobre o tipo de suplemento que estiver considerando.

6. CONSIGA "UM BARATO" À BASE DE EXERCÍCIOS

Recomendar um programa regular de exercícios físicos já se tornou lugar-comum entre médicos. Entretanto, é muito raro isso ser feito com pessoas que sofrem de ansiedade e depressão, embora os benefícios sejam claramente estabelecidos. Essa opção está aberta a todos e tudo o que se exige é um investimento de vinte a trinta minutos três vezes por semana.

• Lembre-se: é a regularidade, e não a intensidade, que importa para a redução do stress e da ansiedade.

• Escolha uma atividade que considere uma "brincadeira", ou pelo menos muito prazerosa. Não se obrigue a fazer jogging se você prefere natação e não se pressione demais. O único exercício "inadequado" é não se exercitar! É melhor começar com um trote de dez minutos do que não fazer nada. Diminua a marcha assim que ficar sem fôlego. Retome o passo quando estiver respirando confortavelmente de novo. Depois de algumas semanas de prática regular, você se sentirá cada vez mais à vontade e notará que não vai mais precisar parar onde e quando costumava fazer. Mas isso leva algumas semanas. Seja paciente e gentil consigo mesmo.

• Se achar isso impossível, junte-se a um grupo com a mesma mentalidade, pois ele pode motivá-lo e ajudá-lo. O erro neste caso seria se juntar a pessoas em muito melhor forma que a sua e que possam desencorajá-lo. Isso não dis respeito a ficar se comparando com ninguém, mas em achar suporte e motivação para ir em frente várias vezes por semana, seguidamente.

• Sobretudo, o sucesso de um programa de exercícios está em seguir os três Ps: Prazer, com Pessoas e Persistência.

7. DESPERTANDO COM O SOL

Tomados pelo mesmo estado de espírito referente aos exercícios, devemos pensar em fazer outra mudança não invasiva em nossos hábitos: permitir que o corpo se beneficie acordando em maior paz de manhã. Tudo de que precisamos para reprogramar nosso relógio biológico todos os dias é trocar o irritante despertador por um suave simulador de aurora.

• O primeiro passo a fazer é manter uma rotina regular: ir para a cama e acordar mais ou menos à mesma hora todos os dias. Estudos realizados com pacientes que têm altos e baixos de humor demonstram que uma rotina de sono os ajuda a ficar serenos e a manter seu equilíbrio.[5] Isso pode ser difícil quando você se sente estressado por todas as coisas que precisam ser feitas na vida ou quando se sente deprimido e seu sono é afetado. Todavia, é um passo importante para trazer de volta a sincronia dos ritmos biológicos.

• Depois, tente se beneficiar com a influência reguladora que é acordar com a luz da aurora. Durante o verão, você pode tentar simplesmente manter as cortinas abertas (embora isso não lhe dê o controle sobre a hora em que a aurora começa a despertá-lo. Isso muda um pouco a cada dia).

• Para conseguir o controle sobre o momento em que a aurora o desperta, será preciso adquirir um simulador de aurora.*

• Para que o simulador da aurora possa controlar a hora do seu despertar (e não a luz natural do dia, caso isso seja mais cedo do que a hora em que você habitualmente acorda), certifique-se de que suas cortinas ou venezianas podem bloquear a luz exterior por completo. Isso não é problema no inverno, quando todos temos a tendência de acordar antes do sol.

• Programe sua luz para acender trinta ou quarenta e cinco minutos antes de sua hora de acordar. Faça experiências com a duração que funciona melhor para você (embora nem todos os simuladores da aurora lhe dêem o mesmo leque de escolhas).

• Apesar de todos os benefícios, os simuladores da aurora não permitem diminuir a quantidade de sono que é ideal para você. Ainda será preciso dormir o suficiente para se sentir recuperado no dia seguinte.

8. ABRA SEUS MERIDIANOS

É bem verdade que a acupuntura representa maior investimento de tempo e dinheiro do que alguns dos outros métodos. Temos recomendando tratamentos de acupuntura principalmente para pacientes que sofrem não apenas de depressão ou ansiedade como também de dores físicas ou outros problemas físicos que sabidamente respondam a essa modalidade. Em tais casos, as agulhas chinesas podem solucionar os dois tipos de problema ao mesmo tempo. Quando a dor física é um fardo constante no corpo, superar a depressão é muito difícil; mas, uma vez que a acupuntura já demonstrou resultados com ambos os tipos de sintoma, ela pode ser muito útil nessas circunstâncias.

Bons profissionais precisam de tempo para conseguir uma avaliação completa de sua história e de seus sintomas antes que comecem a estimular seu corpo com agulhas. Eles devem ser tranqüilos e cuidadosos e a inserção das agulhas deve ser praticamente indolor. Ademais, devem estar preparados para trabalhar em cooperação com o seu médico e com medicação convencional. Cuidado com os acupunturistas que prometem demais ou com aqueles que tentam desviá-lo de abordagens convencionais que deram certo para você.

9. BUSQUE UMA CONEXÃO MAIS AMPLA

Finalmente, para a maioria de nós, uma sensação mais verdadeira de paz só pode ser conseguida depois que tivermos encontrado um jeito de participar na comunidade em que vivemos e nos sentirmos confortáveis com o papel que desempenhamos nela. Apesar disso, muitos encontram alívio na sensação – uma experiência física no corpo – de estarem conectados, não apenas aos outros à sua volta, mas a um mistério muito maior que nos transcende. Aqueles que têm a sorte de estar conectados dessa maneira freqüentemente se sentem impulsionados muito além do simples bem-estar; têm a impressão que retiram sua energia daquilo que dá significado à própria vida, nas horas boas e nas más.

• Dê um tempo a si mesmo para pensar sobre lugares e pessoas com que você se sente "em casa" – fora de seu círculo familiar imediato, aqueles cuja existência faz o mundo parecer um lugar melhor para você. Esse lugar ou grupo pode ser um parque em sua cidade ou um bosque, uma escola, uma cozinha, um coral, uma igreja ou templo, talvez uma abrigo para animais ou mesmo um grupo de dança de salão.

• Há metas, crenças ou filosofias específicas nas quais você realmente acredita? Alguma coisa que você acha que torna a vida no planeta melhor? Pode ter algo a ver com a alfabetização, mas também com a conservação da vida selvagem ou com o fato de se sentir mais perto do mistério do universo e da união de todas as coisas.

• Se você conseguir combinar este sentimento essencial de se sentir em casa com idéias em que realmente acredita e achar uma atividade ou um grupo que incorpore um e outro, então pense em como se envolver ou como pode contribuir sendo quem você é, em sua própria cidade, de acordo com seus próprios meios.

Epílogo

Como todo garoto francês de dezesseis anos, li *O estrangeiro* de Albert Camus quando estava terminando o colegial. Lembro-me muito bem da sensação de ter ficado totalmente confuso com a leitura.

Camus estava certo: tudo parece um absurdo. Todos nós andamos a esmo pela existência, trombamos por acaso com gente que está igualmente desorientada, fazemos coisas que mal entendemos mas que acabam por determinar o curso de nossas vidas e, finalmente, morremos sem ter entendido o que aconteceu. Se tivermos sorte, talvez consigamos manter o senso de integridade e orgulho pelo fato de que pelo menos estamos conscientes do absurdo de tudo (e, se somos franceses, demonstramos certo desdém por aqueles que não possuem tal consciência!). Não há nada mais a esperar.

Aos 41 anos, depois de anos cuidando da dor e da confusão de homens e mulheres de todas as partes do mundo, vejo *O estrangeiro* com outros olhos. Parece-me claro agora que o herói que Camus escolheu descrever vivia desconectado de seu coração emocional. Ele não tinha nenhuma noção de vida interior, para a qual jamais havia se voltado. Ele foi incapaz de fazer contato com a dor ou a tristeza no funeral da mãe, tampouco com a alegria e o apego na presença da namorada. E certamente não auferia nenhum significado para sua existência na dedicação a uma comunidade (o que é perfeitamente capturado pelo título do livro em si – o herói é, acima de tudo, um "estranho"). Ele se negava qualquer oportunidade de experimentar uma conexão com o transcendente.

No entanto, depois de milhões de anos de evolução, nosso cérebro emocional é feito para ansiar por quatro aspectos da vida, precisamente aqueles que o estrangeiro negava a si mesmo: um senso de conexão com o nosso corpo e estados interiores; intimidade com alguns seres humanos seletos; um papel sério em nossa comunidade; e um sentido de conexão com o mistério da vida. Distanciados desses aspectos, buscamos em vão por uma meta fora de nós, em um mundo no qual nos tornamos... estrangeiros.

Como o neurologista dr. Damásio brilhantemente explicou, cinqüenta anos depois de Camus, o que confere profundidade e senso de direção a nossas vidas são as ondas de sentimento que surgem dessas fontes de significado que animam nosso corpo e nossos neurônios emocionais. E é assim, cultivando cada um desses aspectos cruciais e elementares de nossa própria humanidade, que podemos finalmente libertar a força com a qual nascemos: um instinto para Curar.

Agradecimentos

Quando me perguntam quanto tempo levei para escrever este livro, não minto: alguns meses e, antes disso, toda a minha vida. Um livro é o produto de todos aqueles que contribuíram para o desenvolvimento das idéias do autor – incluindo professores do ensino fundamental e médio que ainda habitam nossa mente com freqüência –, assim como daqueles que contribuíram para o seu desenvolvimento emocional. Entre todos eles, só posso agradecer a um número muito reduzido aqui.

Primeiro, devo começar por expressar minha gratidão a Beverly Spiro e Lewis Mehl-Madrona, dois profissionais excepcionais da nova medicina, ao lado de quem tive a oportunidade de estudar e trabalhar. Sua bondade, sua eficiência e seu incentivo constantes me forçaram a abrir a mente para novas maneiras de praticar minha profissão. Juntos fundamos o Centro de Medicina Complementar no Hospital Shadyside. Patricia Bartone, amiga fiel e colega do Centro, também me ajudou na transição quando chegou a hora de voltar para o meu país de origem. Aqueles amigos que são capazes de nos ajudar a partir são raros. E então há todos os membros da equipe – Denise

Mianzo, Denise DiTommaso, Gayle Dentino, J. A. Brennan –, bem como os profissionais que me ensinaram tanto e que continuam a me incentivar e ajudar muito depois de eu ter deixado o Centro. Eu lhes devo meu apreço. Jo Devlin, que comigo deu aulas aos residentes em Medicina Familiar, me forneceu muitas idéias sobre como melhorar o relacionamento médico-paciente e sobre a prática da psicoterapia com pessoas em circunstâncias difíceis.

A bibliotecária do hospital, Michele Klein-Fedyshin, é uma mulher notavelmente criativa e eficiente. Graças a seus e-mails quase diários, que chegaram até mim enquanto eu trabalhava em meu manuscrito no interior – rodeado apenas por pastos e vacas –, pude juntar a documentação que forneceu a base das idéias expostas neste livro. Por meio dela, também gostaria de agradecer a meus ex-colegas do Hospital Shadyside, pelo suporte inquebrantável, e especialmente a Randy Kolb, meu médico de família; Fred Rubin, presidente do departamento de medicina interna; e David Blandino, presidente do departamento de medicina familiar e comunitária. Cada um deles foi um modelo para mim, como ser humano e como médico.

Gostaria de cumprimentar o reitor da Faculdade de Medicina da Universidade de Pittsburgh, Arhtur Levine, por sua receptividade. Talvez tenha sido a admiração que ambos temos pela literatura russa do século XIX o fator determinante na sua tolerância para com o Centro de Medicina Complementar, em uma universidade conhecida por seu prestígio e sucesso no campo ortodoxo.

Na França, Jean Cottraux, diretor do departamento para o tratamento de desordens da ansiedade no Hospital Neurológico em Lyon, é uma fonte infalível de sabedoria sobre psiquiatria. Desejo expressar meu apreço mais profundo em relação a seu hospital, seu apoio e seus conselhos, embora ele não concorde com todos os pontos de vista aqui expressos.

Todas as idéias que reuni neste livro começaram com meu encontro com Jonathan Cohen, que agora dirige o Centro para o Estudo do Cérebro, Mente e Comportamento na Universidade de Princeton. Foi um encontro totalmente inesperado. Os dois tínhamos vindo para Pittsburgh, de mundos diferentes, direto para o departamento de psiquiatria, para estudar modelos do cérebro produzidos por computador. Fiquei imediatamente fascinado pela espirituosidade de Jonathan, por seu sorriso acolhedor e delicado e por sua espantosa perspicácia mental. Praticamente nunca mais nos separamos nos oito anos seguintes e aprendemos juntos *tanto* sobre o sucesso e o fracasso, a separação, a solidão e o fulgor afetuoso da amizade no túnel da vida *como* sobre o cérebro.

Tenho de agradecer a David Kupler e a Thomas Detre, respectivamente o atual e o ex-presidente do departamento de psiquiatria da Universidade de Pittsburgh. Há vinte anos, eles acreditaram suficientemente em mim a ponto de me convidar – um estudante estrangeiro – a vir até Pittsburgh para perseguir esses interesses. Ambos apoiaram infalivelmente minhas buscas desde então, aonde esses interesses me levaram, mesmo quando se desviaram completamente dos deles.

Herbert Simon, meu diretor de tese, e Jay McClelland, que me aconselharam o tempo todo, foram modelos de estatura formidável. Eles me ensinaram tudo o que sei sobre audácia e rigor no pensamento científico.

No lado clínico de minha vida, nenhum outro pensador me impressionou tanto quanto Francine Shapiro, a criadora do EMDR (Dessensibilização e Reprocessamento pelo Movimento Ocular). Francine transpira inteligência, sensibilidade, coragem e determinação em face da considerável adversidade e, às vezes, da calúnia. Também quero louvar seu respeito pela ciência e o exame crítico de seu método, que foi o que me convenceu de que é digno de ser pesquisado.

Minha analista, Judith Schachter, possibilitou que eu confiasse suficientemente em mim mesmo para buscar minhas próprias idéias. Ela foi generosa e acolhedora e eu jamais esquecerei o dia em que transgrediu a ortodoxia – muito embora ela tivesse se tornado presidente da Associação Psicanalítica Americana – e segurou minha mão quando lhe pedi que o fizesse porque eu estava triste demais.

Olga Tereshko, com sua alma russa, sua força, sua paixão, seu humor e sua inteligência penetrante, me deu muito amor e influenciou profundamente minhas idéias a respeito da natureza humana. Ela também me deu a coragem e o apoio necessários para deixar o caminho batido do sucesso acadêmico convencional numa época em que eu estava cheio de dúvidas.

Entre os membros da minha família, a mãozinha de meu filho Sacha dentro da minha tem me dado a melhor razão do mundo para escrever. Meu irmão Edouard tem sido um companheiro firme, cujos insights em relação a estas páginas foram dos mais úteis e penetrantes. Os conselhos de meu irmão Franklin sobre comunicação e relações com a mídia evitaram que eu cometesse todos os erros comuns de um novato. E a força, a determinação e a sagacidade de meu irmão Émile são um modelo para mim há muito tempo. Minha mãe, Sabine, mantém-se atenta e me ajuda a equilibrar firmemento o curso de minha vida, um papel em que ela se sobressai. Meu tio Jean-Louis gentilmente organizou meu retorno à França e, na hora certa, com exortações altamente eficazes. Ele me ensinou a escrever para o público e também lhe devo meus agradecimentos por sugerir o título original deste livro (*Guérir*, que significa "curar"). Sou grato à minha tia Bernardette e a seu filho Diego por sua inventividade e lealdade familiar em uma situação alarmante que poderia ter inviabilizado o término do manuscrito a tempo. A sempre fiel Liliane, que compreende tudo, pensa em tudo e tem organizado os detalhes da vida familiar nos últimos quarenta anos, permitindo que me concentrasse no meu projeto. Annick, que não só ajudou a me criar de um modo tão meigo, como também contribuiu para a vida familiar. Finalmente, Anatole e Tamara Tereshko, os avós de meu filho, que deram tanto de seu tempo e energia para cuidar de Sacha enquanto eu estava ocupado descobrindo novos aspectos da minha profissão.

A "parteira" que assistiu ao nascimento – à feitura – deste livro foi Madeleine Chapsal, em suas tranqüilas e hospitaleiras casas de campo, "La Sauterie", no coração da França, e "La Maison Blanche", no pequeno paraíso da ilha de Ré. Madeleine me incentiva a escrever desde que eu tinha quinze anos. Ainda me lembro de seus comentários no exame final do ensino médio, um ensaio sobre o filósofo existencialista Merleau-Ponty. Foi na sala Merleau-Ponty em "La Sauterie" que escrevi as primeiras linhas deste livro e, durante aquelas semanas de isolamento forçado, comemos bastante peixe e rimos muito.

Meus amigos Benoît Mulsant, Maurice Balick, Heidi Feldman, Tamara Cohen, Nikos Pediaditakis e Lotti Gaffney foram conselheiros leais, cada qual a seu modo, das idéias aqui expressas. Sua paciência e lealdade, apesar de minhas distrações, têm sido uma dádiva preciosa. A força, a coragem e a visão generosa da medicina de Heidi, e seu puro poder de convicção, podem ter salvado nosso recém-nascido centro durante seu difícil parto.

Meus companheiros de carteado no domingo à noite – primeiro em Pittsburgh, agora em Paris – são uma das razões por que é tão bom existir. Toda a minha gratidão a Christine Gonze, Madjid, Youssef, Isabelle, Benoît, Géraldine e Nicolas. Redescobri o "chamado" de meu país de origem depois de vinte anos de exílio voluntário quando nos encontramos pela primeira vez em Pittsburgh, pelo simples prazer de jogar e dar risada. Isso me ajudou muito a ver com clareza o que estava faltando em minha vida, às vezes ascética, e o que era essencial para curar a alma – a minha, pelo menos.

Nos momentos-chave de criação, Roy e Susie Dorrance, e, por intermédio deles, o espírito de sua filha Emilie, que faleceu aos 24 anos, acreditaram neste livro. Nunca conheci pessoas que, após tão pouco tempo de conviência, tenham sido tão generosas como eles foram comigo. Sua gentileza está gravada em meu coração. Só espero ser digno da confiança que depositaram em mim. Sou grato a Sonny Richards, um dos últimos xamãs lakota. Filho espiritual do grande Corvo do Tolo, ele é a encarnação da tradicional medicina indígena norte-americana, baseada na busca das emoções, na integração comunitária e nos rituais sagrados.

Minha gratidão também vai para Michael Lerner – provavelmente um dos intelectuais norte-americanos mais fascinantes da atualidade. Ele está profundamente empenhado em uma vida de ação e está sempre pronto a brigar nas batalhas cruciais com que nossa sociedade se depara. Obrigado, Michael, por me olhar nos olhos e dizer "Você tem que escrever este livro".

Sou imensamente grato a Carol Mann, minha agente em Nova York. Primeiro, porque disse a meus amigos e a mim mesmo que eu tinha "uma agente em Nova York" (!) quando este livro nem sequer existia, e, mais importante ainda, porque seu ótimo juízo e seu profissionalismo me permitiram transformar as vagas idéias de um clínico em um livro de verdade e legível. Gostaria de mencionar igualmente o entusiasmo firme e dedicado de meu editor na Rodale – a acolhedora Mariska van Aaalst – e o empenho e o incentivo de Amys Rhodes, que foi um dos primeiros editores a ver um projeto empolgante no que era apenas uma proposta incompleta.

Sem a paciência e as habilidades organizacionais de Delphine Pécoul, minha assistente, e a inquebrantável amizade de Daniele Stern, que juntou todas as pontas deste projeto nas últimas semanas antes do prazo final, eu não teria tido tempo nem liberdade de me concentrar no essencial.

Finalmente, gostaria de saudar o espírito de meu pai, Jean-Jacques, que impregna cada página deste livro. Eu me lembro, quando criança, de vê-lo à sua escrivaninha na casa da família na Normandia, trabalhando o verão inteiro enquanto escrevia *O desafio americano*. Com suas idéias novas e provocantes, aquele livro abriu a cabeça de muita gente no mundo todo. Eu estava sentado na mesma escrivaninha quando desenhei os primeiros esboços deste *Curar*. Não tive de revisá-lo uma única vez desde então.

Ilha de Ré
agosto de 2003

Notas

Capítulo 1: A nova medicina das emoções

1. Cummings, N. A.; Van den Bos, N. "The twenty year Kaiser permanent experience with psychotherapy and medical utilization: implications for National Health Policy and National Health Insurance", *Health Policy Quarterly* 1 (1981): 159–175; Kessler, L. G.; Cleary, P. D. et al. "Psychiatric disorders in primary care", *Archives of General Psychiatry* 42 (1985): 583–590; MacFarland, B. H.; Freeborn, D. K. et al. "Utilization patterns among long-term enrollees in a prepaid group practice health maintenance organization", *Medical Care* 23 (1985): 1121–1233.
2. Grossarth-Maticek, R.; Eysenck, H. J. "Self-regulation and mortality from cancer, coronary heart disease and other causes: a prospective study", *Personality And Individual Differences* 19 (1995): 781–795.
3. *Pharmacy Times*, "Top ten drugs of 2001", 68 (4) (2002): 10, 12, 15.
4. Antonuccio, D. Burns, D. D. et al. "Antidepressants: a triumph of marketing over science?", *Prevention & Treatments*, artigo 25, publicado em 15 jul. 2002.
5. Langer, G. "Use of antidepressants is a long-term practice", <www.abcnews.com> (2000).
6. Kessler, R.; Soukup, J. et al. "The use of complementary and alternative therapies to treat anxiety and depression in the United States", *American Journal of Psychiatry* 158 (2001): 289–294.
7. Gabbard, G. O.; Gunderson, J. G. et al. "The place of psychoanalytic treatments within psychiatry", *Archives of General Psychiatry* 59 (2002): 505–510.

8. Kramer, P. *Listening to Prozac* (Nova York: Viking, 1993).
9. Flint, A.; Rifat, S. "Recurrence of first-episode geriatric depression after discontinuation of maintenance antidepressants", *American Journal of Psychiatry* 156 (1999): 943–945; Frank, E.; Kupfer, D. et al. "Early recurrence in unipolar depression", *Archives of General Psychiatry* 46, nº 5 (1989): 397–400; Goodwin, G. "Recurrence of mania after lithium withdrawal: implications for the use of lithium in the treatment of bipolar affective disorder", *British Journal of Psychiatry* 164 (1994): 149–152; Littrell, J. "Relationship between time since reuptake-blocker antidepressant discontinuation and relapse", *Experimental & Clinical Psychopharmacology* 2 (1994): 82–94; Peselow, E.; Dunner, D. et al. "The prophylactic efficacy of tricyclic antidepressants: a five year follow-up", *Progress in Neuro-Psychopharmacology & Biological Psychiatry*15, nº 1 (1991): 71–82; Baldessarini, R.; Viguera, A. "Neuroleptic withdrawal in schizophrenic patients", *Archives of General Psychiatry* 52, nº 3 (1995): 189-192.
10. Viguera, A.; Baldessarini, R. et al. "Discontinuing antidepressant treatment in major depression", *Harvard Review of Psychiatry* 5 , nº 6 (1998): 293–306.

Capítulo 2: Mal-estar na neurobiologia: o difícil casamento de dois cérebros

1. Mayer, J. D.; Salovey, P. Capuso, A. "Models of emotional intelligence". In: Steinberg, R. J. (org.). *Handbook of intelligence* (Cambridge: Cambridge University Press, 2000).
2 . Goleman, D. *Emotional intelligence* (Nova York: Bantam Books, 1995).
3. Mayer et al. *Handbook of intelligence*, 396–420.
4 . Vaillant, G. *Adaptation to life* (Boston: Harvard University Press, 1995).
5. Felsman, J. K.; Vaillant, G. "Resilient children as adults: a 40-year study". In: *The invulnerable child*.Anderson, E. J.; Cohler, B. J. (orgs.). (Nova York: Guilford Press, 1987).
6. Broca, P. "Anatomie comparée des circonvolutions cérébrales. le grand lobe limbique et la scissure limbique dans la série des ammifières", *Revue Anthropologique* 2 (1878): 385–498.
7. Servan-Schreiber, D.; Perlstein, W. M. et al. "Selective pharmacological activation of limbic structures in human volunteers: a positron emission tomography study", *Journal of Neuropsychiatry and Clinical Neurosciences* 10 (1998): 148–159.
8. LeDoux, J. E. *The emotional brain: the mysterious underpinnings of emotional life* (Nova York: Simon & Schuster, 1996).

9. Levitt, P. "A monoclonal antibody to limbic system neurons", *Science* 223 (1984): 299–301.
10. Damásio, A. *The feeling of what happens* (San Diego: Harcourt, 1990). Em seu livro mais recente, Damásio explora com mais profundidade as conseqüências dessa noção e atribui a descoberta da conexão entre emoções e reações psicológicas no corpo ao grande filósofo do século XVII Baruch Spinoza. Damásio, A. *Looking for Spinoza: joy, sorrow and the feeling brain* (San Diego: Harcourt, 2003).
11. Mehler, J.; Lambertz, G. et al. "Discrimination de la langue maternelle par le nouveau-né", *Comptes Rendus de l'Académie des Sciences* 303 (1986): 637–640.
12. Arnsten, A. F.; Goldman-Rakic, P. S. "Noise stress impairs prefrontal cortical cognitive function in monkeys: evidence for a hyperdopaminergic mechanism", *Archives of General Psychiatry* 55, nº 4 (1998): 362–368.
13. Regier, D. A.; Robins, L. N. *Psychiatric disorders in America: the epidemiology catchment area study* (Nova York: Free Press, 1991).
14. Ochsner, K. N.; Bunge, S. A. et al. "An MRI study of the cognitive regulation of emotion", *Journal of Cognitive Neuroscience* (2002). Ver também a teoria de Drevets e Raichle, que descreve a relação de inibição recíproca entre o cérebro cognitivo e o emocional e a confimação dessa teoria em um estudo recente com MRI, realizado na Universidade Duke, por Yamasaki e LaBar. Drevets, W. C.; Raichle, M. E. "Reciprocal suppression of regional cerebral blood flow during emotional versus higher cognitive processes: implications for interactions between emotion and cognition", *Cognition and Emotion* 12 (1998): 353–385; Yamasaki, H.; LaBar, K. S. et al. "Dissociable pre frontal brain systems for attention and emotion", *Proceedings of the National Academy of Sciences* 99, nº 17 (2002): 11447–11451.
15. Macmillan, M. B. (1986) "A wonderful journey through skull and brains: the travels of Mr. Gage's tamping iron", *Brain and Cognition*, nº 5 (1986): 67–107.
16. Damasio, H.; Brabowski, T. et al. "The return of Phineas Gage: clues about the brain from the skull of a famous patient", *Science* 264 (1994): 1102–1105.
17. Eslinger, P. J.; Damasio, A. R. "Severe disturbance of higher cognition after bilateral frontal lobe ablation: patient EVR", *Neurology* 35 (1985): 1731–1741.
18. R. Levenson et al. "The influence of age and gender on affect, physiology, and their interrelations: a study of long-term marriages", *Journal of Personality and Social Psychology* 67 (1994).
19. Csikszentmihalyi, M. *Flow: the psychology of optimal experience* (Nova York: Harper & Row, 1990).

Capítulo 3: O coração e suas razões

1. Harrer, G.; Harrer, H. "Music, emotion and autonomic function".,In: *Music and the brain*. Critchley, M.; Hanson, R. A. (orgs.). (Londres: William Heinemann Medical, 1977) 202–215.
2. Grossarth-Maticek, R.; Eysenck, H. J. "Self-regulation and mortality from cancer, coronary heart disease and other causes: a prospective study", *Personality and Individual Differences* 19, nº 6 (1995): 781–795; Linden, W.; Stossel, C. et al. "Psychosocial interventions for patients with coronary artery disease: a meta-analysis", *Archives of Internal Medicine* 156, nº 7 (1996): 745–752; Ornish, D.; Scherwitz L. et al. "Intensive lifestyle changes for reversal of coronary heart disease", *Journal of the American Medical Association* 280, nº 23 (1998): 2001–2007.
3. Frasure-Smith, N.; Lesperance, F. et al. "Depression and 18-month prognosis after myocardial infarction", *Circulation* 91, nº 4 (1995): 999–1005; Glassman, A.; Shapiro, P. "Depression and the course of coronary artery disease", *American Journal of Psychiatry* 155 (1998): 4–10.
4. Armour, J. A.; Ardell, J. *Neurocardiology* (Nova York: Oxford University Press, 1994); Samuels, M. "Voodoo death revisited: the modern lessons of neurocardiology", Grand Rounds, Departmento de Medicina, Centro Médico da Universidade de Pittsburgh, Hospital Shadyside, 2001.
5. Armour, J. A. (org.). "Anatomy and function of the intrathoracic neurons regulating the mammalian heart", *Reflex control of the circulation* (Boca Raton, FL: CRC Press, 1991); Gershon, M. D. "The enteric nervous system: a second brain", *Hospital Practice* (Office Edition) 34, nº 7 (1999): 31–32, 35–38, 41–42 *passim*.
6. Carter, C. S. "Neuroendocrine perspectives on social attachment and love", *Psychoneuroendocrinology* 23 (1998): 779–818; Uvnas-Moberg, K. "Oxytocin may mediate the benefits of positive social interaction and emotions", *Psychoneuroendocrinology* 23 (1998): 819–835. Cantin e Genest, pesquisadores de Quebec que descobriram o FNA (fator natriurético atrial), estão entre os primeiros a descrever o coração como uma glândula hormonal. Cantin, M.; Genest, J. "The heart as an endocrine gland", *Clinical and Investigative Medicine* 9, nº 4 (1986): 319–327.
7. Stroink, G. "Principles of cardiomagnetism", *Advances in Biomagnetism*, S. J. Williamson et al. (orgs.) (Nova York: Plenum Press, 1989) 47–57.
8. Coplan, J. D.; Papp, L. A. et al. "Amelioration of mitral valve prolapse after treatment for panic disorder", *American Journal of Psychiatry* 149, nº 11 (1992): 1587–1588.
9. Gahery, Y.; Vigier, D. "Inhibitory effects in the cuneate nucleus produced by vago-aortic afferent fibers", *Brain Research* 75 (1974): 241–246.

10. Akselrod, S.; Gordon, D. et al. "Power spectrum analysis of heart rate fluctuation: a quantitative probe of beat-to-beat cardiovascular control", *Science* 213 (1981): 220–222.
11. Umetani, K.; Singer, D. et al. "Twenty-four hours time domain heart rate variability and heart rate: relations to age and gender over nine decades", *Journal of the American College of Cardiology* 31, nº 3 (1999): 593–601.
12. Tsuji, H.; Venditti, F. et al. "Reduced heart rate variability and mortality risk in an elderly cohort. the Framingham heart study", *Circulation* 90, nº 2 (1994): 878–883; Dekker, J.; Schouten, E. et al. "Heart rate variability from short term electrocardiographic recordings predicts mortality from all causes in middle-aged and elderly men. The Zutphen study", *American Journal of Epidemiology* 145, nº 10 (1997): 899–908; La Rovere, M.; Bigger, J. T. et al. "Baroreflex sensitivity and heart-rate variability in prediction of total cardiac mortality after myocardial infarction", *The Lancet* 351 (1998): 478–484.
13. Carney, R. M.; Rich, M. W. et al. "The relationship between heart rate, heart rate variability, and depression in patients with coronary artery disease", *Journal of Psychosomatic Research* 32 (1988): 159–164; Rechlin, T.; Weis, M. et al. "Are affective disorders associated with alterations of heart rate variability?", *Journal of Affective Disorders* 32, nº 4 (1994): 271–275; Krittayaphong, R.; Cascio, W. et al. "Heart rate variability in patients with coronary artery disease: differences in patients with higher and lower depression scores", *Psychosomatic Medicine* 59, nº 3 (1997): 231–235; Stys, A.; Stys, T. "Current clinical applications of heart rate variability", *Clinical Cardiology*21 (1998): 719–724; Carney, R.; Freedland, K. et al. "Change in heart rate variability during treatment for depression in patients with coronary heart disease", *American Psychosomatic Society* 62, nº 5 (2000): 639–647; Luskin, F.; Reitz, M. et al. "A controlled pilot study of stress management training in elderly patients with congestive heart failure", *Preventive Cardiology* 5, nº 4 (2002): 168–172.
14. McCraty, R.; Atkinson, M. et al. "The effects of emotions on short-term power spectrum analysis and heart rate variability", *The American Journal of Cardiology* 76, nº14 (1995): 1089–1093.
15. Barrios-Choplin, B.; McCraty, R. et al. "An inner quality approach to reducing stress and improving physical and emotional well-being at work", *Stress Medicine* 13, nº 3 (1997): 193–201.
16. Watkins, A. D. "Corporate training in heart rate variability: 6 weeks and 6 months follow-up studies", Hunter-Kane, London (2002).
17. Katz, L. F.; Gottman, J. M. "Buffering children from marital conflict and dissolution", *Journal of Clinical Child Psychology* 26 (1997): 157–171.

Capítulo 4: Vivendo a coerência cardíaca

1. McCraty, R. (org.). *Science of the heart: exploring the role of the heart in human performance* (Boulder Creek, CA: Institute of HeartMath, 2001).
2. McCraty, R.; Atkinson, M. et al. "The effects of emotions on short-term power spectrum analysis and heart rate variability", *The American Journal of Cardiology* 76, nº 14 (1995): 1089–1093.
3. Luskin, F.; Reitz, M. et al. "A controlled pilot study of stress management training in elderly patients with congestive heart failure", *Preventive Cardiology* 5, nº 4 (2002): 168–172.
4. Barrios-Choplin, B.; McCraty, R. et al. "An inner quality approach to reducing stress and improving physical and emotional well-being at work", *Stress Medicine* 13, nº 3 (1997): 193–201.
5. Baulieu, E.; Thomas, G. et al. "Dehydroepiandrosterone (DHEA), DHEA sulfate, and aging: contribution of the DHEA study to a sociobiomedical issue", *Proceedings of the National Academy of Science* 97, nº 8 (2000): 4279–4284.
6. Kirschbaum, C.; Wolf, O. et al. "Stress and treatment-induced elevation of cortisol levels associated with impaired declarative memory in healthy adults", *Life Sciences* 58, nº 17 (1996): 1475–1483; Bremner, J. D. "Does stress damage the brain?", *Society of Biological Psychiatry* 45 (1999): 797–805; McEwen, B. *The end of stress as we know it* (Washington, DC: National Academic Press, 2002).
7. McCraty, R.; Barrios-Choplin, B. et al. "The impact of a new emotional self-management program on stress, emotions, heart rate variability, DHEA and cortisol", *Integrative Physiological and Behavioral Science* 33, nº 2 (1998): 151–170.
8. Rein, G.; McCraty, R. et al. "Effects of positive and negative emotions on salivary IgA", *Journal for the Advancement of Medicine* 8, nº 2 (1995): 87–105.
9. Cohen, S.; Tyrrell, D. A. et al. "Psychological stress and susceptibility to the common cold", *New England Journal of Medicine* 325, nº 9 (1991): 606–612.
10. McCraty, R. (org.). *Science of the heart: exploring the role of the heart in human performance* (Boulder Creek, CA: Institute of HeartMath, 2001).
11. Ibid.

Capítulo 5: Dessensibilização e Reprocessamento pelo Movimento Ocular (EMDR): o mecanismo de cura da própria mente

1. Rauch, S. L.; Vander Kolk et al. "A symptom provocation study of posttraumatic stress disorder using positron emission tomography and script-driven imagery", *Archives of General Psychiatry* 53 (1996): 380–387. Vários

estudos de PTSD com imagens do cérebro realizados desde então apontaram a existência de outras regiões do cérebro possivelmente envolvidas na PTSD. Ela permanece uma área vigorosa de pesquisa, com as discordâncias e controvérsias costumeiras a respeito da interpretação das descobertas. Preferi ilustrar os correlativos neurais da PTSD com este estudo mais antigo porque ele captura bem – no nível neurológico – a essência do que vemos como clínicos: emoções fortes, imagens visuas vívidas e expressão verbal debilitada.

2. Breslau, N.; Kessler, R. C. et al. "Trauma and posttraumatic stress disorder in the community: the 1996 Detroit area survey of trauma", *Archives of General Psychiatry* 55 (1998): 626–632.
3. Shapiro, F. *EMDR treatment: overview and integration. EMDR as an integrative psychotherapy approach* (Washington, DC: Associação Psicológica Americana, 2002).
4. LeDoux, J. E. "Brain mechanisms of emotions and emotional learning", *Current Opinion in Neurobiology* 2 (1992): 191–197.
5. Pavlov, I. P. *Conditioned reflexes* (Londres: Oxford University Press, 1927).
6. Quirk, G. I. "Memory for extinction of conditioned fear is long-lasting and persists following spontaneous recovery",*Learning and Memory* 9, nº 6 (2002): 402–407; Morgan, M. A.; Romanski, L. M. et al. "Extinction of emotional learning: contribution of medial prefrontal cortex", *Neuroscience Letters* 163, nº 1 (1993): 109–113.
7. LeDoux, J. E.; Romanski, L. et al. "Indelibility of subcortical emotional memories", *Journal of Cognitive Neuroscience* 1 (1989): 238–243. LeDoux, J. E. *The emotional brain: the mysterious underpinnings of emotional life* (Nova York: Simon & Schuster, 1996).
8. Ver a rede neural deste fenômeno desenvolvida por Jorge Armony no laboratório de LeDoux em colaboração com meu próprio laboratório na Universidade de Pittsburgh: Armony, J.; Servan-Schreiber, D. et al. "Computational modeling of emotion: explorations through the anatomy and physiology of fear conditioning", *Trends in Cognitive Sciences* 1, nº 1 (1997): 28–34.
9. Solomon, S.; Gerrity, E. T. et al. "Efficacy of Treatments for posttraumatic stress disorder", *Journal of the American Medical Association* 268 (1992): 633–638.
10. Wilson, S.; Becker, L. et al. "Eye Movement Desensitization and Reprocessing (EMDR) treatment for psychologically traumatized individuals", *Journal of Consulting and Clinical Psychology* 63 (1995): 928–937; Wilson, S.; Becker, L. et al. "Fifteen-month follow-up of Eye Movement Desensitization and Reprocessing (EMDR) treatment for posttraumatic stress disorder and psychological trauma", *Journal of Consulting and Clinical Psychology* 65 (1997): 1047–1056.

11. Os antibióticos apresentam bons resultados em 90% dos casos de pacientes externos com pneumonia, mas somente em 80% dos pacientes que exigem hospitalização. Tais casos, obviamente, são mais sérios. Fine, M.; Stone, R. et al. "Processes and outcomes of care for patients with community-acquired pneumonia", *Archives of Internal Medicine* 159 (1999): 970–980.
12. Shapiro, F. *Eye Movement Desensitization and Reprocessing: basic principles, protocols and procedures*. 2. ed. (Nova York: Guilford, 2001); Stickgold, R. "EMDR: a putative neurobiological mechanism", *Journal of Clinical Psychology* 58 (2002): 61–75.
13. Cyrulnik, B. *Les vilains petits canards* (Paris: Odile Jacob, 2001).
14. Van der Kolk, B. "Beyond the talking cure: somatic experience and the subcortical imprints in the treatment of trauma". In *EMDR as an integrative psychotherapy approach*. F. Shapiro (org.). (Washington, DC: Associação Psicológica American, 2002); Shapiro, F. *Eye Movement Desensitization and Reprocessing: basic principles, protocols and procedures* (Nova York: Guilford, 2001).
15. Rumelhart, D. E.; McClelland, J. L. *Parallel distributed processing: explorations in the microstructure of cognition* (Cambridge, MA: MIT Press, 1986); Edelman, G. N. *Neural darwinism: the theory of neuronal group selection* (Nova York: Perseus Publishing, 1987).
16. O título de um dos mais antigos papers de Bessel van der Kolk sobre o tema fazia uso de uma citação de um de seus pacientes com traumatismo múltiplo ("The body keeps the score..." [O corpo mantém o escore]. Van der Kolk, B. A. "The body keeps the score: memory and the evolving psychobiology of posttraumatic stress", *Harvard Review of Psychiatry* 1 (1994): 253–265.

Capítulo 6: O EMDR em ação

1. Kübler-Ross, E. *On death and dying* (Nova York: Touchstone, 1969).
2. Chemtob, C. M.; Nakashima, J. et al. "Brief treatment for elementary school children with disaster-related post-traumatic stress disorder: a field study", *Journal of Clinical Psychology* 58 (2002): 99–112.
3. Van Etten, M. L.; Taylor, S. "Comparative efficacy of treatments for post-traumatic stress disorder: a meta-analysis", *Clinical Psychology & Psychotherapy* 5 (1998): 126–144; Spector, J.; Read, J. "The current status of Eye Movement Desensitization and Reprocessing (EMDR)", *Clinical Psychology & Psychotherapy* 6 (1999): 165–174; Sack, M.; Lempa, W. et al. "Study quality and effect-sizes: a meta-analysis of EMDR-treatment for post-

traumatic stress disorder", *Psychotherapie, Psychosomatik, Medizinische Psychologie* 51, nº 9–10 (2001): 350–355; Maxfield, L.; Hyer, L. A. "The relationship between efficacy and methodology in studies investigating EMDR treatment of PTSD", *Journal of Clinical Psychology* 58 (2002): 23–41.

4. Herbert, J.; Lilienfeld, S. et al. "Science and pseudoscience in the development of Eye Movement Desensitization and Reprocessing: implications for clinical psychology", *Clinical Psychology Review* 20 (2000): 945–971. Uma réplica detalhada a esta crítica foi publicada por dois psicanalistas americanos em 2002: Perkins, B. R.; Rouanzoin, C. C. "A critical evaluation of current views regarding Eye Movement Desensitization and Reprocessing (EMDR): clarifying points of confusion", *Journal of Clinical Psychology* 58 (2002): 77–97.
5. Stickgold, R.; Hobson, J. A. et al. "Sleep, learning, and dreams: off-line memory reprocessing", *Science* (2001): 1052–1057.
6. Stickgold, R."EMDR: A putative neurobiological mechanism", *Journal of Clinical Psychology* 58 (2002): 61–75.
7. Wilson, D.; Silver, S. M. et al. "Eye Movement Desensitization and Reprocessing: effectiveness and autonomic correlates", *Journal of Behavior Therapy and Experimental Psychiatry* 27 (1996).
8. Pessah, M. A.; Roffwarg, H. P. "Spontaneous middle ear muscle activity in man: a rapid Eye Movement Sleep phenomenon", *Science* 178 (1972): 773–776; Benson, K.; Zarcone, V. P. "Phasic events of REM sleep: phenomenology of Middle ear muscle activity and periorbital integrated potentials in the same normal population", *Sleep* 2, nº 2 (1979): 199–213.
9. Servan-Schreiber, D. "Eye Movement Desensitization and Reprocessing: is psychiatry missing the point?", *Psychiatric Times* 17, nº 7 (2000): 36–40.
10. Chambless, D.; Baker, M. et al. "Update on empirically validated therapies, II", *The Clinical Psychologist* 51, nº 1 (1998): 3–16.
11. Chemtob, C. M.; Tolin, D. et al. "Eye Movement Desensitization and Reprocessing (EMDR)". In *Effective treatments for PTSD: practice guidelines from the International Society for Traumatic Stress Studies*. Foa, E. A.; Keane, T. M.; Friedman, M. J. (orgs.). (Nova York: Guilford Press, 2000): 139–155, 333–335.
12. Departamento de Saúde do Reino Unido. "The evidence based clinical practice guideline" (2001).
13. Bleich, A.; Berstein, J. et. al. "Guidelines for the assessment and professional intervention with terror victims in the hospital and in the community", documento emitido pelo Conselho Nacional para a Saúde Mental, Ministério da Saúde, Israel (2002).
14. Crest, "The management of posttraumatic stress disorder in adults" (Belfast, Irlanda, Grupo de Apoio para a Eficiência da Pesquisa Clínica do

Departamento de Saúde, Serviço Social e Segurança Pública da Irlanda do Norte, 2003).

15. Kirsch, I.; Scoboria, A. et al. "Antidepressants and placebos: secrets, revelations, and unanswered questions", *Prevention & Treatment* (2002); Thase, M. E. "Antidepressant effects: the suit may be small, but the fabric is real", artigo 32, *Prevention & Treatment* (2002); Khan, A.; Leventhal, R. et al. "Severity of depression and response to antidepressants and placebo: an analysis of the Food and Drug Administration database", *Journal of Clinical Psychopharmacology* 22, nº 1 (2002): 50–54.
16. Yehuda, R.; McFarlane, A. C. et al. "Predicting the development of posttraumatic stress disorder from the acute response to a traumatic event", *Biological Psychiatry* 44 (1998): 1305–1313.

Capítulo 7: A energia da luz: reprogramando seu relógio biológico

1. Cook, F. A. "Medical observations among the Esquimaux", *New York Journal of Gynecology and Obstetrics* 4 (1894): 282–296, citado em Rosenthal, N. E. *Winter blues: seasonal affective disorder — what it is and how to overcome it* (Nova York: Guilford Press, 1998).
2. Haggarty, J. M.; Cernovsh Z. et al. "The limited influence of latitude on rates of seasonal affective disorder", *Journal of Nervous and Mental Disease* 189 (2001): 482–484.
3. Avery, D. H.; Eder, D. N. et al. "Dawn simulation and bright light in the treatment of SAD: a controlled study", *Biological Psychiatry* 50, nº 3 (2001): 205–216.
4. Comunicação pessoal por e-mail enviada por Don Romero da Pi-Square, Inc., Seattle, Washington.
5. Parry, B.; Berga, S. et al. "Melatonin and phototherapy in premenstrual depression", *Progress in Clinical & Biological Research* 341 B (1990): 35–43; Lam, R. W.; Goldner, E. M. et al. "A controlled study of light therapy for bulimia Nervosa", *American Journal of Psychiatry* 151,nº 5 (1994): 744–750; Satlin, A.; Volicer, L. et al. "Bright light treatment of behavioral and sleep disturbances in patients with Alzheimer's disease", *American Journal of Psychiatry* 149, nº 8 (1992): 1028–1032; Levitt, A.; Joffe, R. et al. "Bright light augmentation in antidepressant nonresponders", *Journal of Clinical Psychiatry* 52, nº 8 (1991): 336–337.
6. In-Young, Y.; Kripke, D. et al. "Luteinizing hormone following light exposure in healthy young men", *Neuroscience Letters* 341, nº 1 (2003): 25–28.

Capítulo 8: O poder do Qi: a acupuntura afeta diretamente o cérebro emocional

1. Soulie de Morant, G. I. *L'Acupuncture chinoise* (Paris: Maloine Éditeurs, 1972).
2. Como sugerem as análises dos estudos clínicos registrados pela FDA (Food and Drug Administration): Kirsch, I.; Scoboria, A. et al. "Antidepressants and placebos: secrets, revelations, and unanswer questions", *Prevention & Treatment* (2002); Thase, M. E. "Antidepressant effects: the suit may be small, but the fabric is real", *Prevention & Treatment* artigo 32 (2002); Khan, A.; Leventhal, R. et al. "Severity of depression and response to antidepressants and placebo: an analysis of the Food an Drug Administration database", *Journal of Clinical Psychopharmacology* 22, nº 1 (2002): 50–54.
3. Associação Médica Britânica, Departamento de Ciências. *Acupuncture: efficacy, safety and practice* (Londres: Harwood Academic, 2000).
4. Ulett , G. A.; Han , S. et al. "Electroacupuncture: mechanisms and clinical applications", *Biological Psychiatry* 44 (1998): 129–138.
5. Hechun, L.; Yunkui, J. et al. "Electroacupuncture vs. amitriptyline in the treatment of depressive states", *Journal of Traditional Chinese Medicine* (1985): 3–8; Han, J.-S. "Electroacupuncture: an alternative to antidepressants for treating affective diseases?", *Journal of Neuroscience* 29 (1986): 79–92; Polyakov, S. E. "Acupuncture in the treatment of endogenous depression", *Soviet Neurology and Psychiatry* 21 (1988): 36–44; Thomas, M.; Eriksson, S. V. et al. "A comparative study of Diazepam and acupuncture in patients with osteoarthritis pain: a placebo controlled study", *American Journal of Chinese Medicine* 2, nº XIX (1991): 95–100; Jin, H.; Zhou, L. et al. "The inhibition by electrical acupuncture on gastric acid secretion is mediated via endorphin and somatostating in dogs", *Clinical Research* 40 (1992): 167A; Li, Y.; Tougas, G. et al. "The effect of acupuncture on gastrointestinal function and disorders", *American Journal of Gastroenterology* 87 (1992): 1372–1381; He, D.; Berg, J. et al. "Effects of acupuncture on smoking cessation or reduction for motivated smokers", *Preventive Medicine* 26 (1997): 208–214; Cardini, F. W., Huang, "Moxibustion for correction of breech presentation", *Journal of the American Medical Association* 280, nº 18 (1998): 1580–1584; Montakab, H. "Akupunktur und Schlaflosigkeit [Acupuncture and insomnia]", *Forschende Komplementarmedizin* 6 (suplemento 1) (1999): 29–31; Timofeev, M. F. "Effects of acupuncture and an agonist of opiate receptors on heroin dependent patients", *American Journal of Chinese Medicine* 27, nº 2 (1999): 143–148; Wang, S.-M.; Kain, Z. N. "Auricular acupuncture: a potential treatment for anxiety", *Anesthesia and Analgesia* 92 (2001): 548–553; Paulus, W. E.; Zhang, M. et al. "Influence of acupuncture on the pregnancy rate in patients who undergo assisted reproduction therapy", *Fertility and Sterility* 77, nº 4 (2002): 721–724.

6. Cho, Z. H.; Chung, S. C. et al. "New findings of the correlation between acupoints and corresponding brain cortices using functional MRI", *Proceedings of the National Academy of Sciences* 95 (1998): 2670–2673.
7. Han, op. cit.; Luo, H. C.; Jia, Y. K. et al. "Electroacupuncture vs. amitriptyline in the treatment of depressive states", *Journal of Traditional Chinese Medicine* 5 (1985): 3–8; Lou, H. C.; Jia, Y. et al. "Electro-acupuncture in the treatment of depressive psychosis", *International Journal of Clinical Acupuncture* 1 (1990): 7–13; Luo, H. C.; Shen, Y. C. et al. "A comparative study of the treatment of depression by electroacupuncture and amitriptyline", *Acupuncture* 1 (Huntington, NY: 1990) 20–26.
8. Wang, op. cit. (2001).
9. Hui, K.; Liu , J. et al. "acupuncture modulates the limbic system and subcortical gray structures of the human brain: evidence from MRI studies in normal subjects", *Human Brain Mapping* 9 (2000) :13–25.
10. Chen, L.; Tañg, J. et al. "The effect of location of transcutaneous electrical nerve stimulation on postoperative opioid analgesic requirement: acupoint versus nonacupoint stimulation", *Anesth Analg* 87 (1998): 1129–1134; Lao, L.; Bergman, S. et al. "Evaluation of acupuncture for pain control after oral surgery: a placebo-controlled trial",*Archives of Otolaryngology–Head and Neck Surgery* 125 (1999): 567–572.
11. Haker, E.; Egekvist, H. et al. "Effect of DSensory Stimulation Cacupuncture) on sympathetic and parasympathetic activites in healthy subjects", *Journal of the Autonomic Nervous System* 79, nº 1 (2000): 52–59.
12. Pert, C. B.; Dreher, H. E. et al. "The psychosomatic network: foundations of mind-body medicine", *Alternative Therapies in Health and Medicine* 4, nº 4 (1998): 30–41.

Capítulo 9: A revolução na nutrição: os ácidos graxos Ômega-3 alimentam o cérebro emocional

1. Bågedahl-Strindlund, M.; Monsen Börjesson, K. "Postnatal depression: a hidden illness", *Acta Psychiatrica Scandinavica* 98 (1998): 272–275.
2 . Hibbeln, J. R. "Long-chain polyunsaturated fatty acids in depression and related conditions", *Phospholipid spectrum disorder*. Peet, M.; Glen, I.; Horrobin, D. (Lancashire, U.K.: Marius Press, 1999), 195–210.
3. Hornstra, G.; Al, M. et al. "Essential fatty acids in pregnancy and early human development", *European Journal of Obstetrics, Gynecology, and Reproductive Biology* 61, nº 1 (1995): 57–62; Al, M., Van Houwelingen, A. C. et al. "Long-chain polyunsaturated fatty acids, pregnancy, and pregnan-

cy outcome", *American Journal of Clinical Nutrition* 71 (2000): 285S–291S.
4. Hibbeln, J. "Fish consumption and major depression", *The Lancet* 351 (1998): 1213.
5. Barton, P. G.; Gunstone, F. D. "Hydrocarbon chain packing and molecular motion in phospholipid bilayers formed from unsaturated lecithin", *Journal of Biological Chemistry* 250 (1975): 4470–4476; Sperling, R. I.; . Benincaso, A. I. et al. "Dietary Omega-3 polyunsaturated fatty acids inhibit phosphoinositide formation and chemotaxis in neutrophils", *Journal of Clinical Investigation* 91 (1993): 651–660.
6. Bourre, J. M.; Bonneil, M. et al. "Function of dietary polyunsaturated fatty acids in the nervous system", *Prostaglandins Leukotrienes & Essential Fatty Acids* 48, nº 1 (1993): 5–15.
7. Frances, H.; Drai, P. et al. "Nutritional (n-3) polyunsaturated fatty acids influence the behavioral responses to positive events in mice", *Neuroscience Letters* 285, nº 3 (2000): 223–227.
8. Bang, H. O.; Dyerberg, J. et al. "The composition of foods consumed by Greenland Eskimos", *Acta Medica Scandinavica* 200 (1976): 69–73.
9. Isso diz respeito sobretudo à dopamina, o neurotransmissor responsável pela euforia e a oscilação de energia associada com a cocaína e as anfetaminas. Chalon, S.; Delion-Vancassel, S. et al. "Dietary fish oil affects monoaminergic neurotransmission and behavior in rats", *Journal of Nutrition* 128 (1998): 2512–2519.
10. Olsen, S. F.; Secher, N. J. "Low consumption of seafood in early pregnancy as a risk factor for preterm delivery: prospective cohort study", *British Medical Journal* 324 (2002): 447–451.
11. Naturalmente, a diferença de QI pode ser explicada também por outros fatores, como uma melhor conexão com a criança entre mães que amamentaram por períodos mais longos etc. Contudo, há um consenso entre os pesquisadores acerca da importância do adequado fornecimento do Ômega-3 para o desenvolvimento do cérebro em recém-nascidos. Mortensen, E. L.; Michaelsen, K. F. et al. "The association between duration of breastfeeding and adult intelligence", *Journal of the American Medical Association* 287 (2002): 2365–2371.
12. Hibbeln, J. "Seafood consumption, the DHA content of mothers' milk and prevalence rates of postpartum depression: a cross-national, ecological analysis", *Journal of Affective Disorders* 69 (2002): 15–29.
13. Stoll, A. L.; Severus, W. E. et al. "Omega 3 fatty acids in bipolar disorder: a preliminary double-blind, placebo-controlled trial", *Archives of General Psychiatry* 56 (1999): 407–412.
14. Stoll, A. L. *The Omega-3 connection: the ground breaking Omega-3 antidepression diet and brain program* (Nova York: Simon & Schuster, 2001).

15. Um estudo preliminar sobre os efeitos do extrato de óleo purificado de peixe no estágio 3 da doença de Huntington – que vem a ser o estágio mais avançado da doença – mostra melhora nos sintomas após alguns meses em comparação com o grupo a que estava sendo administrado um placebo de óleo de oliva. Foi também demonstrada a reconstrução do tecido cortical em oposição à destruição do córtex no grupo de controle. o que sugere uma inversão do processo patológico no cérebro concernente à doença.
16. Zanarini, M.; Frankenburg, F. R. "Omega-3 fatty acid treatment of women with borderline personality disorder: a double-blind, placebo-controlled pilot study", *American Journal of Psychiatry* 160 (2003): 167–169.
17. Maes, M.; Smith, R. et al. "Fatty acid composition in major depression: decreased w3 fractions in cholesteryl esters and increased C20:4 Omega 6/C20:5 Omega 3 ratio in cholesteryl esters and phospholipids", *Journal of Affective Disorders* 38 (1996): 35–46; Peet, M.; Murphy, B. et al. "Depletion of Omega-3 fatty acid levels in red blood cell membranes of depressive patient", *Biological Psychiatry* 43, nº 5 (1998): 315–319.
18. Adams, P. B.; Lawson, S. et al. "Arachidonic acid to eicosapentanoic acid ratio in blood correlates positively with clinical symptoms of depression", *Lipids* 31 (1996): S157–S161.
19. Edwards, R.; Peet, M. et al. "Omega-3 polyunsaturated fatty acid levels in the diet and in red blood cell membranes of depressed patients", *Journal of Affective Disorders* 48, nº 2–3 (1998): 149–155.
20. Tanskanen, A.; Hibbeln, J. et al. "Fish consumption, depression, and suicidality in a general population", *Archives of General Psychiatry* 58 (2001): 512–513.
21. Tiemeier, H.; Van Tuijl, H. et al. "Plasma fatty acid composition and depression are associated in the elderly: the Rotterdam study", *American Journal of Clinical Nutrition* 78 (2003): 40–46.
22. Chamberlain, J. "The possible role of long-chain, Omega-3 Fatty acids in human brain phylogeny", *Perspectives in Biology and Medicine* 39, nº 3 (1996): 436–445; Broadhurst, C.; Cunnane, S. et al. "Rift valley lake fish and shellfish provided brain-specific nutrition for early homo", *British Journal of Nutrition* 79, nº 1 (1998): 3–21.
23. Stoll, A. L.; Locke, C. A. "Omega-3 fatty acids in mood disorders: a review of neurobiologic and clinical applications", *Natural medications for psychiatric disorders: considering the alternatives*. Mischoulon, D.; Rosenbaum, J. (Filadélfia: Lippincott Williams & Wilkins, 2002), 13–34.
24. Tomei emprestada esta metáfora de Jeanette Settle. Settle, J. E. "Diet and essential fatty acids", *Handbook of complementary and alternative therapies in mental health*. Shannon, S. (San Diego: Academic Press, 2001) 93–113.

25. Weissman, M. W.; Bland, R. et al. "Cross-national epidemiology of major depression and bipolar disorder", *Journal of the American Medical Association* 276 (1996): 293–296; Hibbeln, J. (1998).
26. Stordy, B.; Nichol, M. *The LCP solution: the remarkable nutritional treatment for ADHD, dyslexia, and dyspraxia* (Nova York: Ballantine Books, 2000).
27. Klerman, G. L.; Weissman, M. M. "Increasing rates of depression", *Journal of the American Medical Association* 261, nº 15 (1989): 2229–2235.
28. Endres, S.; Ghorbani, R. et al. "The effect of dietary supplementation with n-3 polyunsaturated fatty acids on the synthesis of interleukin-1 and tumor necrosis factor by mononuclear cells", *New England Journal of Medicine* 320, nº 5 (1989): 265–271; Simopoulos, A."Omega-3 fatty acids in inflammation and autoimmune diseases", *Journal of the American College of Nutrition* 21, nº 6 (2002): 495–505; Stoll, A. L.; Locke, C. A. "Omega-3 fatty acids in mood disorders: a review of neurobiologic and clinical applications", *Natural Medications for Psychiatric Disorders: Considering the Alternatives*. Mischoulon, D.; Rosenbaum, J. (Filadélfia: Lippincott Williams & Wilkins, 2002), 13–34.
29. Rudin, D. O. "The dominant diseases of modernized societies as Omega-3 essential fatty acid deficiency syndrome", *Medical Hypotheses* 8 (1982): 17–47; Simopoulos, A. P.; Robinson, J. *The Omega diet* (Nova York: Harper Collins, 1998).
30. Liu, K.; Stamler, J. et al. "Dietary lipids, sugar, fiber, and mortality from coronary heart disease—bivariate analysis of international data", *Atherosclerosis* 2 (1998): 221–227.
31. Weissman, M. W.; Bland, R. et al. "Cross-national epidemiology of major depression and bipolar disorder", *Journal of the American Medical Association* 276 (1996): 293–296.
32. De Lorgeril, M.; Renaud, S. et al. "Mediterranean alpha-linolenic acid rich diet in secondary prevention of coronary heart disease", *The Lancet* 343 (1994): 1454–1459.
33. Christensen, J. H.; Schmidt, E. B. "N-3 fatty acids and the risk of sudden cardiac death", *Lipids* 36 (2001): S115–118; Leaf, A. "Electrophysiologic basis for the antiarrhythmic and anticonvulsant effects of Omega-3 polyunsaturated fatty acids", *World Review of Nutrition & Dietetics* 88 (2001): 72–78; Brouwer, I. A.; Zock, P. L. et al. "Association between n-3 fatty acid status in blood and electrocardiographic predictors of arrhythmia risk in healthy volunteers", *American Journal of Cardiology* 89, nº 5 (2002): 629–631.
34. Smith, R. S. "The macrophage theory of depression", *Medical Hypotheses* 35 (1991): 298–306; Maes, M.; Smith, R. S. "Fatty acids, cytokines, and major depression", *Biological Psychiatry* 43 (1998): 313–314.

35. Crawford, M. A. "Fatty-acid ratios in free-living and domestic animals". *The Lancet* (1968): 1329–1333; Crawford, M. A.; Gale, M. M. et al. "The polyenoic acids and their elongation products in the muscle tissue of *Phacochoerus Aethiopicus*: a re-evaluation of animal fat", *Journal of Biochemistry* 114 (1969): 68P; Crawford, M. A.; Gale, M. M. et al. "Linoleic acid and linolenic acid elongation products in the muscle tissue of Syncerus caffer and other ruminant species", *Journal of Biochemistry* 115 (1969): 25–27.
36. Simopoulos, A. P.; Salem, N. "Omega-3 fatty acids in eggs from range-fed greek chickens", *New England Journal of Medicine* (1989): 1412.
37. Renaud, S.; Ciavatti, M. et al. "Protective effects of dietary calcium and magnesium on platelet function and atherosclerosis in rabbits fed saturated fat", *Atherosclerosis* 47 (1983): 189–198.
38. Simopoulos, A. P.; Robinson, J. *The Omega diet* (1998), op. cit.
39. Weill, P. et al. "Enriching diets with Omega-3 fatty acid: impact of various sources", *Nutrition, metabolism, and cardiovascular diseases* (no prelo).
40. Marangell, L.; Martinez, J. et al. "A double-blind, placebo-controlled study of the Omega-3 fatty acid docosahexaenoic acid (DHA) in the treatment of major depression", *American Journal of Psychiatry* 160, nº 5 (2003): 996–998.
41. Há muito que a ingestão diária de vitaminas é desprezada pela medicina convencional. Mas recentemente elas voltaram à tona de forma significativa com a publicação de algumas conclusões de um grupo de experts no *Journal of the American Medical Association*. Após reverem um amplo número de estudos, os preeminentes autores do artigo foram forçados a admitir que a ingestão diária de vitaminas (sobretudo as vitaminas B, E, C e D) reduz o risco de doenças crônicas e enfermidades sérias. Fletcher, R. H.; Fairfield, K. M. "Vitamins for chronic disease prevention in adults: clinical applications", *Journal of the American Medical Association* 287, nº 23 (2002): 3127–3129.
42. Stoll, A. L. *The Omega-3 connection* (Nova York: Simon & Schuster, 2001).
43. Baillie, R. A.; Takada, R. et al. "Coordinate induction of peroxisomal acyl-coa oxidase and UCP-3 by dietary fish oil: a mechanism for decreased body fat deposition", *Prostaglandins, Leukotrienes & Essential Fatty Acids* 60, nº 5–6 (1999): 351–356.
44. Kris-Etherton, P. M.; Harris, W. S. et al. "AHA scientific statement: fish consumption, fish oil, Omega-3 fatty acids, and cardiovascular disease", *Circulation* 106 (2002): 2747–2757.

Capítulo 10: Mais exercício e menos antidepressivo

1. McDonald, D. G.; Hogdon, J. A. *The psychological effects of aerobic fitness training: research and theory* (Nova York: Springer-Verlag, 1991); Long, B. C.; Van Stavel, R. "Effects of exercise training on anxiety. A meta-analysis", *Journal of Applied Sport Psychology* 7 (1995): 167–189.
2. DiLorenzo, T. M.; Bargman, E. P. et al. "Long-term effects of aerobic exercise on psychological outcomes", *Preventive Medicine* 28, nº 1 (1999): 75–85.
3. Kasch, F. "The effects of exercise on the aging process", *The Physician and Sports Medicine* 4 (1976): 64–68; Palone, A. M.; Lewis, R. R. et al. "Results of two years of exercise training in middle-aged men", *The Physician and Sports Medicine* 4 (1976): 72–77.
4. La Perrière, A. Antoni, M. H. et al. "Exercise intervention attenuates emotional distress and natural killer cell decrements following notification of positive serologic status of HIV-1", *Biofeedback and Self-Regulation* 15 (1990): 229–242.
5. Greist, J. H.; Klein, M. H. et al. "Running as treatment for depression", *Comprehensive Psychiatry* 20, nº 1 (1979): 41–54.
6. Beck, A. *Depression: clinical, experimental and theoretical aspects* (Nova York: Harper & Row, 1967); Beck, A. *Cognitive therapy and the emotional disorders* (Nova York: International Universities Press, 1976); Burns, D. D. *The new mood therapy* (1999).
7. Babyak, M.; Blumenthal, J. A. et al. "Exercise treatment for major depression: maintenance and therapeutic benefit at 10 months", *Psychosomatic Medicine* 62, nº 5 (2000): 633–638.
8. Blumenthal, J.; Babyak, M. et al. "Effects of exercise training on older patients with major depression", *Archives of Internal Medicine* 159 (1999): 2349–2356.
9. Paffenbarger, R. S.; Lee, I. M. et al. "Physical activity and personal characteristics associated with depression and suicide in American college men", *Acta Psychiatrica Scandinavica* 377 (1994): 16–22.
10. Wise, S. P.; Herkenham, M. "Opiate receptor distribution in the cerebral cortex of the Rhesus monkey", *Science* 218 (1982): 387–389.
11. Panksepp, J.; Siviy, M. et al. "Brain opioids and social emotions", *The Psychobiology of Attachment and Separation*. Reite M.; Field, T. (Nova York: Academic Press, 1985).
12. Thoren, P.; Floras, J. S. et al. "Endorphins and exercise: physiological mechanisms and clinical implications", *Medicine & Science in Sports & Exercise* 22, nº 4 (1990): 417–428; Sher, L. "Exercise, well-being, and endogenous molecules of mood", *The Lancet* 348, nº 9025 (1996): 477.

13. Jonsdottir, I. H.; Hoffmann, P. et al. "Physical exercise, endogenous opioids and immune function", *Acta Physiologica Scandinavica* 640, supl. (1997): 47–50.
14. Furlan, R.; Piazza, D. et al. "Early and late effects of exercise and athletic training on neural mechanisms controlling heart rate", *Cardiovascular Research* 27 (1993): 482–488.
15. George, M.; Nahas, Z. et al. "Vagus nerve stimulation therapy: a research update", *Neurology* 59, nº 6, supl. 4 (2002): S56–61.
16. Lawlor, D.; Hopker, "The effectiveness of exercise as an intervention in the management of depression: systematic review and meta-regression analysis of randomised controlled trials", *British Medical Journal* 322, nº 7289 (2001): 763–767.

Capítulo 11: O amor é uma necessidade biológica

1. Observatoire National des Prescriptions et Consommations des Medicaments. *Etude de la prescription et de la consommation des antidepresseurs en ambulatoire*. Paris: Agence du Médicament—Directions des Etudes et de l'Information Pharmaco-Economiques (1998).
2. Gupta, S. "If everyone were on Prozac...", *Time* 81 (20 jan. 2003).
3. Hirigoyen, M.-F. *Stalking the soul: on emotional abuse and the erosion of identity* (Helen Marx Books, 2000).
4. O córtex cingular é a mais antigo e a mais "primitiva" região do neocórtex, cujo tecido está mais próximo do cérebro emocional do que do neocórtex. Mesulam, M. M. *Principles of behavioral neurology* (Filadélfia: F. A. Davis, 1985).
5. Schanberg, S. "Genetic basis for touch effects", *Touch in early development*, T. Field (Hillsdale, NJ: Erlbaum, 1994): 67–80. A notável pesquisa da dra. Tiffany Field sobre o crescimento de bebês prematuros precedeu em muitos anos os esclarecimentos do dr. Dr. Schanberg. Field, T.; Schanberg, S. M. et al. "Tactile/kinesthetic stimulation effects on preterm neonates", *Pediatrics* 77 (1986): 654–658.
6. Spitz, R. "Hospitalism: an inquiry into the genesis of psychiatric conditions in early childhood", *Psychoanalytic Study of the Child* I (1945): 53–74.
7. Hubel, D. "The visual cortex of normal and deprived monkeys", *American Scientist* 67,nº 5 (1979): 532–543.
8. Chugani, H. T.; Behen, M. E. et al. "Local brain functional activity following early deprivation: a study of postinstitutionalized Romanian orphans", *Neuroimage* 14, nº 6 (2001): 1290–1301.
9. Hofer, M. A. "Early social relationships: a psychobiologist's view", *Child Development* 58 (1987): 633–647. Gostaria de agradecer ao memorável li-

vro de Tom Lewis, Fari Amini e Richard Lannon, *A general theory of Love*, por ter chamado a minha atenção para este experimento.
10. Katz, L. F.; Gottman, J. M. "Buffering children from marital conflict and dissolution", *Journal of Clinical Child Psychology* 26 (1997): 157–171.
11. Murray Parkes, C.; Benjamin, B. et al. "Broken heart: a statistical study of increased mortality among widowers", *British Medical Journal* 646 (1969): 740–743.
12. Medalie, J. H.; Goldbourt, U. "Angina pectoris among 10,000 men. II. Psychosocial and other risk factors as evidenced by a multivariate analysis of a five year incidence study", *American Journal of Medicine* 60, nº 6 (1976): 910–921.
13. Medalie, J. H.; Stange, K. C. et al. "The importance of biopsychosocial factors in the development of duodenal ulcer in a cohort of middle-aged men", *American Journal of Epidemiology* 136, nº 10 (1992): 1280–1287.
14. Reynolds, P.; Boyd, P. T. et al. "The relationship between social ties and survival among black and white breast cancer patients. National Cancer Institute Black/White Cancer Survival Study Group", *Cancer Epidemiology, Biomarkers & Prevention* 3, nº 3 (1994): 253–259.
15. Levenson, R.; Carstensen, L. L. et al. "Long-term marriage: age, gender, and satisfaction", *Psychology and Aging* 8, nº 2 (1993): 301–313.
16. Graham, C. A.; McGrew, W. C. "Menstrual synchrony in female undergraduates living on a coeducational campus", *Psychoneuroendocrinology* 5 (1980): 245–252.
17. Lewis, T.; Amini, F. et al. *A general theory of love* (Nova York: Random House, 2000).
18. Friedman, E.; Thomas, S. A. "Pet ownership, social support, and one-year survival after acute myocardial infarction in the cardiac arrhythmia suppression trial (Cast)", *American Journal of Cardiology* 76 (1995): 1213–1217.
19. Siegel, J. M. "Stressful life events and use of physician services among the elderly: the moderating influence of pet ownership", *Journal of Personal and Social Psychology* 58 (1990): 1081–1086.
20. Rodin, J.; Langer, E. J. "Long-term effects of a control-relevant intervention with the institutionalized aged," *Journal of Personality and Social Psychology* 35 (1977): 897–902.
21. Siegel, J. M.; Angulo, F. J. et al. "Aids diagnosis and depression in the multicenter AIDS cohort study: the ameliorating impact of pet ownership", *AIDS Care* 11 (1999): 157–169.
22. Allen, K.; Blascovich, J. "The value of service dogs for people with severe ambulatory disabilities: a randomized controlled trial", *Journal of the American Medical Association* 275 (1996): 1001–1006.

23. Lockwood, R. "The influence of animals on social perception", *New Perspectives on Our Lives with Companion Animals*, vol. 8, Katcher, A. H.; Beck, A. M. (Filadélfia: University of Pennsylvania Press, 1983): 64–71.
24. Allen, K.; Shykoff, B. E. et al. "Pet ownership, but not ace inhibitor therapy, blunts home blood pressure responses to mental stress", *Hypertension* 38 (2001): 815–820.
25. Allen, K.; Izzo, J. L. "Social support and resting blood pressure among young and elderly women: the moderating role of pet ownership".
26. Simon, S. "Sarajevo pets", edição de fim de semana com Scott Simon, Washington, National Public Radio (1993).

Capítulo 12: Favorecendo a comunicação emocional

1. Hocker, J. L.; Wilmot W. W. *Interpersonal conflict* (Dubuque, IA: William C. Brown, 1991).
2. Chang, P. P.; Ford, D. E. et al. "Anger in young men and subsequent premature cardiovascular disease: the precursors study", *Archives of Internal Medicine* 162 (2002): 901–906.
3. Gottman, J. *Why marriages succeed or fail* (Nova York: Simon & Schuster, 1994); Gottman, J.; Silver, N. *The seven principles for making marriage work* (Nova York: Random House, 1994).
4. Levenson, R.; Carstensen, L. L. et al. "Long-term marriage: age, gender, and satisfaction", *Psychology and Aging* nº 8 (1993): 301–313.
5. Gottman, J. *What predicts divorce* (Mahwaw, NJ: Lawrence Erlbaum Associates, 1994): 84, citado em Goleman, D. *Emotional intelligence* (Nova York: Bantam Books, 1995): 135.
6. Rosenberg, M. D. *Non-violent communication* (Puddle Dancer Press, 1999).
7. Harvey, O. J. *Conceptual systems and personality organization* (Nova York: Harper & Row, 1961), citado em Rosenberg, M. D., op. cit.

Capítulo 13: Escutando com o coração

1. Stuart , M. R.; Lieberman, J. A. *The fifteen minute hour: applied psychotherapy for the primary care physican* (Westport, Conn.: Prager, 1993).
2. Coulehan, J. L.; Block, M. R. *The medical interview: mastering skills for clinical practice*. 4. ed. (F.A. Davis Company, 2000).
3. Agradeço à minha amiga e colega Jo Devlin, M.S.W., por me ensinar esta metáfora sobre os benefícios de compartilhar com os pacientes os fardos de seu sofrimento.

Capítulo 14: A grande conexão

1. Cherlin. *Marriage, divorce and remarriage* (Cambridge: Harvard University Press, 1992).
2. Klerman, G. L.; Weissman, M. M. "Increasing rates of depression", *Journal of the American Medical Association* 261, nº 15 (1989): 2229–2235.
3. Wilson, E. O. *Sociobiology: the new synthesis*. 25th anniversary ed. (Cambridge: Harvard University Press, 2000).
4. Walsh, R. *Essential spirituality: the seven central practices to awaken heart and mind* (Nova York: John Wiley & Sons, 1999).
5. Damásio, A. *Looking for Spinoza: joy, sorrow and the feeling brain* (San Diego: Harcourt, 2003).
6. Myers, D. G.; Diener, E. "The pursuit of happiness", *Scientific American* 274 (1996): 70–72; Argyle, M. *The psychology of happiness*. 20. ed. (Nova York: Routledge, 2001).
7. Durkheim, E. *Le Suicide. Une étude sociologique* (Paris: Alcan, 1897).
8. Zuckerman, D. M.; Kasl, S. V. et al. "Psychosocial predictors of mortality among the elderly poor", *American Journal of Cardiology* 119 (1984): 410–423.
9. House, J. S.; Landis, K. R. et al. "Social relationships and health", *Science* 241 (1988): 540–545.
10. Frankl, V. E. *Man's search for meaning: an introduction to logotherapy* (Nova York: 1976).
11. Madre Teresa, citada em Walsh, R. (1999), op. cit.
12. Abraham Maslow, citado em Walsh, R. (1999), op. cit.
13. McCraty, R.; Atkinson, M., et al. "The effects of emotions on short-term power spectrum analysis and heart rate variability", *American Journal of Cardiology* 76, no. 14 (1995): 1089–1093.

Capítulo 15: Dando a partida

1. Aristóteles, *Nichomacean Ethics*.
2. Gostaria de agradecer ao dr. Dr. Scott Shannon, da Associação Americana de Medicina Holística, por ter apontado a conexão entre Aristóteles, Jung e Maslow – a despeito do 2500 anos que os separam – na introdução de seu livro sobre o emprego de métodos naturais para a obtenção da saúde mental.Shannon, S., *Integration and holism. Handbook of complementary and alternative therapies in mental health* (San Diego: Academic Press, 2001): 21–42.
3. McCraty, R.; Atkinson, M. et al. "The effects of emotions on short-term power spectrum analysis and heart rate variability", *American Journal of*

Cardiology 76,n° 14 (1995): 1089–1093; Wilson, D.; Silver, S. M. et al. "Eye movement desensitization and reprocessing: effectiveness and autonomic correlates", *Journal of Behavior Therapy and Experimental Psychiatry* 27 (1996): 219–229; Rechlin, T.; Weis, M. et al. "Does bright-light therapy influence autonomic heart-rate parameters?", *Journal of Affective Disorders* 34, n° 2 (1995): 131–137; Haker, E.; Egekvist, H. et al. "Effect of sensory stimulation (acupuncture) on sympathetic and parasympathetic activities in healthy subjects", *Journal of the Autonomic Nervous System* 79, n° 1 (2000): 52–59; Christensen, J. H.; Christensen, M. S. et al. "Heart rate variability and fatty acid content of blood cell membranes: a dose-response study with n-3 fatty acids", *American Journal of Clinical Nutrition* 70 (1999): 331–337; Furlan, R.; Piazza, D. et al. "Early and late effects of exercise and athletic training on neural mechanisms controlling heart rate", *Cardiovascular Research* 27 (1993): 482–488; Porges, S. W.; Doussard-Roosevelt, J. A. et al. "Vagal tone and the physiological regulation of emotion", *Monographs of the Society for Research in Child Development* 59, n° 2–3 (1994): 167–186, 250–283.

4. Keller, M.; McCullough, J. et al. "A comparison of nefazodone, the cognitive behavioral-analysis system of psychotherapy, and their combination for the treatment of chronic depression", *New England Journal of Medicine* 342 (2000): 1462–1470.
5. Ehlers, C.; Frank, E. et al. "Social Zeitgebers and biological rhythms. a unified approach to understanding the etiology of depression", *Archives of General Psychiatry* 45, n° 10 (1988): 948–952.

Bibliografia

ADAMS, P. B., S. LAWSON, et al. (1996). "Arachidonic acid to eicosapentanoic acid ratio in blood correlates positively with clinical symptoms of depression." *Lipids* 31 (suppl) : S157-S161.

AKSELROD, S., D. GORDON, et al. (1981). "Power spectrum analysis of heart rate fluctuation a quantitative probe of beat-to-beat cardiovascular control." *Science* 213 : 220-222.

AL, M., A. C. VAN HOUWELINOEN, et al. (2000). "Long-chain polyunsaturated fatty acids, pregnancy, and pregnancy outcome." *American Journal of Clinical Nutrition* 71 (1 Suppl) : 285S-291S.

ALLEN, K. and J. BLASCOVICH (1996). "The value of service dogs for people with severe ambulatory disabilities: a randomized controlled trial." *JAMA* 275:1001-1006.

ALLEN, K. and J. L. Izzo (in submission). "Social support and resting blood pressure among young and elderly women: The moderating role of pet ownership."

ALLEN, K., B. E. SHYKOFE, et al. (2001). "Pet ownership, but not ACE inhibitor therapy, blunts home blood pressure responses to mental stress." *Hypertension* 38: 815-820.

ANONYMOUS (1996). "Centella asiatica (Gotu kola). Botanical Monograph." *Am J Nat Med* 3(6): 22.

ARGYLE, M. (2001). *The Psychology of Happiness (2nd ed.)*. New York, NY, Routledge.

ARISTOTE. *Éthique à Nicomaque.*

ARMONY J., D. SERVAN-SCHREIBER, et al. (1997). "Computational modeling of emotion: explorations through the anatomy and physiology of fear conditioning." *Trends in Cognitive Sciences* 1(1): 28-34.

ARMOUR, J. A., Ed. (1991). *Anatomy and function of the intrathoracic neurons regulating the mammalian heart. Reflex Control of the Circulation.* Boca Raton, FL, CRC Press.

ARMOUR, J. A. and J. ARDELL (1994). *Neurocardiology.* New York, NY, Oxford University Press.

ARNSTEN, A. F. and P. S. GOLOMAN-RAKIC (1998). "Noise stress impairs prefrontal cortical cognitive function in monkeys: evidence for a hyper-dopaminergic mechanism." *Archives of General Psychiatry* 55(4): 362-368.

AVERY, D. H., D. N. EDER, et al. (2001). "Dawn simulation and bright light in the treatment of SAD: a controlled study." *Biological Psychiatry* 50(3 Aug 1): 205-216.

BABYAK, M., J. A. BLUMENTHAL, et al. (2000). "Exercise treatment for major depression: Maintenance and therapeutic benefit at 10 months." *Psychosomatic Medicine* 62(5): 633-638.

BAILLIE, R. A., R. TAKADA, et al. (1999). "Coordinate induction of peroxisomal acyl-CoA oxidase and UCP-3 by dietary fish oil: a mechanism for decreased body fat deposition." *Prostaglandins Leukotrienes & Essential Fatty Acids* 60(5-6): 351-356.

BANG, H. O., J. DYERBERO, et al. (1976). "The composition of foods consumed by Greenland Eskimos." *Acta Med Scand* 200: 69-73.

BARRIOS-CHOPLIN, B., R. McCRATY, et al. (1997). "An inner quality approach to reducing stress and improving physical and emotional well-being at work." *Stress Medicine* 13(3): 193-201.

BARTON, P. G. and F. D. GUNSTONE (1975). "Hydrocarbon chain packing and molecular motion in phospholipid bilayers formed from unsaturated lecithins." J *Biol Chem* 250: 4470-4476.

BAULIEU, E., G. THOMAS, et al. (2000). "Dehydroepiandrosterone (DHEA), DHEA sulfate, and aging: contribution of the DHEAge Study to a sociobiomedical issue." *Proc Natl Acad Sci USA* 97(8): 4279-4284.

BECK, A. (1967). *Depression: Clinical, Experimental and Theoretical Aspects.* New York, Harper & Row.

BECK, A. (1976). *Cognitive Therapy and the Emotional Disorders.* New York, Intemational Universities Press.

BENSON, K. and V. P. ZARCONE (1979). "Phasic events of REM sleep: phenomenology of middle ear muscle activity and periorbital integrated potentials in the same normal population." *Sleep* 2(2): 199-213.

BLANCHARD, S. (2002). "Les Francais dépensent toujours plus pour les medicaments." Le *Monde* (16 juillet 2002).

BLUMENTHAL, J., M. BABYAK, et al. (1999). "Effects of exercise training on older patients with major depression." *Archives of Internal Medicine* 159: 2349-2356.

BOURRE, J. M., M. BONNEIL, et al. (1993). "Function of dietary polyunsaturated fatty acids in the nervous system." *Prostaglandins Leukotrienes & Essential Fatty Acids.* 48(1): 5-15.

BREMNER, J. D. (1999). "Does stress damage the brain ?" *Society of Biological Psychiatry* 45: 797-805.

BRESLAU, N., R. C. KESSLER, et al. (1998). "Trauma and posttraumatic stress disorder in the community: The 1996 Detroit Area Survey of Trauma." *Archives of General Psychiatry* 55: 626-632.

British-Medical-Association, B. o.S. (2000). *Acupuncture: Efficacy, safety and Practice.* London, England, Harwood Academic.

BROADHURST, C., S. CUNNANE, et al. (1998). "Rift Valley lake fish and shellfish provided brain-specific nutrition for early Homo." *British Journal of Nutrition* 79(1): 3-21.

BROCA, P. (1878). "Anatomie comparée des circonvolutions cérébrales. Le grand lobe limbique et la scissure limbique dans le série des mammifières." *Revue anthropologique* 2: 385-498.

BROUWER, I. A., P L. ZOCK, et al. (2002). "Association between n-3 fatty acid status in blood and electrocardiographic predictors of arrhythmia risk in healthy volunteers." *American Journal of Cardiology* 89(5): 629-631.

CANTIN, M. and J. GENEST (1986). "The heart as an endocrine gland." *Clinical and Investigative Medicine* 9(4): 319-327.

CARDINI, F. W., HUANG (1998). "Moxibustion for correction of breech presentation." *JAMA* 280(18):1580-1584.

CARNEY, R., K. FREEDLAND, et al. (2000). "Change in heart rate variability during treatment for depression in patients with coronary heart disease." *American Psychosomatic Society* 62(5): 639-647.

CARNEY, R. M., M. W RICH, et al. (1988). "The relationship between heart rate, heart rate variability, and depression in patients with coronary artery disease." *J Psychosom Res* 32: 159-164.

CARTER, C. S. (1998). "Neuroendocrine perspectives on social attachment and love." *Psychoneuroendocrinology* 23: 779-818.

CHALON, S., S. DELION-VANCASSEL, et al. (1998). "Dietary fish oil affects monoaminergic neurotransmission and behavior in rats." *J Nutr* 128: 2512-2519.

CHAMBERLAIN, J. (1996). "The possible role of long-chain, omega-3 fatty acids in human brain phylogeny." *Perspectives in Biology and Medicine* 39(3): 436-445.

CHAMBLESS, D., M. BAKER, et al. (1998). "Update on empirically validated therapies, II." *The Clinical Psychologist* 51(1): 3-16.

CHANG, P. P., D. E. FORD, et al. (2002). "Anger in young men and subsequent premature cardiovascular disease: The precursors study." *Arch Intern Med* 162: 901-906.

CHEMTOB, C. M., J. NAKASHIMA, et al. (2002). "Brief treatment for elementary school children with disaster-related Posttraumatic Stress Disorder: A field study." *Journal of Clinical Psychology* 58: 99-112.

CHEMTOB, C. M., D. TOLIN, et al. (2000). "Eye-Movement Desensitization and Reprocessing (EMDR)." *Effective treatments for PTSD: Practice Guidelines from the International Society for Traumatic Stress Studies.* E. A. Foa, T.

M. Keane and M. J. Friedman. New York, Guilford Press: 139-155, 155, 333-335.

CHEN, L., J. TANG, et al. (1998). "The effect of location of transcutaneous electrical nerve stimulation on postoperative opiod analgesic requirement: acupoint versus nonacupoint stimulation." *Anesth Analg* 87: 1129-1134.

CHERLIN, A. (1992). *Marriage, Divorce and Remarriage.* Cambridge; MA, Harvard University Press.

CHO, Z. H., S. C. CHUNG, et al. (1998). "New findings of the correlation between acupoints and corresponding brain cortices using functional MRI." *Proc Natl Acad Sci USA* 95: 2670-2673.

CHOI, S. W., B. W. SON, et al. (2001). "The wound-healing effect of a glycoprotein fraction isolated from aloe vera." *British Journal of Dermatology* 145(4): 535-545.

CHRISTENSEN, J. H., M. S. CHRISTENSEN, et al. (1999). "Heart rate variability and fatty acid content of blood cell membranes: a dose-response study with n-3 fatty acids." *American Journal of Clinical Nutrition* 70: 331-337.

CHRISTENSEN, J. H. and E. B. SCHMIDT (2001). "n-3 fatty acids and the risk of sudden cardiac death." *Lipids* 36 Suppl : S115-118.

CHUGANI, H. T., M. F. BEHEN, et al. (2001). "Local brain functional activity following early deprivation: a study of postinstitutionalized Romanian orphans." *Neuroimage* 14(6): 1290-1301.

COHEN, J. D., S.D. FORMAN, et al. (1994). "Activation of prefrontal cortex in a nonspatial working memory task with functionnal MRI." *Human Brain Mapping,* vol.1: 293-304.

COHEN, S., D. A. TYRRELL, et al. (1991). "Psychological stress and susceptibility to the common cold." *New England Journal of Medicine* 325(9): 606-612.

COOK, F. A. (1894). "Medical observations among the Esquimaux." *New York Journal of Gynaecology and Obstetrics* 4: 282-296.

COPLAN, J. D., L. A. PAPP, et al. (1992). «Amelioration of mitral valve prolapse after treatment for panic disorder." *American Journal of Psychiatry* 149(11): 1587-1588.

CRAWFORD, M. A. (1968). "Fatty-acid ratios in free-living and domestic animals." *The Lancet*: 1329-1333.

CRAWFORD, M. A., M. M. GALE, et al. (1969). "Linoleic acid and linolenic acid elongation products in the muscle tissue of Sncerus caffer and other ruminant species." *Biochem J* 115: 25-27.

CRAWFORD, M. A., M. M. GALE, et al. (1969). "The polyenoic acids and their elongation products in the muscle tissue of Phacochoerus aethiopicus: a re-evaluation of 'animal fat.'" *Biochem J* 114: 68P.

CSIKSZENTMIRALYI, M. (1990). *Flow: The Psychology of Optimal Experience.* New York, Harper & Row.

CUMMINGS, N. A. and N. VAN DEN BOS (1981). "The twenty year kaiser permanente experience with psychotherapy and medical utilization: Implications for national health policy and national health insurance." *Health Policy Quarterly* 1(2): 159-175.

CYRULNIK, B. (2001). *Les Vilains Petits Canards.* Paris, Éditions Odile Jacob.

DAMASIO, A. (1999). *The Feeling of What Happens.* San Diego, Harcourt, Inc. Trad. française, Le *Sentiment même de soi,* 1991, Odile Jacob.

DAMASIO, H., T. BRABOWSKI, et al. (1994). "The return of Phineas Gage: Clues about the brain from the skull of a famous patient." *Science* 264: 1102-1105.

DE LORGERIL, M., S. RENAUD, et al. (1994). "Mediterranean alpha-linolenic acid rich diet in secondary prevention of coronary heart disease." *The Lancet* 343: 1454-1459.

DEKKER, J., E. SCHOUTEN, et al. (1997). "Heart rate variability from short term electrocardiographic recordings predicts mortality from all causes in middle-aged and elderly men. The Zutphen Study." *American Journal of Epidemiology* 145(10): 899-908.

DiLORENZO, T. M., F. P. BARGMAN, et al. (1999). "Long-term effects of aerobic exercise on psychological outcomes." *Preventive Medicine* 28(1): 75-85.

DREVETS, W. C. and M. E. RAICHLE (1998). "Reciprocal suppression of regional cerebral blood flow during emotional versus higher cognitive processes: implications for interactions between emotion and cognition." *Cognition and Emotion* 12: 353-385.

DURKHEIM, E. (1897). Le *Suicide. Une étude sociologique.* Paris, Alcan.

EDELMAN, G. N. (1987). *Neural Darwinism: The theory of neuronal group selection.* New York, Perseus Publishing.

EDWARDS, R., M. FEET, et al. (1998). "Omega-3 polyunsaturated fatty acid levels in the diet and in red blood cell membranes of depressed patients." *Journal of Affective Disorders* 48(2-3): 149-155.

ENDRES, R. GHORBANI, et al. (1989). "The effect of dietary supplementation with n-3 polyunsaturated fatty acids on the synthesis of interleukin-1 and tumor necrosis factor by mononuclear cells." *New England Journal of Medicine* 320(5): 265-271.

ESLINGER, P J. and A. R. DAMASIO (1985). "Severe disturbance of higher cognition after bilateral frontal lobe ablation: Patient EVR. " *Neurology* 35: 1731-1741.

FAIRFIELD, K. M. and R. H. FLETCHER (2002). "Vitamins for chronic disease prevention in adults: scientific review." *JAMA* 287(23): 3116-3126.

FELSMAN, J. K. and G. VAILLANT (1987). "Resilient children as adults: a 40 year study." *The Invulnerable Child.* E. J. Anthony and B. J. Cohler. New York, Guilford Press.

FINE, M., R. STONE, et al. (1999). "Processes and outcomes of care for patients with community-acquired pneumonia." *Archives of Internal Medicine* 159: 970-980.

FLETCHER, R. H. and K. M. FAIRFIELD (2002). "Vitamins for chronic disease prevention in adults: clinical applications." *JAMA* 287(23): 3127-9.

FRANCES, H., P. DRAI, et al. (2000). "Nutritional (n-3) polyunsaturated fatty acids influence the behavioral responses to positive events in mice." *Neuroscience Letters* 285(3): 223-227.

FRANKL, V. E. (1976). *Man's Search for Meaning: An Introduction to Lagotherapy.* New York, Mass Market Paper Back.

FRASURE-SMITH, N., F. LESPERANCE, et al. (1995). "Depression and 18-month prognosis after myocardial infarction." *Circulation* 91(4): 999-1005.

FRIEDMAN, E. and S. A. THOMAS (1995). "Pet ownership, social support, and one-year survival after acute myocardial infarction in the Cardiac Arrhythmia Suppression Trial (CAST)." *American Journal of Cardiology* 76: 1213-1217.

FURLAN, R., D. PIAZZA, et al. (1993). "Early and late effects of exercise and athletic training on neural mechanisms controlling heart rate." *Cardiovasc Res* 27: 482-488.

GABBARD, G. O., J. G. GUNDERSON, et al. (2002). "The place of psychoanalytic treatments within psychiatry." *Archives of General Psychiatry* 59: 505-510.

GAHERY, Y. and D. VIGIER (1974). "Inhibitory effects in the cuneate nucleus produced by vago-aortic afferent fibers." *Brain Research* 75: 241-246.

GEORGE, M., Z. NAHAS, et al. (2002). "Vagus nerve stimulation therapy: a research update." *Neurology* 59(6 Suppl 4): S56-61.

GERSHON, M. D. (1999). "The enteric nervous system: a second brain." *Hospital Practice (Office Edition)* 34(7): 31-2, 35-8, 41-2 *passim.*

GLASSMAN, A. and P. SHAPIRO (1998). "Depression and the course of coronary artery disease." *American Journal of Psychiatry* 155: 4-10.

GOLEMAN, D. (1995). *Emotional Intelligence.* New York, Bantam Books.

GOLEMAN, D. (1997). *L'Intelligence émotionnelle.* Paris, France, Robert Laffont.

GOTTMAN, J. (1994). *What Predicts Divorce.* Mahwaw, NJ, Lawrence Eribaum Assoc.

GOTTMAN, J. (1994). *Why Marriages Succeed of Fail.* New York, NY, Simon & Schuster.

GOTTMAN, J. and N. SILVER (1999). *The Seven Principles for Making Marriage Work.* New York, NY, Random House.

GRAHAM, C. A. and W. C. McGREW (1980). "Menstrual synchrony in female undergraduates living on a coeducational campus." *Psychoneuroendocrinology* 5: 245-252.

GREIST, J. H., M. H. KLEIN, et al. (1979). "Running as treatment for depression." *Comprehensive Psychiatry* 20(1): 41-54.

GROSSARTH-MATICEK, R. and H. J. EYSENCK (1995). "Self-regulation and mortality from cancer, coronary heart disease and other causes: A prospective study." *Personality and individual differences* 19(6): 781-795.

HAKER, E., H. EGEKVIST, et al. (2000). "Effect of sensory stimulation (acupuncture) on sympathetic and parasympathetic activities in healthy subjects." *Journal of the Autonomic Nervous System* 79(1): 52-59.

HAN, J.-S. (1986). "Electroacupuncture: An alternative to antidepressants for treating affective diseases ?" J *Neurosci* 29: 79-92.
HARRER, G. and H. HARRER (1977). "Music, emotion and autonomic function." *Music and the Brain.* M. Critchley and R. A. Hanson. London, William Heinemann Medical: 202-215.
HARVEY, O. J. (1961). *Conceptual Systems and Personality Organization.* New York, NY, Harper & Row.
HE, D., J. BERG, et al. (1997). "Effects of acupuncture on smoking cessation or reduction for motivated smokers." *Preventive Medicine* 26: 208-214.
HECHUN, L., J. YUNKUI, et al. (1985). "Electro-acupuncture vs. amitriptyline in the treatment of depressive states." *Journal of Traditional Chinese Medicine:* 3-8.
HERBERT, J., S. LILIENFELD, et al. (2000). "Science and pseudoscience in the development of eye movement desensitization and reprocessing: implications for clinical psychology." *Clin Psychol Rev* 20: 945-971.
HIBBELN, J. (1998). "Fish consumption and major depression." *Lancet* 351: 1213.
HIBBELN, J. R. (1999). "Long-chain polyunsaturated fatty acids in depression and related conditions." *Phospholipid spectrum disorder.* M. Peet, I. Glen and D. Horrobin. Lancashire, UK, Marius Press: 195-210.
HIRIGOYEN, M.-F. (1999). *Le Harcèlement moral: La violence perverse au quotidien.* Paris, Syros.
HOCKER, J. L. and W. W. WILMOT (1991). *Interpersonal Conflict.* Dubuque, IA, Wm. C. Brown.
HOFER, M. A. (1987). "Early social relationships: a psychobiologist's view." *Child Development* 58: 633-647.
HORNSTRA, G., M. AL, et al. (1995). "Essential fatty acids in pregnancy and early human development." *European Journal of Obstetrics, Gynecology, and Reproductive Biology* 61(1): 57-62.
HOUSE, J. S., K. R. LANDIS, et al. (1988). "Social relationships and health." *Science* 241: 540-545.
HUBEL, D. (1979). "The visual cortex of normal and deprived monkeys." *American Scientist* 67(5): 532-543.
HUI, K., J. LIU, et al. (2000). "Acupuncture modulates the limbic system and subcortical gray structures of the human brain: evidence from fMRI studies in normal subjects." *Human Brain Mapping* 9:13-25.
JANET, P. (1889). *L'Automatisme psychologique.* Paris, Alcan.
JIN, H., L. ZHOU, et al. (1992). "The inhibition by electrical acupuncture on gastric acid secretion is mediated via endorphin and somatostating in dogs." *Clin Res* 40: 167A.
JONSDOTTIR, I. H., P. HOFFMANN, et al. (1997). "Physical exercise, endogenous opioids and immune function." *Acta Physiologica Scandinavica* Supplementum. 640: 47-50.
KASCH, F. (1976). "The effects of exercise on the aging process." *The Physician and Sports Medicine* 4: 64-68.

KATZ, L. F. and J. M. GOTTMAN (1997). "Buffering children from marital conflict and dissolution." *J Clin Child Psychol* 26: 157-171.

KELLER, M., J. McCULLOUGH, et al. (2000). "A comparison of Nefazodone, the cognitive behavioral-analysis system of psychotherapy, and their combination for the treatment of chronic depression." *New England Journal of Medicine* 342: 1462-1470.

KESSLER, L. G., P. D. CLEARY, et al. (1985). "Psychiatric disorders in primary care." *Archives of General Psychiatry* 42: 583-590.

KESSLER, R., J. SOUKUP, et al. (2001). "The use of complementary and alternative therapies to treat anxiety and depression in the United States." *American Journal of Psychiatry* 158(2 (February)): 289-294.

KHAN, A., R. LEVENTHAL, et al. (2002). "Severity of depression and response to antidepressants and placebo: an analysis of the Food and Drug Administration database." *Journal of Clinical Psychopharmacology* 22(1): 504.

KIRSCHBAUM, C., O. WOLF, et al. (1996). "Stress and treatment-induced elevation of cortisol levels associated with impaired declarative memory in healthy adults." *Life Sciences* 58(17): 1475-1483.

KLERMAN, G. L. and M. M. WEISSMAN (1989). "Increasing rates of depression." *JAMA* 261(15): 2229-2235.

KRAMER, P. (1993). *Listening to Prozac.* New York, Viking.

KRISS-ETHERTON, P. M., W. S. Harris, et al. (2002), "AHA Scientific Statement: Fish consumption, fish oil, omega-3 fatty acids, and cardiovascular disease", *Circulation,* 10: 2747-2757.

KRITTAYAPHONG, R., W. CASCIO, et al. (1997). "Heart rate variability in patients with coronary artery disease: differences in patients with higher and lower depression scores." *Psychosomatic Medicine* 59(3): 231-235.

KÜBLER-ROSS, E. (1969). *On Death and Dying.* New York, Touchstone.

LA ROVERE, M., J. T. BIGGER, et al. (1998). "Baroreflex sensitivity and heart-rate variability in prediction of total cardiac mortality after myocardial infraction." *Lancet* 351: 478-484.

LAM, R. W., E. M. GOLDNER, et al. (1994). "A controlled study of light therapy for bulimia nervosa." *American Journal of Psychiatry* 151(5): 744-750.

LAO, L., S. BERGMAN, et al. (1999). "Evaluation of acupuncture for pain control after oral surgery: a placebo-controlled trial." *Arch Otolaryngol Head Neck Surg* 125:567-572.

LaPERRIÈRE, A., M. H. ANTONI, et al. (1990). "Exercise intervention attenuates emotional distress and natural killer cell decrements following notification of positive serologic status of HIV-1." *Biofeedback and Self-Regulation* 15: 229-242.

LAWLOR, D. and S. HOPKER (2001). "The effectiveness of exercise as an intervention in the management of depression: systematic review and meta-regression analysis of randomised controlled trials." *BMJ* 322(7289): 763-767.

LEAF, A. (2001). "Electrophysiologic basis for the antiarrhythmic and anticonvulsant effects of omega 3 polyunsaturated fatty acids." *World Review of Nutrition & Dietetics* 88: 72-78.

LeDOUX, J. E. (1992). "Brain mechanisms of emotions and emotional learning." *Current Opinion in Neurobiology* 2: 191-197.

LeDOUX, J. E. (1996). *The Emotional Brain: The Mysterious Underpinnings of Emotional Life.* New York, Simon & Schuster.

LeDOUX, J. E., L. ROMANSKI, et al. (1989). "Indelibility of subcortical emotional memories." *Journal of Cognitive Neuroscience* 1: 238-243.

LEVENSON, R., L. L. CARSTENSEN, et al. (1994). "The influence of age and gender on affect, physiology, and their interrelations: A study of long-term marriages." *Journal of Personality and Social Psychology* 67.

LEVENSON, R., L. L. CARSTENSEN, et al. (1993). "Long-term marriage: age, gender, and satisfaction." *Psychology and Aging* 8(2): 301-313.

LEVITT, A., R. JOFFE, et al. (1991). "Bright light augmentation in antidepressant nonresponders." *Journal of Clinical Psychiatry* 52(8): 336-337.

LEWIS, T., F. AMINI, et al. (2000). *A General Theory of Love.* New York, NY, Random House.

LI, Y., G. TOUGAS, et al. (1992). "The effect of acupuncture on gastrointestinal function and disorders." *Am J Gastroenterol* 87: 1372-1381.

LINDEN, W, C. STOSSEL, et al. (1996). "Psychosocial interventions for patients with coronary artery disease: a meta-analysis." *Archives of Internal Medicine* 156(7): 745-752.

LIU, K., J. STAMLER, et al. (1982). "Dietary lipids, sugar, fiber, and mortality from coronary heart disease-bivariate analysis of international data." *Atherosclerosis* 2: 221-227.

LOCKWOOD, R. (1983). "The influence of animals on social perception." *New Perspectives on Our Lives with Companion Animals.* A. H. Katcher and A. M. Beck. Philadelphia, PA, University of Pennsylvania Press. 8: 64-71.

LONG, B. C. and R. VAN STAVEL (1995). "Effects of exercise training on anxiety. A meta-analysis." *Journal of Applied Sport Psychology* 7: 167-189.

LOU, H. C., Y. C. SHEN, et al. (1990). "A comparative study of the treatment of depression by electro-acupuncture." *Acupunct Sci Int J* 1: 20-26.

LUO, H. C., Y. K. JIA, et al. (1985). "Electroacupuncture vs. amitriptyline in the treatment of depressive states." *Journal of Traditional Chinese Medicine* 5: 3-8.

LUO, H. C., Y. C. SHEN, et al. (1990). "A comparative study of the treatment of depression by electroacupuncture and amitriptyline." *Acupunture (Huntington, N.Y.)* 1: 20-26.

LUSKIN, F., M. REITZ, et al. (2002). "A controlled pilot study of stress management training in elderly patients with congestive heart failure." *Preventive Cardiology (Fall Issue)* 5: 168-172.

MacFARLAND, B. H., D. K. FREEBORN, et al. (1985). "Utilization patterns among long-term enrollees in a prepaid group practice health maintenance organization." *Medical Care* 23: 1121-1233.

MacMILLAN, M. B. (1986). "A wonderful journey through skull and brains: The travels of Mr. Gage's tamping iron." *Brain and Cognition* 5: 67-107.

MAES, M., R. SMITH, et al. (1996). "Fatty acid composition in major depression: decreased w3 fractions in cholesteryl esters and increased C20: 4 omega 6/C20: 5 omega-3 ratio in cholesteryl esters and phospholipids." *Journal of Affective Disorders* 38: 35-46.

MAES, M. and R. S. SMITH (1998). "Fatty acids, cytokines, and major depression." *Biological Psychiatry* 43: 313-314.

MANJI, H. K., W. Z. POTTER, et al. (1995). "Signal transduction pathways: molecular targets for lithium's actions." *Archives of General Psychiatry* 52: 531-543.

MARSHALL, B. (1988). "The Campylobacter pylori story." *Scand J Gastroenterol* 146 (Suppl): 58-66.

MAXFIELD, L. and L. A. HYER (2002). "The relationship between efficacy and methodology in studies investigating EMDR treatment of PTSD." *Journal of Clinical Psychology* 58: 23-41.

MAYER, J. D., P. SALOVEY, et al. (2000). "Models of emotional intelligence." *Handbook of Intelligence.* R. J. Steinberg. Cambridge, U.K., Cambridge University Press: 396-420.

McCRATY, R., Ed. (2001). *Science of the Heart: Exploring the role of the heart in human peformance.* Boulder Creek, CA, Institute of HeartMath.

McCRATY, R., M. ATKINSON, et al. (1995). "The effects of emotions on short-term power spectrum analysis and heart rate variability." *The American Journal of Cardiology* 76(14): 1089-1093.

McCRATY, R., B. BARRIOS-CHOPLIN, et al. (1998). "The impact of a new emotional self-management program on stress, emotions, heart rate variability, DHEA and cortisol." *Integrative Physiological and Behavioral Science* 33(2): 151-170.

McDONALD, D. G. and J. A. HOGDON (1991). *The Psychological Effects of Aerobic Fitness Training: Research and Theory.* New York, NY, Springer-Verlag.

MEDALIE, J. H. and U. GOLDBOURT (1976). "Angina pectoris among 10,000 men. II. Psychosocial and other risk factors as evidenced by a multivariate analysis of a five year incidence study." *American Journal of Medicine* 60(6): 910-921.

MEDALIE, J. H., K. C. STANGE, et al. (1992). "The importance of biopsychosocial factors in the development of duodenal ulcer in a cohort of middle-aged men." *American Journal of Epidemiology* 136(10): 1280-1287.

MEHLER, J., G. LAMBERTZ, et al. (1986). "Discrimination de la langue maternelle par le nouveau-né." *Comptes rendus de l'Academie des sciences,* 303: 637-640.

MESULAM, M. M. (1985). *Principles of Behavioral Neurology.* Philadelphia, F. A. Davis.

MILAD, M. and G. I. QUIRK (2002). "Neurons in medial prefrontal cortex signal memory for fear extinction." *Nature* 420: 70-74.

MONTAKAB, H. (1999). "Akupunktur und Schlaflosigkeit [Acupuncture and insomnia]." *Forschende Komplementarmedizin* 6 Suppl 1: 29-31.
MORGAN, M. A., L. M. ROMANSKI, et al. (1993). "Extinction of emotional learning: contribution of medial prefrontal cortex." *Neuroscience Letters* 163(1): 109-113.
MORTENSEN, E. L., K. F. MICHAELSEN, et al. (2002). "The association between duration of breasifeeding and adult intelligence." *JAMA* 287: 2365-2371.
MURRAY PARKES, C., B. BENJAMIN, et al. (1969). "Broken heart: a statistical study of increased mortality among widowers." *British Medical Journal* 646: 740-743.
MYERS, D. G. and E. DIENER (1996). "The pursuit of happiness." *Scientific American* 274: 70-72.
NEMETS, B., Z. STAHL, et al. (2002). "Addition of Omega-3 fatty acid to maintenance medication treatment for recurrent unipolar depressive disorder." *American Journal of Psychiatry* 159: 477-479.
Observatoire national des prescriptions et consommations des médicaments (1998). Étude de la prescription et de la consommation des antidépresseurs en ambulatoire. Paris, Agence du medicament – Directions des études et de l'information pharmaco-économiques.
OCHSNER, K. N., S. A. BUNGE, et al. (in press as of May 2002). "An fMRI study of the cognitive regulation of emotion." *Journal of Cognitive Neuroscience.*
OLSEN, S. F. and N. J. SECHER (2002). "Low consumption of seafood in early pregnancy as a risk factor for preterm delivery: prospective cohort study." *British Medical Journal* 324: 447-451.
ORNISH, D., L. SCHERWITZ, et al. (1998). "Intensive lifestyle changes for reversal of coronary heart disease." *JAMA* 280(23): 2001-2007.
PAFFENBARGER, R. S., I.-M. LEE, et al. (1994). "Physical activity and personal characteristics associated with depression and suicide in American college men." *Acta Psychiatrica Scandinavica (suppl)* 377: 16 22.
PALONE, A. M., R. R. LEWIS, et al. (1976). "Results of two years of exercise training in middle-aged men." *The Physician and Sports Medicine* 4: 72-77.
PANKSEPP, J., M. SIVIY, et al. (1985). "Brain opiods and social emotions." *The Psychobiology of Attachment and Separation.* M. Reite and T. Field. New York, NY, Academic Press.
PARRY, B., S. BERGA, et al. (1990). "Melatonin and phototherapy in premenstrual depression." *Progress in Clinical & Biological Research* 341B: 35-43.
PAULUS, W. E., M. ZHANG, et al. (2002). "Influence of acupuncture on the pregnancy rate in patients who undergo assisted reproduction therapy." *Fertil Steril* 77(4): 721-724.
PAVLOV, I. P. (1927). *Conditioned Reflexes.* London, Oxford University Press.
PEET; M. and D. HORROBIN (2002). "A dose-ranging exploratory study of the effects of ethyl-eicosapentaenoate in patients with persistent schizophrenic symptoms." *Journal of Psychiatric Research* 36(1): 7-18.

PEET, M. and D. HORROBIN (2002). "A dose-ranging study of the effects of ethyl-eicopentaenoate in patients with ongoing depression despite apparently adequate treatment with standard drugs." *Archives of General Psychiatry* 59: 913-919.

PEET, M., B. MURPHY, et al. (1998). "Depletion of omega-3 fatty acid levels in red blood cell membranes of depressive patients." *Biological Psychiatry* 43(5): 315-319.

PERKINS, B. R. and C. C. ROUANZOIN (2002). "A critical evaluation of current views regarding Eye-Movement Desensitization and Reprocessing (EMDR): Clarifying points of confusion." *Journal of Clinical Psychology* 58: 77-97.

PERT, C. B., H. E. DREHER, et al. (1998). "The psychosomatic network: foundations of mind-body medicine." *Alternative Therapies in Health and Medicine* 4(4): 30-41.

PESSAH, M. A. and H. P. ROFFWARG (1972). "Spontaneous middle ear muscle activity in man: A rapid eve movement sleep phenomenon." *Science* 178 : 773-776.

POLYAKOV, S. E. (1988). "Acupuncture in the treatment of endogenous depression." *Soviet Neurology and Psychiatry* 21: 36-44.

PORGES, S. W., J. A. DOUSSARD-ROOSEVELT, et al. (1994). "Vagal tone and the physiological regulation of emotion." *Monographs of the Society for Research in Child Development*. Chicago, IL, University of Chicago Press. 59(2-3): 167-186, 250-283.

PURI, B. K., G. BYDDER, et al. (2002). "MRI and neuropsychological improvement in Huntington disease following ethyl-EPA treatment." *NeuroReport* 13(1): 123-126.

PURI, B. K., S. J. COUNSELL, et al. (2001). "Eicosapentaenoic acid in treatment-resistant depression associated with symptom remission, structural brain changes and reduced neuronal phospholipid turnover." *International Journal of Clinical Practice.* 55(8): 560-563.

PURI, B. K., S. J. COUNSELL, et al. (2002). "Eicosapentaenoic acid in treatment-resistant depression." *Archives of General Psychiatry* 59: 91-92.

QUIRK, G. J., G. K. RUSSO, et al. (2000). "The role of ventromedial prefrontal cortex in the recovery of extinguished fear." *Journal of Neuroscience* 20(16): 6225-6231.

RAUCH, S., B. VAN DER KOLK, et al. (1996). "A symptom provocation study of posttraumatic stress disorder using positron emission tomography and script-driven imagery." *Archives of General Psychiatry* 53: 380-387.

RECHLIN, T., M. WEIS, et al. (1995). "Does bright-light therapy influence autonomic heart-rate parameters?" *Journal of Affective Disorders* 34(2): 131-137.

RECHLIN, T., M. WEIS, et al. (1994). "Are affective disorders associated with alterations of heart rate variability?" *Journal of Affective Disorders* 32(4): 271-275.

Rédaction du *Monde* (2002). "Le Grand Dossier Exception française." Le Monde (14-15 avril): 17.

REGIER, D. and L. ROBINS, Eds. (1991). *Psychiatric Disorders in America: The Epidemiologic Catcnment Area Study.* New York, NY, Free Press.

REIN, G., R McCRATY, et al. (1995). "Effects of positive and negative emotions on salivary IgA." *Journal for the Advancement of Medicine* 8(2): 87-105.

REMEN, R. N. (1997). *Kitchen Table Wisdom,* Riverside Books.

RENAUD, S., M. CIAVATTI, et al. (1983). "Protective effects of dietary calcium and magnesium on platelet function and atherosclerosis in rabbits fed saturated fat." *Atherosclerosis* 47: 189-198.

RESTON, J. (1971). "Now, let me tell you about my appendectomy in Peking..." *The New York Times* (July 26).

REYNOLDS, P., P. T. BOYD, et al. (1994). "The relationship between social ties and survival among black and white breast cancer patients. National Cancer Institute Black/White Cancer Survival Study Group." *Cancer Epidemiology, Biomarkers & Prevention* 3(3): 253-259.

RODIN, J., LANGER, E. J. (1977). "Long-term effects of a control-relevant intervention with the institutionalized aged." *Journal of Personality and Social Psychology* 35: 897-902.

ROSENBERG, M. D. (1999). *Non-violent Communication,* PuddleDancer Press.

ROSENTHAL, N. E. (1998). *Winter Blues: Seasonal Affective Disoder – What it is and how to overcome **it**.* New York, Guilford Press.

RUDIN, D. O. (1982). "The dominant diseases of modernized societies as omega-3 essential fatty acid deficiency syndrome." *Medical Hypotheses* 8:17-47.

RUMELHART, D. E. and J. L. McCLELLAND (1986). *Parallel Distributed Processing: Explorations in the microstructure of cognition.* Cambridge, MA, MIT Press.

SACK, M., W. LEMPA, et al. (2001). "Study quality and effect-sizes – a meta-analysis of EMDR-treatment for posttraumatic stress disorder." *Psychotherapie, Psychosomatik, Medizinische Psychologie* 51(9-10): 350-355.

SAMUELS, M. (2001). "Voodoo death revisited: The modern lessons of neurocardiology." *Grand Rounds.* Department of Medicine, Univ. of Pittsburgh Medical Center, Presbyterian/Shadyside Hospital.

SATLIN, A., L. VOLICER, et al. (1992). "Bright light treatment of behavioral and sleep disturbances in patients with Alzheimer's disease." *American Journal of Psychiatry* 149(8): 1028-1032.

SCHANBERG, S. (1994). "Genetic basis for touch effects." *Touch in early development.* T. Field. Hillsdale, NJ, Erlbaum: 67-80.

SERVAN-SCHREIBER, D., W. M. PERLSTEIN, et al. (1998). "Selective pharmacological activation of limbic structures in human volunteers: A positron emission tomography study." *Journal of Neuropsychiatry and Clinical Neurosciences* 10:148-59.

SETTLE, J. E. (2001). "Diet and essential fatty acids." *Handbook of Complementary and Alternative Therapies in Mental Health.* S. Shannon. San Diego, Academic Press: 93-113.

SHANNON, S. (2001). "Integration and holism." *Handbook of Complementary and Alternative Therapies in Mental Health*. S. Shannon. San Diego, Academic Press: 21-42.

SHAPIRO, F. (2001). *Eye-movement desensitization and reprocessing: Basic principles, protocols and procedures*. 2nd edition. New York, Guilford.

SHER, L. (1996). "Exercise, wellbeing, and endogenous molecules of mood." *Lancet* 348(9025): 477.

SIEGEL, J. M. (1990). "Stressful life events and use of physician services among the elderly: the moderating influence of pet ownership." *J Pers Soc Psychol* 58:101-1086.

SIEGEL, J. M., F. J. ANGULO, et al. (1999). "AIDS diagnosis and depression in the multicenter AIDS cohort study: the ameliorating impact of pet ownership." *AIDS Care* 11: 157-169.

SIMON, S. (1993). "Sarajevo pets." *Week End Edition Saturday*. S. Simon. Washington, National Public Radio – USA.

SIMOPOULOS, A. P. and J. ROBINSON (1998). *The Omega Diet*. New York, Harper Collins.

SIMOPOULOS, A. P. and N. SALEM (1989). "Omega-3 fatty acids in eggs from range-fed Greek chickens." *New England Journal of Medicine*: 1412.

SMITH, R. S. (1991). "The macrophage theory of depression." *Medical Hypotheses* 35: 298-306.

SOLOMON, S., E. T. GERRITY, et al. (1992). "Efficacy of treatments for posttraumatic stress disorder." *JAMA* 268: 633-638.

SOULIE DE MORANT, G. L. (1972). *L'Acupuncture chinoise*. Paris, Maloine Éditeurs.

SPECTOR, J. and J. READ (1999). "The current status of eye-movement desensitization and reprocessing (EMDR)." *Clinical Psychology and Psychotherapy* 6: 165-174.

SPERLING, R. I., A. I. BENINCASO, et al. (1993). "Dietary omega-3 polyunsaturated fatty acids inhibit phosphoinositide formation and chemotaxis in neutrophils." *J Clin Invest* 91: 651-660.

SPITZ, R. (1945). "Hospitalism: An inquiry into the genesis of psychiatric conditions in early childhood." *Psychoanalytic Study of the Child* I: 53-74.

STICKGOLD, R. (2002). "EMDR: A putative neurobiological mechanism." *Journal of Clinical Psychology* 58: 61-75.

STOLL, A. L. (2001). *The Omega-3 Connection: The groundbreaking omega-3 antidepression diet and brain program*. New York, Simon & Schuster.

STOLL, A. L. and C. A. LOCKE (2002). "Omega-3 fatty acids in mood disorders: A review of neurobiologic and clinical applications." *Natural Medications for Psychiatric Disorders: Considering the Alternatives*. D. Mischoulon and J. Rosenbaum. Philadelphia, PA, Lippincott Williams & Wilkins: 13-34.

STOLL, A. L., W. E. SEVERUS, et al. (1999). "Omega 3 fatty acids in bipolar disorder: a preliminary double-blind, placebo-controlled trial." *Archives of General Psychiatry* 56: 407-412.

STORDY, B. and M. NICHOOL (2000). *The LCP Solution: The remarkable nutritional treatment for ADHD, dyslexia, and dyspraxia.* New York, NY, Ballantine Books.

STROINK, G. (1989). "Principles of cardiomagnetism." *Advances in Biomagnetism.* S. J. e. a. Williamson. New York, Plenum Press: 47-57.

STUART, M. R. and J. A. LIEBERMAN (1993). *The Fifteen Minute Hour: Applied psychotherapy for the primary care physician.* Westport, CT, Prager.

STYS, A. and T. STYS (1998). "Current clinical applications of heart rate variability." *Clinical Cardiology* 21: 719-724.

THOMAS, M., S. V. ERIKSSON, et al. (1991). "A Comparative Study of Diazepam and Acupuncture in Patients with Osteoarthritis Pain: A Placebo Controlled Study." *American Journal of Chinese Medicine* 2(XIX): 95-100.

THOREN, P., J. S. FLORAS, et al. (1990). "Endorphins and exercise: physiological mechanisms and clinical implications." *Medicine & Science in Sports & Exercise* 22(4): 417-428.

TIMOFEEV, M. F. (1999). "Effects of acupuncture and an agonist of opiate receptors on heroin dependent patients." *American Journal of Chinese Medicine* 27(2): 143-148.

TSUJI, H., F. VENDITTI, et al. (1994). "Reduced heart rate variability and mortality risk in an elderly cohort. The Framingham Heart Study." *Circulation* 90(2): 878-883.

U.K-Department of Health (2001). *The Evidence Based Clinical Practice Guideline,* Department of Health, United Kingdom. 2001.

ULETT, G. A., S. HAN, et al. (1998). "Electroacupuncture: Mechanisms and clinical applications." *Biological Psychiatry* 44: 129-138.

UMETANI, K., D. SINGER, et al. (1999). "Twenty-four hours time domain heart rate variability and heart rate: relations to age and gender over nine decades." *Journal of the American College of Cardiology* 31(3): 593-601.

UVNAS-MOBERG, K. (1998). "Oxytocin may mediate the benefits of positive social interaction and emotions." *Psychoneuroendocrinology* 23: 819-835.

VAILLANT, G. (1995). *Adaptation to Life.* Boston, Harvard University Press.

VAN ETTEN, M. L. and S. TAYLOR (1998). "Comparative efficacy of treatments for post-traumatic stress disorder: A meta-analysis." *Clinical Psychology & Psychotherapy* 5: 126-144.

WALSH, R. (2001). *Les Chemins de l'éveil,* Montréal, Le Jour, 2001.

WANG, S.-M. and Z. N. KAIN (2001). "Auricular acupuncture: a potential treatment for anxiety." *Anesth Analg* 92: 548-553.

WATKINS, A. D. (2002). Corporate training in heart rate variability: six weeks and 6 months follow-up studies. London.

WEISSMAN, M. W, R. BLAND, et al. (1996). "Cross-national epidemiology of major depression and bipolar disorder." *JAMA* 276: 293-296.

WILSON, D., S. M. SILVER, et al. (1996). "Eye movement desensitization and reprocessing: Effectiveness and autonomic correlates." *Journal of Behavior Therapy and Experimental Psychiatry* 27: 219-229.

WILSON, E. O. (2000). *Sociobiology: The New Synthesis, Twenty-Fifth Anniversary Edition*. Cambridge, Harvard University Press.

WILSON, S., L. BECKER, et al. (1995). "Eye movement desensitization and reprocessing (EMDR) treatment for psychologically traumatized individuals." Journal of Consulting and Clinical Psychology 63: 928-937.

WILSON, S., L. BECKER, et al. (1997). "Fifteen-month follow-up of eye movement desensitization and reprocessing (EMDR) treatment for post-traumatic stress disorder and psychological trauma." *Journal of Consulting and Clinical Psychology* 65: 000-000.

WISE, S. P and M. HERKENHAM (1982). "Opiate receptor distribution in the cerebral cortex of the rhesus monkey." *Science* 218: 387-389.

YAMASAKI, H., K. S. LABAR, et al. (2002). "Dissociable prefrontal brain systems for attention and emotion." *Proceedings of the National Academy of Sciences* 99(17): 11447-11451.

YEHUDA, R., A. C. McFARLANE, et al. (1998). "Predicting the development of posttraumatic stress disorder from the acute response to a traumatic event." *Biological Psychiatry* 44: 1305-1313.

ZARIFIAN, E. (2002). "En France, le recours aux drogues a de quoi inquiéter." *Le Figaro*: 23.

ZUCKERMAN, D. M., S. V. KASL, et al. (1984). "Psychosocial predictors of mortality among the elderly poor." *Am J Cardiol* 119: 410-423.

Indicações úteis

SITES ESPECÍFICOS CRIADOS PELO AUTOR DA OBRA:

www.guerir.com
www.insticttoheal.org

CLÍNICAS E ESPECIALISTAS MÉDICOS (CONSULTADOS PELA EDITORIA):

• ASPIN – Anthi Stress Preformance Intituteh
Diretor Clínico – Dr. Silvio Laganá de Andrade
Nutrologia Médica, Homeopatia, Acunputura, Biofeedback, Psicoterapia, EMDR, Watsu (Shiatsu na água), Hidroterapia, Yoga, Fitness/Wellness.
Rua Francisco Leitão, 210 - Pinheiros – São Paulo/SP
Telefone: (11)3088-3711
www.clinicaaspin.com.br
E-mail: aspin@clinicaaspin.com.br

• Marcia Tabacow
Ginecologia, Obstetrícia, Medicina Homeopática.
Rua Alcides Ricardini Neves, 12/Conj. 514 – São Paulo/SP
Telefone: (11) 5506-2514
E-mail: mtabacow@hotmail.com

• Rosane Gibertoni
Acupuntura, Endocrinologia, Metabologia, Medicina Homeopática.
Rua Dr. Renato Paes de Barros, 512 – 6º andar/64 – São Paulo/SP
Telefone: (11) 3168 1635
E-mail: rgibertoni@uol.com.br

ESPECIALISTAS EM EMDR:

• Carlos Rabinovich – EMDR
Telefone: Curitiba (41) 363-6239 / 352-8284
Florianópolis (41) 225-2442 / 224-4829
E-mail: carlos.ra@terra.com.br

• Antônio Ricardo Teixeira – Psicólogo
Telefone: Brasília – (61) 226-8521
E-mail: ricteixeira@terra.com.br

• Marcia Ribeiro Mathias – Psicóloga
Telefone: Rio de Janeiro – (21) 2275-7233 / 2542-3666
E-mail: mathiaspsi@alternex.com.br

Suprimentos nutricionais:

• Capilab – Ácido Graxo Ômega –3/Suprimentos Nutricionais
Telefone: (11) 3884-7269
E-mail: capilab@uol.com.br

• Ortho Biolab – Ácido Graxo Ômega –3/Suprimentos Nutricionais
Telefone: (11) 3885-6321 / 3885-3315

Simulador de aurora:

• Healthful
www.health101.org

• Light Therapy Products
www.lighttherapyproducts.com

Centros Médicos de Referência:

• Escola Paulista de Medicina (UNIFESP)
Rua Botucatu, 740 – São Paulo/SP
Telefone: (11) 5576-4000 / 5576-4522
www.unifesp.br

• Hospital das Clínicas
Av. Dr. Enéas de Carvalho Aguiar, 255 – São Paulo/SP
Telefone: (11) 3069-6000
www.hcnet.usp.br

"O médico e cientista David Servan-Schreiber escreveu um manual maravilhoso para ajudar a reconciliar nossos cérebros emocional e racional... [ele] baseia seus conselhos – de como melhorar nossos vidas a partir de uma compreensão de como o cérebro humano funciona – em uma vasta síntese do mais recente conhecimento em neuropsicologia, assim como em sua experiência clínica e laboratorial. O livro é, ao mesmo tempo, intelectualmente profundo e de leitura fácil porque escrito em uma linguagem transparente, clara."
MIHALY CSIKSZENTMIHALYI, PH.D., AUTOR DOS BEST-SELLERS *FLOW, BEING ADOLESCENT, THE EVOLVING SELF* E *CRIATIVITY*.

"O dr. Servan-Schreiber está enviando uma mensagem importante para aqueles terapeutas verbais que parecem confiar no cérebro racional e na linguagem como única via para as nossas emoções. Esta crítica ampla e oportuna abre inúmeras portas e pode ser lida com prazer por um vasto público."
JUDITH S. SCHACHTER, M.D., EX-PRESIDENTE DA ASSOCIAÇÃO PSICANÁLITICA AERICANA.

"Por que o *Curar* está sendo um sucesso onde quer que esteja sendo publicado? Porque as pessoas estão ansiosas para descobrir maneiras novas de lidar com o desgaste de um ambiente social estressante, e porque este livro – escrito por um psiquiatra de formação tradicional, mas que ousa pensar de maneira não tradicional – oferece uma alternativa que pode funcionar, e, ao fazê-lo, oferece esperança."
ANTONIO DAMÁSIO, .D., PH.D., AUTOR DE *LOOKING FOR SPINOZA: JOY, SORROW AND THE FEELING BRAIN, THE FEELING OF WHAT HAPPENS* E *DESCARTES' ERROR*.

"O surpreendente livro de Servan-Schreiber dá um salto além da psiquiatria convencional e integra a pesquisa neurocientífica contemporânea com um profundo conhecimento da tendência inata do cérebro emocional para curar. Ele mostra como uma pessoa pode 'reprogramar' o cérebro emocional para que este se adapte ao presente, ao invés de permanecer preso ao passado doloroso. Ele mostra, ainda, que, para que a cura ocorra, a pessoa não precisa depender exclusivamente dos métodos tradicionais de linguagem e raciocínio, mas pode, ela mesma, influenciar diretamente o cérebro emocional a agir na experiência física."
BESSEL VAN DER KOLK, M.D., PROFESSOR DE PSIQUIATRIA, FACULDADE DE MEDICINA DA UNIVERSIDADE DE BOSTON.

"*Curar* é cativante e de leitura fácil, e está cheio de sugestões práticas sobre como aliviar o stress, a ansiedade e a depressão.Os conselhos que Servan-Schreiber nos dá provêm de revistas científicas de primeira grandeza e de seus anos de experiência clínica e científica. Seus relatos de pacientes, assim como seu estilo narrativo simples, ajudam os leitores a enxergar além dos estudos de pesquisa que ele cita."
ROBIN S. ROSENBERG, PH.D., PSICÓLOGO CLÍNICO E CO-AUTOR DE *PSICOLOGIA: O CÉREBRO, A PESSOA, O MUNDO.*

"O *Curar* nos dá uma inspiradora visão panorâmica do potencial de cura que existe dentro de cada um de nós – um potencial com o qual nascemos e que não depende de medicação, cirurgias ou manipulações de alta tecnologia."
LARRY DOSSEY, M.D., AUTOR DOS BEST-SELLERS *HEALING EYOND THE BODY, REINVENTING MEDICINE* E *HEALING WORDS.*

"David costumava falar amiúde de grandes mestres, como Erikson, a quem ele admirava particularmente por sua combinação de intelecto vigoroso, profundidade de caráter e pronta solicitude. Pude entender exatamente o que ele estava querendo dizer, pois tive o privilégio de observar nele um exemplo vivo de tal grandeza."
JONATHAN D. COHEN, M.D., OH.D., DIRETOR DO CENTRO PARA O ESTUDO DO CÉREBRO, MENTE E COMPORTAMENTO DE PRINCETON.

Esta obra foi composta em Iowan e impressa
em papel off-set 75g/m² da Rilisa pela Bartira
Gráfica e Editora S/A para a Sá Editora
em março de 2004.